L'Univers, la vie et la contingence

First published 2019 in Great Britain by ISTE Editions Ltd.

ISTE Editions Ltd
27-37 St George's Road
London SW19 4EU
UK

British Library Cataloguing-in-Publication Data
A CIP record for this book is available from the British Library
ISBN: 978-1-78405-583-7 (print)
ISBN: 978-1-78406-583-6 (e-book)

FSC www.fsc.org MIX Paper from responsible sources FSC® C013604

Printed and bound in Great Britain by CPI Group (UK) Ltd., Croydon, Surrey CR0 4YY, May 2019

L'Univers, la vie et la contingence

Jean Fourtaux

iSTE editions

Table des matières

Avant-propos

La plus grande erreur est de croire les choses
parce qu'on voudrait qu'elles soient.

Louis Pasteur

Dès ma petite enfance, j'ai pu visiter le musée et les sites préhistoriques des Eyzies-de-Tayac, paisible village du Périgord blotti sous de majestueuses falaises blanches au bord de la Vézère, belle et calme rivière qui coule à leurs pieds. Et j'aime continuer à m'y rendre chaque année avec toujours autant de plaisir et d'émotion.

J'ai tout de suite été fasciné par ces hommes d'un lointain passé dont des vestiges étaient présentés dans les vitrines du petit musée d'alors qui arrivaient juste à la hauteur de mes yeux. Je possède encore les quelques petits livres que m'avaient achetés mes parents à la librairie. Ils sont des témoignages précieux des connaissances sur le sujet dans les années 1950 et, *a contrario*, des immenses progrès qui ont été accomplis au cours des dernières décennies dans la recherche de nos origines.

Depuis, j'ai consacré une part importante de mon temps à la paléontologie et aux sciences de la vie en général. Grâce aux connaissances que de prestigieux auteurs, professeurs et conférenciers m'ont permis d'accumuler, j'ai pu me lancer dans la passionnante aventure – à laquelle j'ai consacré plusieurs milliers d'heures –, d'écrire le récit des origines, du développement et de l'évolution de la vie. Mon but, que l'on sera libre de juger immodeste, était de mettre à la disposition du grand public un ouvrage à caractère général (pour ne pas dire encyclopédique, ce qui serait présomptueux) consacré à un domaine dont je sais qu'il intéresse, voire passionne, beaucoup de personnes. Et ainsi d'ajouter ma petite pierre au mur qui tente de barrer la route à l'obscurantisme de ceux qui nient des réalités fondées sur la science, en leur préférant des idéologies et des croyances sans aucun appui rationnel.

Introduction

À la fin du XIXe siècle, l'invention du chemin de fer permit à la France de se couvrir d'un réseau qui ne relia pas seulement les grandes métropoles, mais desservit également les petites villes et les campagnes. C'est ainsi que fut lancée en Dordogne, en direction du sud, la construction d'une ligne reliant les villes de Périgueux et d'Agen en passant, entre autres, par un gros bourg nommé Les Eyzies-de-Tayac. Au cours de travaux de terrassement près de la gare, un jour de 1868, au lieu-dit Cro-Magnon, la pioche d'un ouvrier exhuma cinq squelettes, manifestement humains mais anciens : ceux de trois hommes, une femme et un enfant. Dans les décennies qui suivirent, des préhistoriens entreprirent des fouilles dans les nombreux abris sous roche et grottes situés à l'intérieur et aux alentours de cette petite ville.

On connaissait déjà les peintures, manifestement très anciennes, de la petite grotte de Font-de-Gaume, située à l'entrée des Eyzies. Comme me l'avait raconté mon père, dont la famille résidait à Belvès, belle petite ville médiévale située à une trentaine de kilomètres plus au sud, les habitants de la région visitaient cette grotte en s'éclairant avec des torches. Leurs fumées n'ont pas été pour rien dans l'effacement partiel de ces belles œuvres, de même facture que celles qui furent découvertes quelques dizaines d'années plus tard près de Montignac, plus en amont dans la vallée de la Vézère, dans une autre grotte beaucoup plus grande surnommée la « chapelle Sixtine de la Préhistoire », que j'ai eu la chance de visiter peu avant sa fermeture au public.

Grâce à ces recherches, ce fut au fil des années une accumulation unique au monde d'ossements humains, d'outils, de gravures, dessins et peintures qui bouleversa les connaissances sur le passé de l'humanité, en même temps que la vie des habitants de ce bourg devenu la « Capitale mondiale de la préhistoire ». Depuis, des milliers d'autres vestiges ont été mis au jour dans les environs ; on peut les admirer dans le beau et grand musée qui a remplacé celui que j'avais connu, devant lequel s'élève la statue du sculpteur Paul Dardé « L'Homme primitif », témoignage particulièrement intéressant de l'idée que l'on se faisait encore de nos ancêtres en 1930.

Mais si Les Eyzies sont au cœur de l'aventure humaine européenne, celle-ci a débuté en d'autres lieux avant de se développer sur la totalité de l'Ancien Monde, en plusieurs vagues, puis de gagner il y a quelques dizaines de milliers d'années l'Océanie puis les Amériques.

Figure I.1. *« L'Homme primitif » de Dardé (source : © MNP-Les Eyzies)*

Et la multiplication des découvertes sur le terrain, dont l'interprétation est devenue de plus en plus fine grâce aux progrès scientifiques, a permis de remonter le temps en découvrant que l'Homme n'était que l'extrémité d'un des innombrables rameaux qui plongent leurs racines dans un passé qui se chiffre en centaines de millions d'années, jusqu'aux premiers êtres vivants qui ont émergé de la matière inerte, il y a près de 4 milliards d'années. Ces comptes vertigineux en millions et milliards d'années ne doivent cependant pas nous effrayer et nous allons suivre, étape par étape, cette extraordinaire épopée de la vie sur notre Terre.

Certes, cette réalité peut se heurter à des convictions bien ancrées héritées d'un passé dans lequel la science n'avait guère de place. Mais le fait scientifique a aujourd'hui conquis toute sa place : des réalités avérées, couplant la découverte de fossiles de plus en plus nombreux et de mieux en mieux étudiés avec diverses sciences aussi variées que la génétique, la physique nucléaire, la géologie et bien d'autres, permettent de construire une histoire certaine sur beaucoup de points, probable pour d'autres, même si elle reste parfois plus aléatoire et même sans réponse, au moins actuellement. Alors ne jouons pas les autruches en nous enfonçant la tête dans le sable (ce que, au demeurant, ne font pas ces volatiles, malgré la légende, sans quoi il n'en existerait plus) et partons à la quête de notre passé.

Chapitre 1

La Terre des origines

1.1. Quelques mots d'histoire

D'abord, à titre de curiosité, quelques brefs mots d'histoire. Depuis longtemps, des curieux avaient récolté un peu partout dans le monde de multiples restes d'êtres vivants dont certains étaient très différents des animaux de leur époque. Était-ce des ancêtres, ou au contraire des espèces totalement disparues ? Autre question : la Terre qui portait cette vie, le Soleil, les étoiles étaient-ils là depuis toujours ? Notre planète et l'étoile qui l'éclairait et la chauffait étaient-elles au centre du monde ?

Toutes les civilisations connues ont sécrété des mythes cosmologiques pour tenter de percer ces mystères et d'expliquer les origines de l'Univers et de l'Homme. Nous ne nous étendrons pas ici sur ces légendes, ni sur les religions auxquelles elles ont servi de trame, sauf pour souligner qu'il a fallu des siècles, dans les temps historiques, pour que la science finisse par conquérir une autonomie fragile et sans cesse remise en cause.

C'est chez les Grecs que l'on trouve probablement la première tentative pour écarter le surnaturel de la recherche d'explications à l'ordonnancement du monde. Ainsi, l'observation de la Lune et du Soleil, en particulier pendant les éclipses considérées comme un phénomène naturel et non comme une manifestation des Dieux, permit à Thalès de Millet puis à Pythagore, au VIe siècle avant notre ère, de comprendre que la lumière de la Lune provenait du Soleil et de prédire les éclipses de Lune. Pythagore avança que le Soleil, la Terre et la Lune sont des sphères. Puis Démocrite énonça des idées prémonitoires : l'éternité des éléments, la structure de la matière en atomes, la nature des étoiles comme autant de soleils lointains. Il est vrai qu'il rencontra plus de scepticisme que d'approbation de la part de ses contemporains.

La Terre étant considérée comme ronde, pourquoi ne pas essayer d'en mesurer la circonférence ? Vers 300 avant J.-C., Ératosthène de Cyrène s'y attela. Il avait observé que l'ombre d'un bâton planté verticalement n'avait pas la même longueur, au moment du zénith, à Alexandrie et à Syène (Assouan aujourd'hui), situées à peu près sur le même méridien et donc ayant la même heure. Au premier jour de l'été, cette longueur était même nulle à Syène, située sur le tropique. Mesurant le même jour à midi la longueur de l'ombre du bâton à Alexandrie et connaissant la distance entre les deux villes, il en déduisit la circonférence de la Terre par une simple règle de trois : 250 000 stades. On ne sait pas quelle était, ramenée en mètres, la longueur du stade ayant servi de référence (elle variait suivant les pays). S'il a utilisé le stade égyptien, la précision de la mesure était quasi miraculeuse. Dans les autres cas, il n'était de toute façon pas loin de la réalité.

Puis, ne doutant de rien, d'autres Grecs entreprirent de mesurer la taille de la Lune et sa distance à la Terre. Ils utilisèrent pour cela l'observation d'une éclipse de Lune, en mesurant le temps que mettait celle-ci à disparaître, puis celui pendant lequel elle restait cachée avant de réapparaître. Une tentative analogue fut faite par Aristarque de Samos pour mesurer la distance de la Terre au Soleil. Mais là, les mesures étaient trop imprécises, vu l'énormité de cette distance. Cependant, l'essentiel était qu'Aristarque ait compris que le Soleil était beaucoup plus loin de la Terre que ne l'était la Lune. Les deux astres ayant le même diamètre apparent, le Soleil était donc beaucoup plus gros que la Lune et même que la Terre. Il en déduisit, de façon géniale, que c'était probablement le plus petit astre (la Terre) qui tournait autour du plus gros (le Soleil) et non l'inverse. Mais c'est le dogme de la Terre « centre du monde » qui prévalut et il fallut attendre le XVIe siècle et Copernic pour rendre au Soleil et à la Terre leurs places respectives.

Ainsi, la réalité de la structure de l'Univers, la place qu'y tenaient la Terre, le Soleil et les planètes demeurèrent longtemps ignorées. Les constructions élaborées pour en rendre compte restèrent la plupart du temps empreintes d'*a priori* et fort éloignées de la réalité, et il fallut attendre les temps modernes pour commencer à débroussailler correctement la question.

1.2. La progression vers la connaissance

Après des siècles de tâtonnements, de progrès et de régressions, l'astronomie trouva enfin son essor à partir du XVIe siècle. Après Copernic, qui reprit les idées d'Aristarque et réaffirma le principe d'un monde héliocentrique, d'autres creusèrent le sillon : Kepler découvrait les lois régissant les mouvements des corps célestes, Galilée inventait la lunette astronomique, et Newton, aidé ou non de sa fameuse pomme, élaborait la théorie de la gravitation universelle.

La première lunette de Galilée date de 1609. Grossissant 32 fois, elle permettait déjà de distinguer des objets mille fois moins lumineux que ceux visibles ordinairement. Depuis, des télescopes de plus en plus puissants ont permis de sonder le ciel et de percevoir des sources lumineuses d'une incroyable faiblesse, tout en étendant les observations à l'ensemble du spectre de la lumière, visible et invisible.

L'accumulation des observations et des réflexions théoriques aboutit, au XXe siècle, à la théorie du « Big Bang », façon imagée et particulièrement parlante, comme seule sait le faire la langue américaine, de désigner la conflagration originelle dont on pensait maintenant qu'était issu l'Univers (précisons que le terme de « Big Bang » a été inventé par des opposants à cette théorie, par dérision, avant d'être adopté par tout le monde sous un aspect positif). En effet, l'éloignement des galaxies les unes des autres et d'autres observations avaient fait avancer l'idée que l'Univers tel que nous le connaissons était issu d'une sorte d'énorme explosion créant la matière originelle qui, depuis, se disperse à partir du point d'origine.

Mais quel que soit l'avancement de la recherche, il serait imprudent de dire : « Voilà comment les choses se sont passées. » La seule affirmation possible est : « Tout est aujourd'hui comme si... » En effet, donner une origine au monde, dire qu'il part d'un instant zéro, avec la totalité de l'énergie concentrée en un « point », semble postuler qu'il n'y avait rien « avant ». Et peut-on même définir, en cet instant zéro, ce qu'est « l'énergie », ou ce « point » ? Que veut dire « ne rien y avoir avant » ? Notre esprit hérité des « chasseurs-cueilleurs » de la préhistoire est ainsi fait qu'il nous est impossible de concevoir un tel « rien » ; chaque instant ne peut qu'avoir été précédé par un autre instant, et cela jusqu'à l'« infini » (autre mot ouvrant un autre champ de l'inconcevable).

Et si un « avant » a précédé le « Big Bang », que peut-il être ? L'Univers passerait-il par des phases successives d'expansion et de contraction depuis et jusqu'à un point zéro (hypothèse des plus hasardeuses au regard des constatations actuelles d'une expansion en accélération) ? On en est même aujourd'hui à avancer, avec de solides arguments, le concept de « Plurivers » : cet Univers qui est le nôtre pourrait bien n'être qu'un parmi une multitude d'autres, créés avant ou après lui, comme autant de bulles de champagne pour reprendre l'expression imagée de l'astrophysicien Michel Cassé, et dotés d'autres caractéristiques physiques les rendant inaccessibles à l'observation.

N'allons pas plus loin dans cet immense champ de recherche où se rejoignent la physique quantique et la théorie de la relativité, et contentons-nous d'acter que notre Univers, tel que nous l'observons aujourd'hui et pouvons l'étudier en remontant le temps jusqu'à un instant infime après sa naissance, paraît bien être issu d'une création de matière à partir d'un vide empli d'énergie, il y a près de 14 milliards d'années. Cela suffit à bâtir scientifiquement la suite de l'aventure qui a amené à l'existence de ce que l'on appelle des galaxies, dont l'une abrite notre système solaire, notre Terre et la vie qui y est apparue et a évolué depuis près de quatre milliards d'années.

1.3. Les premiers moments de notre Univers

Le plus paradoxal, dans ce que ce paragraphe va évoquer à très gros traits, est que les phénomènes primordiaux qui ont conduit à la formation de la Terre et à la naissance et l'évolution de la vie qu'elle porte sont concentrés sur une durée extraordinairement courte qui se compte d'abord en infimes fractions de seconde, puis au maximum en quelques centaines de milliers d'années. Alors qu'ensuite il a fallu plusieurs milliards d'autres années pour qu'un être pensant, hôte d'un petit caillou perdu dans l'immensité de l'Univers, soit à même de se pencher sur les mystères de son origine. Mais ces durées extrêmement courtes se sont accompagnées, à l'inverse, de températures autant inimaginables dans l'extrêmement grand.

Tout d'abord, en remontant au plus loin possible dans le passé, on se heurte à une barrière : durant un bref (très bref !) instant, estimé à 10^{-43} seconde (c'est-à-dire 0,000…1, avec 42 zéros entre la virgule et le 1), l'état de l'Univers est indéfinissable (du moins dans l'état actuel de nos connaissances). Cette infime durée a été appelée le temps de Planck, en l'honneur de Max Planck, prix Nobel de physique en 1918. Puis l'Univers commence à s'ordonner. Il est alors constitué d'une sorte de bouillie, appelée plasma, formée de particules agglomérées interagissant les unes sur les autres, protons, neutrons et électrons (grains de matière), photons (grains de lumière) et neutrinos (particules encore mystérieuses dont on ne sait même pas si elles ont une masse, actuellement émises, pour ce qui nous concerne, par le Soleil, et dont des dizaines de milliards traversent notre corps à chaque seconde, sans que ni nous, ni eux apparemment, n'en soyons perturbés). La température est alors de 10^{32} degrés.

Au temps de 10^{-35} seconde se produit une inimaginable inflation, qui continue toujours. C'est finalement plutôt là qu'il faudrait placer le « Big Bang ». Apparaissent alors les quatre forces qui vont ordonner la matière : gravitation, force électromagnétique, forces nucléaires forte et faible. Cette expansion de l'Univers a pour conséquence une diminution rapide de sa température. Vers 380 000 ans, la dispersion de la matière et cette baisse de température (mais elle atteint encore 1 milliard de degrés !) font que les électrons peuvent se mettre en orbite autour des protons, formant les premiers atomes d'hydrogène par la réunion d'un proton et d'un électron. Alors les photons peuvent circuler librement et l'Univers devient lumineux. Des noyaux d'hélium, composés de deux protons et deux neutrons, se forment également, ainsi que d'autres noyaux légers.

Ensuite, l'Univers qui, bien que dans l'ensemble homogène, présente des fluctuations, voit se former dans ces irrégularités des agrégations de matière qui vont former les premières étoiles. Dans ces astres naissants, des atomes d'hydrogène se heurtent et leurs noyaux (c'est-à-dire des protons isolés) fusionnent pour former des noyaux d'hélium, libérant une fantastique énergie. Celle-ci porte le cœur de l'étoile à une température de plusieurs millions de degrés. Un soleil est né, semblable à celui qui préside à nos destinées depuis plus de quatre milliards d'années. Ce nouvel astre vivra tant qu'il restera de l'hydrogène pour entretenir la fusion nucléaire, de quelques millions à plusieurs milliards d'années suivant sa masse (paradoxalement, ce sont les étoiles les plus petites qui vivent le plus longtemps, plus économes qu'elles sont dans la combustion de leur hydrogène). Pour ce qui est de notre Soleil, il est à la moitié de sa vie, entre 4,5 et 4,6 milliards d'années.

Lorsque l'hydrogène se raréfie, le terme de la vie de l'étoile est proche ; alors la température augmente de nouveau et l'hélium fusionne à son tour, donnant naissance à des noyaux de carbone. Coucou ! Le voilà, le carbone, lui qui sera au cœur de la formation des chaînes moléculaires qui composent les organismes vivants. Ensuite, si la masse initiale de l'étoile est faible, celle-ci, à court de carburant, finit par s'effondrer sur elle-même et par s'éteindre définitivement. Si sa masse est importante, les phénomènes de fusion nucléaire, d'expansion et de contraction se succèdent ; d'autres éléments se forment, de plus en plus lourds, oxygène, puis sodium, magnésium et autres, jusqu'aux métaux les plus massifs qui naissent dans une ultime explosion.

Dans des flots de lumière, l'étoile finit sa vie en « supernova », brillante comme des milliards de soleils. On peut en observer une de temps à autre, dont la lumière nous arrive après avoir cheminé dans l'espace durant parfois plusieurs milliards d'années. La littérature chinoise en signale une en 1054 (ses restes forment actuellement la nébuleuse du Crabe). Tycho Brahe en observe une autre en 1572. Mais, pour lui, il s'agissait de la naissance d'un nouvel astre, alors qu'au contraire c'est la disparition d'une étoile qui se signale par cette lumière qui atteint la Terre bien après sa mort. Kepler en observe une autre en 1604. D'autres sont plus récentes, la dernière ayant été découverte en 1987 dans le Grand nuage de Magellan, dans l'hémisphère sud.

Des millions, puis des milliards d'années vont s'écouler. La matière, par un double mouvement d'expansion générale et d'attraction locale, se groupe en galaxies qui s'éloignent inexorablement les unes des autres. Ces galaxies, dont le nombre est estimé à des centaines de milliards, sont composées d'étoiles perdues dans un milieu interstellaire constitué essentiellement d'hydrogène atomique, auquel s'ajoutent un peu d'hélium et quelques molécules plus complexes.

1.4. Naissance du système solaire et de la Terre

L'Univers tel que nous le connaissons existe depuis près de 13,8 milliards d'années. Au sein d'une des innombrables galaxies, il y a 4,5 milliards d'années, un nuage de gaz et de particules solides commence à se contracter tout en tournant sur lui-même. Cet amas initial s'aplatit sous l'effet de sa rotation en prenant la forme d'un disque. La force de la gravitation fait s'agglomérer sa partie centrale, qui se densifie jusqu'à déclencher les réactions de fusion thermonucléaire qui en font l'astre solaire que nous connaissons aujourd'hui.

La matière située à la périphérie s'agrège en nodules dans le plan équatorial du Soleil naissant, qui grossissent jusqu'à former pour certains des planètes. Celles qui sont les plus proches du Soleil sont composées de matériaux lourds, les plus légers étant dispersés par son rayonnement. Ce sont les quatre planètes dites telluriques, Mercure, Vénus, la Terre et Mars (dans l'ordre des distances croissantes au Soleil). Plus loin du nouvel astre, des noyaux solides retiennent en leur sein de l'eau, du méthane, de l'ammoniac, tandis qu'une atmosphère se forme avec les gaz de la nébuleuse. Ainsi naissent les quatre planètes extérieures géantes, Jupiter, Saturne, Uranus et Neptune. Pluton, la plus éloignée et de dimensions particulièrement modestes (elle est plus petite que la Lune), avec une orbite singulière très excentrée, est davantage un gros astéroïde capturé par le Soleil dans sa course erratique qu'une véritable planète.

Notre planète est donc la troisième, en distance du Soleil, des quatre planètes telluriques. Ni Mercure et Vénus, plus proches du Soleil et de ce fait trop chaudes, ni Mars, dont la masse est insuffisante pour retenir une atmosphère dense, ne réunissent les conditions nécessaires à l'éclosion et au maintien de la vie. Seule Mars, peut-être, aurait pu abriter une vie microbienne, dans des temps très reculés, s'il se vérifie qu'elle a été entourée d'une atmosphère au début de son existence et a vu couler de l'eau à sa surface. Quant aux planètes extérieures, elles sont trop éloignées du Soleil, et donc trop froides, pour avoir une chance d'accueillir la vie (sauf si des phénomènes volcaniques peuvent maintenir une chaleur suffisante sur ou à l'intérieur de quelque satellite d'une de ces planètes).

Nous voilà donc seuls, dans le système solaire au moins, participant à une vie, extraordinaire dans sa diversité, qui a envahi toutes les niches disponibles. Mais les conditions favorables que nous connaissons actuellement n'ont pas toujours existé. Pendant ses premiers millions d'années d'existence, la Terre est restée très chaude, du fait de sa contraction, des bombardements de météorites et de la radioactivité. Son refroidissement progressif permit la formation d'une croûte superficielle solide, formée de matériaux peu denses, alors que les plus lourds gagnaient les zones plus profondes.

Mais il manquait encore deux choses essentielles : l'atmosphère et l'eau. Le résidu d'atmosphère primitive accompagnant la formation de la Terre et la solidification de sa surface disparaissait sous l'effet du rayonnement solaire. Il se formait à la place une atmosphère secondaire à partir des gaz initialement emprisonnés dans les roches en formation. Ces gaz contenaient de la vapeur d'eau, dont une grande partie allait se condenser lorsque la Terre serait suffisamment refroidie, pour participer à la formation des premiers océans. Mais il est également probable qu'une grande partie de l'eau a été apportée par les intenses bombardements de météorites.

Pour le reste, on devait trouver essentiellement du dioxyde de carbone (gaz carbonique ou CO_2), plus un peu d'azote et quelques molécules simples à base de soufre, d'oxygène, d'hydrogène et de carbone. Il devait également exister dès cette époque des sources de gaz divers sortant de failles de la croûte terrestre, à partir desquels auraient pu se former des molécules organiques, peut-être les premières, comme c'est le cas actuellement sur certains fonds océaniques, avec une vie locale particulière liée à cette émergence de gaz.

1.5. Les méthodes de datation

Il n'est pas inutile, avant d'aborder la formation de la Terre et la naissance de la vie, de dire quelques mots des modes de datation utilisés pour situer dans le temps aussi bien la matière minérale que les fossiles d'êtres vivants.

Il convient de distinguer la datation absolue, qui attribue à un événement ou à un fossile une date d'occurrence comptée en siècles, millénaires, millions ou milliards d'années par rapport au temps présent, et la datation relative, qui se contente de lui donner un rang d'ancienneté (plus récent ou plus ancien) par rapport à un autre. Seules des méthodes modernes permettent de réaliser des datations absolues, et donc de connaître l'âge réel d'un fossile ou d'une couche géologique.

Les datations se faisaient classiquement en Occident à partir de la naissance du Christ (du moins celle qui a été calculée au VIe siècle par le moine Dionysius Exiguus, ou Denys le Petit, sachant que la date réelle est probablement antérieure de quelques années). Mais, afin de ménager toutes les susceptibilités, il a été convenu dans le monde des sciences de retenir plutôt une origine universelle pour situer le passé. C'est pour cela que l'on trouve dans les textes scientifiques, après le millésime d'une année, la mention abrégée BP, qui n'est pas une publicité pour une marque d'essence mais signifie « Before Present » (avant l'époque actuelle). L'année retenue comme origine est 1950.

La datation relative est beaucoup plus ancienne. Dès le XVIIe siècle, le Danois Nicolas Steno se préoccupa de classer par ordre chronologique les couches sédimentaires, en énonçant les principes d'horizontalité et de superposition de ces formations à leur origine. Chacun peut constater, en observant le flanc dénudé d'un versant montagneux, que ces couches se présentent en lignes parallèles, mais généralement non horizontales. Cela est dû à la formation des chaînes de montagnes qui, en se soulevant, les ont bouleversées, les inclinant, les renversant, les mélangeant même parfois de façon inextricable. Il fallut attendre les travaux du britannique Charles Lyell au XVIIIe siècle, prolongés par ceux d'autres géologues au siècle suivant, pour mettre au point des méthodes rigoureuses permettant de réaliser des classements chronologiques relatifs qui ne soient pas entachés d'erreurs.

Parallèlement, au XVIIIe siècle, l'étude des fossiles permit de mettre au point une autre méthode de datation relative qui compléta et enrichit la précédente. En effet, des géologues remarquèrent que les mêmes couches de terrain, d'un endroit à un autre, contenaient les mêmes types de fossiles, permettant ainsi de confirmer et d'enrichir les datations réalisées par la simple étude de ces couches, même si à cette époque on n'avait pas la moindre idée des raisons pour lesquelles existait une telle coïncidence.

On put ainsi bâtir une échelle de datation relative des temps géologiques, découpée en ères, périodes et époques. Leur succession correspondait à un découpage de l'évolution de la vie telle que révélée par les fossiles connus alors. Depuis, on a ajouté avant l'ère primaire ou Paléozoïque l'ère précambrienne (son nom provient du fait qu'elle précède immédiatement la période cambrienne qui débute le Paléozoïque). Sa durée est immense par rapport aux suivantes et elle a connu l'émergence de la vie sous des formes qui sont restées longtemps très primitives avant d'exploser littéralement ensuite.

Il fallut la découverte de la radioactivité par Pierre et Marie Curie pour que puissent être mises au point les premières méthodes de datation absolue. Aujourd'hui, il en existe de nombreuses, adaptées aux divers types de terrains ou de fossiles ; elles permettent de couvrir la totalité des époques et de remonter au tout début de la vie. Outre la datation des fossiles, on a pu ainsi construire l'échelle absolue des temps géologiques depuis les roches les plus anciennes connues, soit 4 milliards d'années (en abrégé 4 Ga pour Giga-années, les millions d'années étant symbolisés par « Ma » et les milliers par « ka » pour kilo-années).

Précisons que les dates indiquées sur le tableau 1.1 peuvent être très légèrement différentes de celles que l'on pourra trouver dans d'autres publications, toute datation étant affectée d'une certaine imprécision expliquant ces petites variations.

Ères et durée	Périodes	Époques	Âges (début)
	Quaternaire	Holocène Pléistocène	– 100 000 ans – 1,6 Ma
Cénozoïque 65 Ma	Néogène Paléogène	Pliocène Miocène Oligocène Éocène Paléocène	– 3,4 Ma – 23,5 Ma – 34 Ma – 53 Ma – 65 Ma
Mésozoïque 180 Ma	Crétacé Jurassique Trias		– 144 Ma – 208 Ma – 245 Ma
Paléozoïque 300 Ma	Permien Carbonifère Dévonien Silurien Ordovicien Cambrien		– 286 Ma – 360 Ma – 408 Ma – 438 Ma – 505 Ma – 544 Ma
Précambrien 3 500 Ma	Protérozoïque	Néozoïque Mésozoïque Paléozoïque	– 1,0 Ga – 1,5 Ga – 2,5 Ga
	Archéen		– 4,0 Ga
500 premiers millions d'années inconnus			

Tableau 1.1. *Les temps géologiques*

1.6. La formation et l'évolution des continents et des océans

On ne sait pas grand-chose des premiers temps de la formation de la surface de la Terre. La seule certitude est celle des 4 Ga des premières roches continentales. On retrouve ces formations géologiques primitives sur une durée de 1,5 Ga, c'est-à-dire jusqu'à 2,5 Ga avant notre époque. Elles sont actuellement situées pour l'essentiel en Australie, dans le nord de l'Amérique du Sud, au Canada, en Afrique et dans le nord de la Scandinavie. Mais ces emplacements n'ont rien à voir avec leur répartition initiale, du fait de la dérive des continents au cours du temps. Les premières masses continentales dont on a retrouvé les vestiges se sont en effet fragmentées, déplacées, sont entrées en collision, amorçant la formation des premières chaînes de montagnes. Il semble y avoir eu deux séparations et regroupements des terres émergées. Le dernier rassemblement date de près de 300 Ma, la quasi-totalité des masses continentales constituant alors ce que l'on appelle la Pangée. Quelques dizaines de millions d'années plus tard, cet ensemble s'est disloqué en plaques qui sont parties à la dérive pour former les continents et les principales îles tels que nous les connaissons (ces mouvements continuent toujours, éloignant par exemple l'Amérique et l'Europe et rapprochant l'Afrique de cette dernière, à une vitesse non négligeable puisqu'elle se mesure en cm/an).

La première source d'information sur les déplacements des grandes masses continentales est ce que l'on appelle le paléomagnétisme. De quoi s'agit-il ?

La Terre se comporte globalement comme un aimant, dont la manifestation la plus évidente est l'orientation des aiguilles des boussoles vers le nord. Mais des instruments de mesure ont permis de détecter et de mesurer l'aimantation, que l'on peut appeler fossile, de certaines roches, en particulier volcaniques. En effet, lorsque la lave des volcans s'est solidifiée, certaines particules, aimantées par le magnétisme général, se sont figées dans une position correspondant à leur orientation à l'époque par rapport aux deux pôles terrestres. On a ainsi pu mettre en évidence que le pôle Nord paraissait avoir changé de position au cours des âges de façon importante. Un pôle Nord baladeur, cela semblait curieux, s'agissant de variations beaucoup plus importantes que les déplacements de faible amplitude que connaît le pôle magnétique par rapport au pôle géographique. La seule explication était que c'étaient les continents, et non le pôle, qui avaient bougé dans le passé.

Une autre manifestation du magnétisme terrestre est son inversion périodique, inscrite également dans les roches : le pôle Nord et le pôle Sud échangent leur place de temps en temps, puis retrouvent leur position initiale. La reconstitution de ce phénomène a mis en évidence une inversion tous les 500 000 ans environ au cours des derniers millions d'années.

Venons-en maintenant à la dérive des continents. Qui n'a pas été frappé, en regardant un planisphère, par la ressemblance de certaines côtes continentales, singulièrement celles de l'ouest de l'Afrique et de l'est de l'Amérique du Sud, dont on voit qu'elles peuvent s'emboîter telles deux pièces d'un puzzle ? C'est un Allemand, Alfred Wegener, qui émit le premier, en 1912, l'hypothèse d'une dérive des continents et affirma en particulier que l'Amérique du Sud et l'Afrique formaient, il y a très longtemps, un seul continent qui s'est coupé par la suite en deux parties qui se sont peu à peu écartées l'une de l'autre. Il rencontra tout d'abord un grand scepticisme, comme chaque fois qu'une idée révolutionnaire est émise. La principale réticence provenait de l'ignorance du moteur qui pouvait ainsi faire bouger les énormes masses continentales. Il fallut attendre les années 1960 pour confirmer cette hypothèse et décrire le phénomène de dérive des continents. Il paraît d'ailleurs incroyable qu'une telle évidence ait mis si longtemps à être admise, même en prenant en compte les difficultés de comprendre la raison pour laquelle les continents dérivaient : la similitude des côtes, tant par leur forme que par la nature des sédiments et des fossiles trouvés de chaque côté, aurait dû faire admettre que le problème n'était pas d'accepter ou non cette théorie, mais de comprendre comment cela fonctionnait. Cet exemple illustre bien la difficulté que rencontre la science pour progresser du fait des préjugés et des réticences à remettre en cause les dogmes installés. On saisit mieux, dès lors, le véritable séisme qu'a causé la publication par Darwin de *L'Origine des espèces*.

On sait maintenant que la croûte terrestre est formée de plusieurs plaques dérivant sur le manteau liquide qui constitue la deuxième couche de la planète en allant de la surface vers l'intérieur. Aux points de rencontre entre deux plaques, l'une passe au-dessous de l'autre, s'enfonçant dans le manteau. Ce sont de telles rencontres qui forment les chaînes de montagnes et provoquent les tremblements de terre. La chaîne de l'Himalaya, par exemple, résulte du choc entre le socle asiatique et l'Inde qui, après une longue migration de l'extrême sud vers le nord, finit par buter sur cet obstacle. À l'inverse, on a pu observer au fond des océans des failles là où deux plaques s'éloignent l'une de l'autre, le vide ainsi constitué étant comblé au fur et à mesure par des montées de lave. Actuellement, ces déplacements continuent, se manifestant par de violents tremblements de terre, comme au Japon ou en Amérique centrale, et par de très nombreux autres moins importants.

Il a été possible de remonter très au-delà de la formation de la Pangée et l'on connaît maintenant assez bien les mouvements qui l'ont précédée et suivie. On peut se faire une idée de ces mouvements par les quatre cartes de la figure 1.1 montrant les positions des terres émergées il y a 380, 300 (Pangée), 160 et 80 Ma.

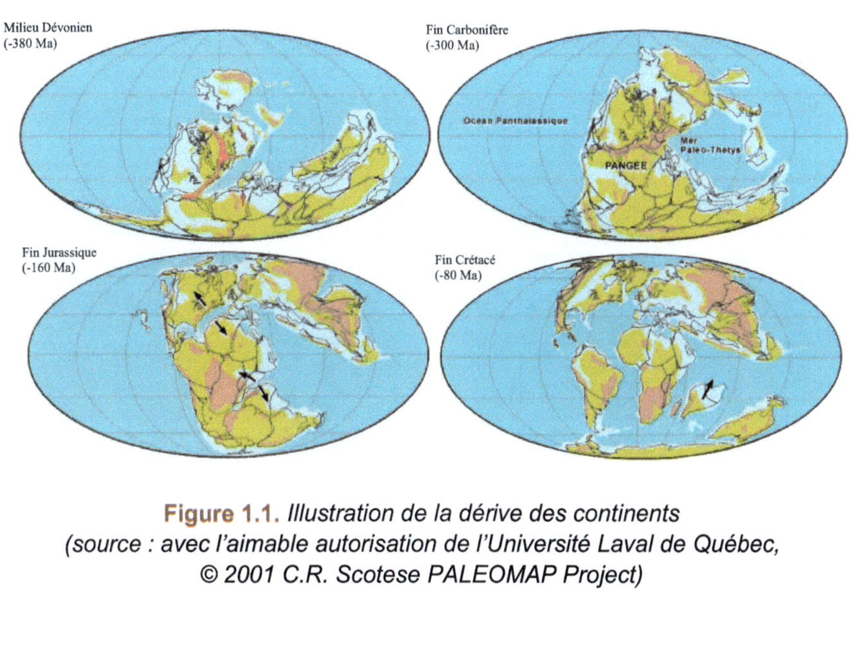

Figure 1.1. *Illustration de la dérive des continents (source : avec l'aimable autorisation de l'Université Laval de Québec, © 2001 C.R. Scotese PALEOMAP Project)*

En plus du paléomagnétisme, la comparaison des roches et des fossiles situés en bordure des continents permet de retrouver les endroits où se sont produites les séparations entre deux blocs et de préciser leurs migrations. Bien entendu, on ne saurait prétendre dresser des planisphères successifs totalement exacts, et quelques incertitudes et approximations subsistent. Mais cela ne remet pas en cause les grandes lignes de la dérive des continents qui sont, en particulier, une aide précieuse dans la reconstitution des conditions climatiques et géographiques dans lesquelles la vie s'est étendue et diversifiée sur l'ensemble du globe. Ainsi, une partie de l'Europe, d'abord située dans l'hémisphère sud, a migré vers l'hémisphère nord en passant par l'équateur, permettant la formation de vastes forêts qui, avec leur enfouissement au Carbonifère, ont formé la houille que l'on a exploitée tout au long du XXe siècle. De même, peut-on expliquer par la séparation de masses continentales les analogies constatées entre des espèces animales ou végétales situées dans des régions maintenant totalement séparées (comme l'Amérique du Sud et l'Afrique), ou au contraire, par une collision l'apparition brutale d'espèces sans ancêtres locaux, due à des migrations rendues possibles par cette jonction (comme entre l'Amérique du Nord et l'Amérique du Sud).

Ces déplacements des continents, parfois sur des distances immenses, ont fortement joué sur les climats régionaux, comme nous venons de le voir avec l'exemple européen. Mais il s'y est ajouté d'autres phénomènes qui ont influé sur le climat général de notre planète, le rendant plus froid ou plus chaud, en même temps que peu ou beaucoup contrasté entre l'hiver et l'été. Nous allons y revenir au chapitre 7.

Chapitre 2

Les origines de la vie

2.1. Un pionnier : Louis Pasteur

La possibilité de génération spontanée d'êtres vivants à partir de la matière inerte est restée une croyance forte qui a perduré jusqu'au XIXe siècle (bien que, en toute rigueur, contradictoire avec la Genèse). C'est ainsi qu'Ambroise Paré, au XVIe siècle, rapporta une expérience personnelle selon laquelle il avait pu voir un gros crapaud au milieu de pierres « n'ayant aucune apparence d'ouverture ». Pour lui, aucun doute à avoir : des animaux pouvaient être « engendrés de quelque substance humide des pierres, laquelle humidité putréfiée produit telles bêtes ». De même, parmi d'autres élucubrations de la même eau, le père jésuite Athanase Kircher, au siècle suivant, prétendit avoir assisté à la naissance spontanée d'une sorte de chimère moitié plante, moitié insecte, expliquant qu'il fallait voir dans ce phénomène une seconde manière de créer des êtres vivants, complétant ainsi, en quelque sorte, la Création originelle.

Malgré l'opposition de savants comme l'Anglais William Harvey qui énonça le précepte fort « Omne vivum ex ovo » (« tout ce qui vit provient d'un œuf »), ou les expériences de l'Italien Francisco Redi montrant que les asticots ne se formaient pas spontanément dans de la viande en putréfaction, mais étaient engendrés par des mouches, la controverse continua. Il fallut les expériences décisives, aussi simples qu'indubitables, de Louis Pasteur pour faire un sort définitif à la génération spontanée (non sans devoir faire appel à l'autorité de l'Académie des sciences, qui prononça le verdict définitif le 20 février 1865). Pasteur stérilisa le contenu de flacons, qu'il maintint dans un premier temps à l'abri des poussières de l'air. Tant que l'intérieur des flacons resta isolé de l'extérieur, rien ne se passa ; mais lorsqu'il laissa y pénétrer des poussières, des bactéries développèrent d'abondantes colonies en moins de deux jours.

Donc, pas de génération spontanée. Encore faut-il que la science puisse proposer un scénario satisfaisant, une explication rationnelle à l'émergence de la vie à partir de phénomènes naturels relevant uniquement de la physique et de la chimie. Cette démarche est tout le contraire de la réapparition périodique de théories qui ne sont en réalité que de l'idéologie enveloppée dans un discours pseudo-scientifique, comme les « travaux » de biologistes soviétiques, dans les années 1940, qui prétendaient avoir prouvé la génération spontanée, ou les thèses créationnistes toujours défendues par de puissants lobbies de l'autre côté de l'Atlantique. Soulignons que cette démarche scientifique n'est aucunement incompatible avec une croyance religieuse, l'essentiel étant de ne pas mélanger l'une et l'autre.

2.2. La « soupe primitive » et l'expérience de Stanley Miller

Déjà, entre 1920 et 1930, le Russe Oparine et l'Anglais Haldane avaient élaboré, indépendamment l'un de l'autre, des scénarios très proches postulant que des éléments minéraux se seraient combinés, au sein des océans ou dans une flaque d'eau stagnante, pour former les premières molécules organiques. Celles-ci se seraient assemblées pour former des ébauches de cellules capables de puiser dans le milieu ambiant la matière leur permettant de devenir de véritables cellules aptes à se reproduire. Dans une lettre restée célèbre, Darwin lui-même avait brièvement évoqué une telle hypothèse. Il écrivait :

> « Si nous pouvions concevoir que dans quelque petite mare chaude, en présence de toutes sortes d'ammoniac et de sels phosphoriques, de lumière, de chaleur, d'électricité, etc., un composé protéique se forme chimiquement, prêt à subir des changements encore plus complexes, aujourd'hui cette matière serait instantanément dévorée ou absorbée, ce qui n'aurait pas été le cas avant l'apparition des créatures vivantes. »

Le premier à tenter une approche expérimentale, en 1953, fut un jeune Américain, Stanley Miller. Ce ne fut pas son moindre mérite que de concevoir une expérience particulièrement simple. D'un flacon d'eau bouillante sortait de la vapeur d'eau qui pénétrait dans un deuxième récipient contenant un mélange gazeux d'hydrogène, de méthane et d'ammoniac. Cet ensemble de gaz était soumis à des étincelles produites en continu entre deux électrodes. L'ensemble était censé représenter l'atmosphère terrestre et les conditions ambiantes des origines (la « soupe primitive », comme on disait de façon imagée). Puis les gaz résultants se condensaient dans une chambre de refroidissement.

Au bout d'une semaine, le flacon contenait un liquide brunâtre dans lequel se trouvaient, parmi des goudrons et autres substances banales, plusieurs molécules complexes appelées acides aminés. Or, certains de ces acides participent à la construction des protéines, molécules majeures du vivant, dont ils sont les briques élémentaires.

Mais, au fil du temps, de nombreux arguments s'accumulèrent pour battre en brèche les conclusions hâtives tirées de cette expérience sur la naissance de la vie (notamment la nécessaire présence de méthane, dont nous avons vu qu'il n'y en avait probablement pas, ou très peu, dans l'atmosphère primitive). Il n'en reste pas moins que les travaux de Miller eurent l'immense mérite de montrer que la simple chimie permettait la synthèse de molécules organiques complexes participant à la construction des êtres vivants. Déjà, plus d'un siècle auparavant, en 1828, l'Allemand Friedrich Wöhler, en synthétisant l'urée, avait ébranlé la théorie du vitalisme, à laquelle Pasteur lui-même croyait. En effet, on enseignait précédemment que les molécules organiques ne pouvaient être fabriquées que par des êtres vivants. Stanley Miller faisait à son tour tomber un nouveau pan de ce dogme vitaliste avec sa fabrication d'acides aminés à partir simplement de vapeur d'eau, d'hydrogène, de méthane et d'ammoniac.

2.3. Les certitudes

Laissons donc Miller et ses conclusions hasardeuses et reprenons au début, en commençant par ce qui est aujourd'hui avéré. Comme nous l'avons déjà vu, quelques lambeaux de terres très anciennes – jusqu'à quatre milliards d'années – s'offrent toujours à notre curiosité. Cela est déjà miraculeux, vu tous les bouleversements géologiques qui se sont produits depuis, mais il l'est encore plus que l'on ait pu identifier des traces de vie très proches de cette époque.

Précisons tout d'abord que l'on estime à 4 ou 500 millions d'années le temps qui a été nécessaire pour que notre planète soit suffisamment refroidie et débarrassée de sa radioactivité pour accueillir des molécules complexes qui ne soient pas immédiatement détruites. De plus, il est à peu près certain que la Terre a été la cible d'une énorme grêle de météorites, il y a environ 3,9 Ga, qui aurait détruit sous son impact toute éventuelle vie antérieure.

Les premiers fossiles indubitables connus sont âgés de 3,5 Ga. Mais, dès 3,8 Ga, on trouve des traces possibles de vie, en particulier sous la forme d'accumulations singulières de carbone. Une partie des fossiles identifiés de façon certaine vers – 3,5 Ga se sont déposés par couches successives et se présentent en structures sédimentaires pouvant faire plusieurs dizaines de mètres d'épaisseur. On leur donne le nom de stromatolites (ou stromatolithes, du grec *stroma*, tapis, et *lithos*, pierre). Il en existe encore aujourd'hui, vivants, dans certaines eaux douces ou peu salées en divers endroits du globe comme l'Australie, la Floride et l'Afrique du Sud, qui s'assemblent, après la mort des bactéries qui les composent, en formations sédimentaires ayant le même aspect. D'autres auraient été identifiés récemment au Groenland, plus âgés (3,7 Ga).

Ces dates de 3,5 à 3,8 Ga montrent que la vie est apparue plutôt rapidement après que les conditions minimales nécessaires d'environnement aient été réunies (rapidement au sens géologique du terme, et non à l'échelle humaine).

Figure 2.1. *Stromatolites (source : avec l'aimable autorisation de l'Université Laval de Québec, © P.-A. Bourque)*

2.4. La vie : un miracle ?

On n'a pas grand-chose de solide sur quoi s'appuyer pour rechercher l'origine de la vie. D'une part, les premières traces datant de 3,5 Ga ou plus ne sont que des empreintes ou des dépôts qui n'ont rien laissé de la structure organique des êtres concernés. Tout au plus peut-on penser que les stromatolites encore vivants étant formés par des bactéries, il en était sans doute de même des structures fossiles de même aspect. Mais il s'agit alors d'organismes d'une grande complexité qui ont certainement été précédés par des structures beaucoup plus simples, reculant dans le temps, tout près de la butée de 3,9 Ga, l'apparition des premières molécules ayant acquis la propriété de pouvoir se dupliquer.

Il existait donc dès cette époque des conditions physico-chimiques favorables ; encore faut-il pouvoir découvrir, décrire et si possible reproduire un processus vraisemblable conduisant de l'inerte au vivant.

Mais dans le passé, on a déjà pu remettre en cause des dogmes niant la possibilité de fabriquer des molécules organiques par de la simple chimie (Wöhler et l'urée en 1828, puis Miller et les acides aminés en 1953). Gageons que les progrès scientifiques permettront dans un futur proche de résoudre cette nouvelle énigme sur laquelle des pistes nombreuses et solides ont déjà été ouvertes, mais avec encore de sérieux problèmes en suspens.

2.5. Quelques rappels succincts sur la structure des êtres vivants

L'entité de base d'un être vivant est la cellule. Les monocellulaires, comme leur nom l'indique, en comportent une seule ; chez les multicellulaires, leur nombre est très variable, avec par exemple le minuscule ver *Caenorhabditis elegans* qui en contient un millier, tandis qu'*Homo sapiens* en possède des milliers de milliards. Les monocellulaires sont pour la plupart des procaryotes (cellules sans noyau), alors que les cellules des multicellulaires sont des eucaryotes (cellules avec noyau). Les procaryotes, qui constituent pour l'essentiel l'immense population des bactéries, comprennent eux-mêmes deux groupes : les eubactéries (ce qui signifie les « vraies bactéries ») et les archébactéries, appelées ainsi parce que préjugées d'origine plus ancienne lors de leur découverte.

Les procaryotes sont constitués simplement d'une membrane extérieure renfermant ce que l'on appelle le cytoplasme, comprenant divers éléments baignant dans une gelée très liquide, dont principalement un chromosome (très rarement plusieurs) qui renferme l'ADN (acide désoxyribonucléique). Les cellules eucaryotes sont beaucoup plus complexes ; elles contiennent d'autres éléments et plusieurs chromosomes (en nombre variable suivant les espèces) situés à l'intérieur d'un noyau entouré d'une double membrane le séparant du cytoplasme. L'ensemble des chromosomes est appelé le génome. Les éléments essentiels d'une cellule sont les protéines et les acides nucléiques (ADN et ARN).

Les protéines sont constituées d'acides aminés (dont nous avons déjà parlé à propos de l'expérience de Stanley Miller), molécules relativement simples qui ne diffèrent que par une chaîne latérale dont la composition caractérise chacune d'elles. Mais, alors qu'il en existe un très grand nombre (plus de 500), seule une vingtaine participent à la formation des protéines, et cela pour tous les êtres vivants. Il s'agit là d'un des indices les plus frappants d'unicité du monde vivant. Les protéines assurent de très nombreuses fonctions, biologiques (dont les enzymes, catalyseurs accélérant les réactions chimiques à l'intérieur de la cellule, et les anticorps qui assurent la défense de l'organisme) ou structurelles (par exemple dans la formation de la peau, des poils, plumes ou écailles). Citons aussi celles qui entourent l'ADN pour former les chromosomes.

La structure de l'ADN a été décryptée par l'Américain James Watson et le Britannique Francis Crick, qui ont publié leurs résultats quelques semaines avant que Stanley Miller ne dévoile les siens sur la « soupe primitive », début 1953. Il s'agit de deux longues chaînes en forme d'hélice, enroulées l'une autour de l'autre, dont les maillons sont des molécules complexes dont un des éléments est appelé une base. Il existe quatre bases différentes : la thymine, l'adénine, la cytosine et la guanine.

Les deux chaînes d'une molécule d'ADN sont parfaitement complémentaires : chaque adénine d'une chaîne s'apparie exclusivement à une thymine de l'autre chaîne, chaque thymine à une adénine, chaque guanine à une cytosine, et chaque cytosine à une guanine. L'information génétique portée par une molécule d'ADN provient d'une séquence parfaitement définie, caractéristique de chaque espèce (aux petites différences près qui rendent les individus de l'espèce pas tout à fait identiques), dans laquelle se succèdent les bases sur chacun des brins. Celles-ci sont regroupées en gènes qui initient, par combinaison et réplication, la constitution d'un autre type d'acides nucléiques appelé ARN (acide ribonucléique).

C'est à partir de l'ARN que sont créées les protéines. Il a des caractéristiques proches de celles de l'ADN, mais il est constitué d'un seul brin. Une autre de ses différences avec l'ADN est que la thymine est remplacée par une autre base, l'uracile. Il existe de nombreuses variétés d'ARN qui concourent à la constitution des protéines ou jouent un rôle dans le fonctionnement de la cellule. Citons simplement l'ARN messager (en abrégé ARNm) qui, par copie transitoire d'une petite partie de l'ADN, est la base de la fabrication des protéines.

Les mutations dans l'ADN (modifications de gènes dues à des causes diverses) sont elles aussi inévitablement transmises par l'ARNm et vont donc se traduire par des changements au niveau des protéines, parfois sans conséquences (mutations neutres), mais généralement avec des modifications plus ou moins importantes chez l'être vivant concerné (et ses descendants si la mutation n'empêche pas sa reproduction). Elles sont donc la source première de l'évolution des espèces. Mais il existe d'autres causes majeures de cette évolution. En effet, on soupçonnait depuis longtemps, sans pouvoir l'expliquer, que des mutations se produisaient beaucoup plus rapidement que celles dues à l'ADN qui sont la base explicative de la théorie de l'évolution darwinienne. La découverte et l'étude du fonctionnement de ce que l'on appelle les gènes architectes (ou homéotiques) a ouvert tout un pan nouveau de mécanismes de l'évolution telle qu'on l'observe chez les êtres vivants actuels et chez leurs ancêtres.

Développer ce sujet passionnant sortirait du cadre de ce livre. Disons simplement que ces gènes architectes pilotent la structuration de l'embryon en fixant les types de cellules à former en même temps que les endroits où elles vont se développer. Par exemple, ce sont eux qui vont faire qu'un embryon de mouche va développer des pattes sur son thorax, mais au nombre de six seulement, alors que chez l'araignée il y en aura deux de plus. Dans de tels cas, le gène concerné va voir son action arrêtée, par un mécanisme mal connu, dès que les six pattes de la mouche ou les huit de l'araignée sont constituées. Dans d'autres cas, par exemple dans la formation de la mélanine, l'action des gènes va être modulée, et non binaire (active ou arrêtée), conduisant à une coloration plus ou moins forte de la peau. Des protéines appartenant aux chromosomes sont impliquées dans ces mécanismes, et il est maintenant certain que des facteurs extérieurs peuvent agir sur elles et ainsi influer sur le fonctionnement des gènes architectes. Un cas évident est celui déjà cité du caractère plus ou moins foncé de la peau dû à l'intensité du rayonnement solaire.

On parle, pour ces mutations en aval de l'ADN, de phénomènes épigénétiques. Remarquons que certaines sont réversibles (le « bronzage » de la peau en été ou en montagne) et d'autres permanentes (la couleur de base de cette peau). Comme l'on peut s'en douter, ces mutations dues à l'influence de l'environnement peuvent se produire avec une rapidité beaucoup plus grande que celles qui concernent l'ADN. Cela devrait permettre de répondre à de nombreuses énigmes jusque là sans explication concernant la rapidité d'évolution de certains êtres vivants ou les différences importantes entre deux espèces aux génomes très proches. Nous allons trouver un peu plus loin un exemple spectaculaire de rapidité d'évolution avec « l'explosion de la vie » (chapitre 3). Quant au paradoxe de génomes très proches pour des espèces aux caractéristiques très dissemblables, il peut être illustré par la comparaison du chimpanzé et de l'Homme : voilà deux espèces dont les génomes ne diffèrent que d'à peine plus de 1 %, alors que leurs anatomies respectives présentent des différences nombreuses et importantes. Seules des mutations épigénétiques impliquant les gènes architectes peuvent rendre compte de ces mutations, rapides dans le premier cas, majeures dans le second. Cela fait l'objet de recherches en pleine expansion (appelées en abrégé évo-dévo, pour « biologie évolutive du développement ») qui semblent devoir bouleverser les dogmes actuels de la science de l'évolution.

Pour en finir avec la structure des eucaryotes, ajoutons que leur cytoplasme contient d'autres composants, appelés des organites, qui sont des éléments isolés par une membrane. Citons les mitochondries qui fournissent l'énergie nécessaire au fonctionnement de ces cellules ; elles possèdent leur propre ADN, ce qui peut paraître curieux. Cela l'est d'autant plus que l'analyse de cet ADN les apparente aux eubactéries, ce qui permet d'avancer de façon certaine qu'il s'agissait à l'origine de cellules indépendantes entrées en symbiose avec des cellules eucaryotes dans les premiers temps de l'évolution. Dans les végétaux s'ajoutent les chloroplastes qui effectuent la photosynthèse, c'est-à-dire la production de sucres et d'oxygène à partir de gaz carbonique (CO_2) en utilisant l'énergie solaire. Comme pour les mitochondries, leur analyse a permis de les rapprocher des eubactéries et de faire la même déduction de symbiose avec des eucaryotes.

Mais comme rien n'est simple chez les êtres vivants, précisons que l'on trouve des molécules d'ADN et d'ARN en dehors des cellules. En effet, de telles molécules, associées à quelques éléments secondaires, constituent ce que l'on appelle les virus.

Ne possédant pas le matériel nécessaire à leur reproduction, ils ne peuvent se multiplier qu'en s'introduisant dans des cellules et en détournant à leur profit leur machinerie pour se dupliquer.

Parmi les centaines de milliards que nous abritons dans notre corps, très peu sont pathogènes, alors qu'au contraire d'autres aident à lutter contre des infections en détruisant les bactéries nocives. D'autres encore ont perdu leur autonomie en s'intégrant dans le génome de leur hôte. C'est ainsi que les mammifères placentaires n'ont pu exister que grâce à l'intégration dans leur génome de virus qui, ainsi transplantés, ont enclenché la production de protéines qui permettent que le fœtus ne soit pas considéré comme un corps étranger par la future mère et ne soit pas rejeté.

2.6. Hypothèses sur la formation des premières cellules

Le rapide survol de la structure des cellules que nous venons de faire laisse entrevoir leur complexité et conforte l'idée que l'on ne peut pas retenir l'hypothèse d'un passage direct de la matière inerte aux premières cellules, même en les supposant plus simples que les bactéries actuelles. À l'évidence, seul un processus par étapes est envisageable.

Les trois catégories de cellules (archébactéries, eubactéries et eucaryotes) sont très différentes les unes des autres, mais avec des ressemblances suffisantes pour privilégier l'hypothèse d'une origine commune. Il reste à chercher en premier lieu comment ont pu se constituer les premières molécules aptes à se dupliquer, amorçant ainsi la vie. Car une fois enclenché, ce processus allait pouvoir donner, à côté de molécules filles identiques, des « mutants » ayant pour origine des erreurs dans la duplication de la molécule mère. En effet, si les organismes vivants actuels sont dotés de processus de réparation des erreurs plus ou moins performants lors de la duplication des cellules qui les constituent, il ne pouvait pas en être de même à l'origine, et les modifications de mère à fille devaient être très fréquentes. C'est ainsi qu'a pu commencer un processus que l'on peut qualifier de darwinien, certaines des molécules filles se trouvant dotées par hasard de caractéristiques favorisant leur multiplication.

Diverses hypothèses, relevant d'une chimie organique particulièrement complexe, sont explorées pour avancer dans la recherche des processus ayant pu aboutir à ces premières molécules aptes à se reproduire. Disons simplement que ces processus, quels qu'ils aient été, ont vraisemblablement abouti à la formation de structures proches de celle d'un ARN. En effet, l'ARN joue un rôle fondamental dans les mécanismes vitaux, dont une importante action de catalyse, et il est logique de penser que c'est bien une molécule de la même famille, en plus simple, qui a pu assurer les fonctions, entre autres, de sa propre réplication et de la synthèse des premières protéines. Plus tard, ces mêmes fonctions se sont séparées, la première étant maintenant assurée par une nouvelle molécule, l'ADN, issue d'un ARN transformé et améliorant l'efficacité globale du système.

Une condition absolument nécessaire était d'avoir à sa disposition des catalyseurs, non organiques, jouant un rôle semblable à celui des enzymes dans les organismes actuels. Citons, dans les principaux et meilleurs candidats, l'argile. Omniprésente, elle peut être effectivement, dans certaines conditions, un bon catalyseur. Il est même envisagé que des cristaux d'argile aient servi de matrice à la formation et à la duplication des premières longues molécules organiques qui finirent par acquérir la possibilité de se reproduire. Il est également possible (l'un n'excluant pas l'autre) que des acides aminés se soient assemblés au hasard, formant ce que l'on appelle des peptides (dont les protéines ne sont qu'un groupe particulier constitué à partir de la vingtaine d'acides aminés dont il a été question plus haut), et que ces peptides aient également joué le rôle de catalyseurs.

Une question d'un autre ordre reste ouverte : quelle est l'origine des molécules à partir desquelles se sont formées ces réunions d'atomes plus complexes et aptes à se reproduire ? On sait maintenant que des cellules organiques, dont des sucres en grand nombre, mais aussi des acides aminés, beaucoup plus complexes, se trouvent sur de nombreuses météorites qui, lorsqu'elles tombent sur notre planète, y « sèment » ces molécules. L'espace autour de nous pourrait ainsi avoir été le principal pourvoyeur chimique de la naissance de la vie, comme il l'a probablement été également pour l'eau. D'autres origines possibles sont les sources d'eau chaude sous-marines, que l'on trouve entre 2 000 et 3 000 m de profondeur dans les océans. Cette eau contient de l'hydrogène, du méthane et d'autres composants qui ont créé des colonies de bactéries, de vers géants et d'autres créatures étranges. Il existe également de telles sources hydrothermales en surface dans des régions volcaniques, et l'on ne peut exclure qu'elles aient pu, dans le passé lointain, être la source d'une autre forme de vie.

Les premières cellules se sont ensuite constituées, dotées d'une membrane qui en isolait l'intérieur tout en laissant se faire des échanges avec l'extérieur : apports des matières nécessaires à l'activité cellulaire et rejets des déchets produits par cette activité. Comment les cellules se nourrissaient-elles ? Le plus plausible est que cela a commencé par ce que l'on appelle l'hétérotrophie. Une cellule, ou un organisme en général, est dit hétérotrophe lorsqu'il se nourrit à partir de produits en quelque sorte préfabriqués par d'autres organismes (c'est par exemple le cas de l'Homme, qui se nourrit de plantes et d'animaux). Si l'organisme se nourrit directement à partir d'éléments minéraux, dont le carbone assimilé sous la forme de CO_2 (c'est le cas des plantes), il est dit autotrophe. Signalons au passage que les champignons (ou mycètes), se nourrissant de matières organiques, sont hétérotrophes et ne sont donc pas des plantes.

Les premières cellules se sont probablement nourries à partir de molécules organiques préexistantes, avant que n'apparaisse un mécanisme permettant à certaines d'entre elles de fabriquer seules ces molécules indispensables et de devenir autotrophes. La base de l'autotrophie est la faculté, acquise par ces procaryotes et conservée par une grande partie de ceux qui vivent actuellement, de puiser l'énergie nécessaire à leur métabolisme dans le milieu minéral ambiant, avec ou sans l'apport énergétique du rayonnement solaire. L'étape ultime de ce phénomène a été la naissance de la chlorophylle qui, à partir de ce rayonnement, fournit l'énergie nécessaire à la cellule par la décomposition des molécules d'eau en oxygène et hydrogène.

Il s'agit là d'un phénomène absolument capital pour le développement ultérieur de la vie. En effet, il a tout d'abord permis la multiplication sur toute la Terre d'organismes qui, sans cela, seraient restés tributaires de milieux spécifiques, alors que désormais ils n'étaient plus dépendants que du rayonnement solaire et de la présence d'eau. Il a ensuite conduit à la libération et à l'accumulation dans l'atmosphère d'oxygène en quantité de plus en plus grande. La nouvelle abondance de ce gaz ouvrit la voie à un système particulièrement performant pour la production de l'énergie nécessaire aux cellules : la respiration. De plus, l'oxygène de la haute atmosphère se transforma en ozone, bouclier protecteur interceptant les rayonnements nocifs du Soleil et favorisant ainsi le développement de formes de vie plus complexes, mais aussi plus fragiles, qui n'auraient pu résister à un rayonnement solaire non filtré.

2.7. Les premières cellules véritables : vers les bactéries

Les premières cellules ne devaient pas être très éloignées des archébactéries. Beaucoup d'entre elles ont pour caractéristique de vivre dans des milieux que nous aurions tendance à qualifier d'hostiles : surface d'eau extrêmement salée (la mer Morte par exemple), méthane, milieu très chaud et acide (comme les sources d'eau chaude du parc américain du Yellowstone). Milieux hostiles pour nous, qui sommes des organismes adaptés aux conditions physico-chimiques qui règnent actuellement sur la plus grande partie de notre planète, mais communs du temps des premiers âges de la Terre et auxquels se sont adaptées les premières cellules.

Aujourd'hui, les bactéries ont colonisé la totalité de la biosphère, probablement sans évoluer fondamentalement dans leur structure de base, mais avec une immense diversité de formes et d'adaptation à tous les environnements disponibles. Ce n'est guère surprenant lorsque l'on analyse la structure et le fonctionnement d'une bactérie :

son organisation simple en fait une véritable machine à se reproduire, avec un important taux d'erreurs dans la duplication pouvant engendrer deux organismes qui ne sont pas tout à fait identiques à la cellule mère, avec de surcroît des possibilités d'échanges de fragments de génome d'une espèce à une autre. Cela met à la disposition des bactéries un éventail de modifications aussi vaste que la diversité et l'évolution des milieux ambiants. La lutte sans fin entre les bactéries nocives à l'être humain et les antibiotiques en est une illustration parfaite : les mutations des premières rendent certaines d'entre elles résistantes à la dernière génération d'antibiotique, qui doit à son tour être modifiée pour pouvoir détruire la nouvelle colonie mutante.

Remarquons que cette adaptation des bactéries est un phénomène typiquement darwinien. Il faut se garder de penser qu'elles auraient une sorte de stratégie qui les conduirait à créer « volontairement » des souches résistantes à l'agression que l'on leur fait subir, comme pourrait le faire croire le vocabulaire parfois employé. Les modifications du génome de ces bactéries sont le fruit du hasard le plus pur, mais la variété et la vitesse des mutations font que, plus ou moins rapidement, émerge une souche résistante à l'antibiotique.

Venons-en maintenant aux cellules eucaryotes. Leur structure implique que des étapes intermédiaires se sont certainement succédé avant d'en arriver à ce degré de complexité. Heureusement, on connaît quelques eucaryotes d'apparence particulièrement primitive. L'un d'eux, *Giardia lamblia*, est un parasite intestinal de l'Homme responsable d'infections. Cette cellule est plusieurs milliers de fois plus grosse qu'une bactérie. Elle se propulse à l'aide d'un flagelle, appendice partagé par une grande partie des organismes eucaryotes et suffisamment complexe malgré son apparence pour qu'il doive être considéré comme hérité d'un ancêtre commun à *Giardia lamblia* et aux autres eucaryotes. Elle ne contient ni mitochondries ni chloroplastes, composants essentiels de l'immense majorité des cellules eucaryotes, et vit en milieu anaérobie, c'est-à-dire dépourvu d'oxygène. Il s'agit là d'un autre caractère « archaïque », très probablement hérité, comme les autres, de l'ancêtre commun qui est apparu alors que l'atmosphère terrestre était encore dépourvue d'oxygène. Il suggère ce qu'a pu être une des étapes intermédiaires entre les premières cellules et les eucaryotes beaucoup plus complexes, avant que des organites (mitochondries, chloroplastes et autres) ne s'introduisent dans certaines cellules primitives et que l'ADN ne s'enveloppe dans une paroi, le noyau, tout en se structurant en chromosomes.

Pour finir ce chapitre, rappelons ou avançons quelques dates jalonnant les débuts de la vie. Nous avons trouvé au début de ce chapitre des traces d'organismes procaryotes dès 3,5 à 3,8 Ga avant les temps présents. Si ces cellules fossiles sont bien semblables à celles qui forment actuellement des dépôts analogues, alors la photosynthèse a existé dès cette époque très reculée. Cela veut dire que, déjà, de l'oxygène, résidu de ce phénomène, rejoignait l'atmosphère. Mais sa concentration n'en augmentait pas forcément pour autant : de nombreux minéraux pouvaient l'absorber au fur et à mesure qu'il apparaissait, en particulier l'oxyde de fer ferreux qui se transformait en oxyde ferrique. On pourrait ainsi expliquer, au moins pour partie, la présence de minerai de fer ferreux-ferrique dès cette époque. Ce qui conforterait l'hypothèse d'une apparition de la vie à au moins 3,7 milliards d'années, date la plus reculée à laquelle on trouve ces minerais.

L'intrusion de l'oxygène dans l'atmosphère n'était pas un cadeau que se faisaient les bactéries : elles sécrétaient ainsi un poison mortel qui pouvait les faire disparaître, l'oxygène ayant la propriété de réagir très fortement avec la matière vivante. Mais l'augmentation de la teneur de l'atmosphère en oxygène fut suffisamment lente pour qu'émergent des bactéries pouvant résister à cet empoisonnement. Puis, de façon beaucoup plus subtile, d'autres détournèrent l'oxygène pour s'en faire un allié par le nouveau phénomène de respiration. On tenait là une source d'énergie particulièrement efficace en rendement, grâce à laquelle allait pouvoir se développer la vie diverse et complexe telle que nous la connaissons aujourd'hui.

Alors que les stromatolites se faisaient plus rares, la taille des organismes isolés augmentait. À partir d'un certain diamètre, on peut considérer que l'on a affaire à des eucaryotes et donc que le saut procaryotes-eucaryotes est franchi, ce qui permet de placer l'apparition de ces derniers à au moins 1,3 milliards d'années. Il faut ensuite attendre plusieurs centaines de millions d'années pour que l'on trouve les premières traces certaines d'organismes multicellulaires.

Chapitre 3

L'explosion de la vie

3.1. Les premiers organismes multicellulaires

Les premiers métazoaires (ou multicellulaires) ont été découverts en 1947 dans les collines d'Ediacara, au sud de l'Australie, dans des terrains datés d'environ 580 Ma. On a trouvé depuis d'autres organismes apparentés sur tous les continents, dans des terrains d'à peu près la même époque. C'étaient des animaux à corps mou, dont certains ont laissé des traces ou des empreintes de ce corps sur les fonds marins où ils vivaient. Une bonne partie d'entre eux ressemblaient à des cnidaires actuels (famille qui rassemble les anémones de mer, les hydres, les méduses et les coraux), d'autres à des vers longs et plats ou à des sortes d'arthropodes sans carapace (les arthropodes, dont le nom signifie « à pieds articulés », constituent actuellement le plus grand embranchement des métazoaires, comprenant les insectes, araignées, acariens, crustacés, etc.). Leur variété et leur organisation étaient donc déjà relativement complexes, ce qui laisse à penser qu'ils avaient été précédés par des ancêtres plus simples.

Plus récemment, en 2010, une carrière située au Gabon a révélé une autre faune, d'aspect différent et beaucoup plus ancienne : 2,1 Ga. Même si cette seconde découverte a fait reculer de 1,5 Ga l'existence des multicellulaires, et que l'on puisse penser que leur première apparition est même un peu plus ancienne, on peut se demander pourquoi il a fallu attendre aussi longtemps après la formation des monocellulaires à partir de la matière minérale, autrement plus complexe. C'est que le taux d'oxygène dans l'atmosphère, nécessaire à leur survie, n'était pas encore suffisant. Un premier pic s'est produit vers 2,3 Ga, permettant l'émergence d'une première faune, mais une forte diminution ultérieure de cet oxygène, dont on ne connaît pas les causes, amena l'extinction de cette première tentative d'organisation multicellulaire. Il fallut attendre plus d'un milliard d'années pour que la teneur de l'atmosphère en oxygène augmente de nouveau et permette la naissance de nouveaux métazoaires.

Comment ceux-ci, qu'ils soient de la première ou de la deuxième génération, se sont-ils formés à partir de protozoaires ? Une piste intéressante vient de ce que l'on appelle les myxomycètes. Unicellulaires en temps normal, ils se regroupent en cas de pénurie de nourriture, grâce à un signal chimique que chaque cellule émet et reçoit de ses semblables. Ils forment alors un amas dont certains individus se transforment en spores inertes qui attendent des jours meilleurs pour redevenir des cellules autonomes aptes de nouveau à se nourrir et se multiplier. Les éponges actuelles sont également constituées de cellules toutes semblables, tout au moins peu différenciées, unies de façon assez sommaire. D'où l'hypothèse probable d'un regroupement d'organismes monocellulaires qui, ayant trouvé un avantage à leur union (nourriture, survie) ont maintenu ce caractère au cours des âges. Puis une nouvelle voie s'est ouverte, avec une différenciation progressive des cellules associées, comme avaient commencé à le faire les myxomycètes dont les cellules, alors qu'elles ne constituent qu'une union provisoire, ont acquis la propriété de fabriquer des molécules de surface qui les maintiennent soudées les unes aux autres. Ainsi se constitua peu à peu une spécialisation cellulaire et, si l'on peut dire, une division du travail entre les membres de la collectivité multicellulaire.

Certaines de ces colonies de cellules se sont aplaties en des sortes de crêpes présentant un feuillet dorsal mince et un autre, ventral, plus épais. Il existe encore un métazoaire ainsi constitué, *Trichoplax adhaerans.* C'est un disque mou de 2 mm, constitué de quelques milliers de cellules disposées en deux couches bien distinctes dorsale et ventrale. Se déplaçant grâce à des cils et en se déformant, il se nourrit de débris organiques et d'algues unicellulaires en les emprisonnant dans un repli qu'il forme en soulevant sa face inférieure.

Les représentants actuels de ce schéma d'organisation sont limités aux éponges, méduses et quelques autres animaux de la même eau dont on conviendra que l'on ne peut guère en faire les archétypes de la complexité et de la sophistication.

3.2. La faune de Burgess

Nous allons maintenant quitter l'Australie et le Gabon pour le Canada, et l'ère Précambrienne pour le Paléozoïque (ou ère primaire) dont la première période a été dénommée le Cambrien. Nous sommes maintenant à – 530 Ma environ avant notre époque. En quelques millions d'années, on voit apparaître des êtres présentant de multiples plans d'organisation, parmi lesquels on va retrouver tous les modes actuellement existants. Dans un premier temps, ce sont essentiellement des animaux à coquille et des spongiaires. On en trouve un peu partout, en Chine, en Sibérie, en Europe (la montagne Noire en France), en Amérique du Nord, en Australie. Un endroit a révélé une variété particulièrement importante d'organismes, de plus très surprenante par la diversité des formes qui la représentent et leur étrangeté. Il s'agit du site de Burgess situé dans les montagnes Rocheuses du nord-ouest canadien. Une chance supplémentaire est qu'une bonne partie de ces fossiles sont remarquablement conservés, ce qui a permis d'en reconstituer la forme et l'anatomie de façon extrêmement précise.

Cette faune de Burgess a été découverte en 1909 par Charles Doolittle Walcott, éminent paléontologue américain. Elle l'attendait depuis plus de 500 millions d'années à l'abri dans une couche de schiste de guère plus de 2 m d'épaisseur, sur un front de carrière d'environ 50 m de long seulement. Il est tout à fait extraordinaire qu'un aussi faible volume ait recélé autant d'organismes montrant des formes aussi diversifiées. Il s'agit d'une faune extrêmement variée, au point que l'on doit parler d'embranchements et non de simples espèces. Sa conservation remarquable tient à des circonstances bienheureuses. L'étude du terrain a montré que ces animaux vivaient dans des mares maintenues par des talus de boue. Pour une raison inconnue, les talus se sont écroulés, entraînant et ensevelissant les hôtes des mares, les préservant ainsi de la décomposition et de la destruction. Walcott continua ses fouilles jusqu'en 1917, rapportant aux États-Unis plus de 12 000 spécimens. Elles furent reprises ultérieurement, portant le total de fossiles à environ 13 000.

Walcott avait fait une interprétation sommaire de ses découvertes, logeant l'ensemble des nombreuses espèces dans un petit nombre de groupes de crustacés actuels. En réalité, les études approfondies entreprises à partir des années 1970 sur ces fossiles ont montré que la plus grande partie d'entre eux appartenaient à des embranchements aujourd'hui totalement disparus. Nous allons revenir sur les raisons de cette interprétation erronée. En dehors de l'abandon des préjugés qui avaient guidé les réflexions de Walcott, une autre raison, toute matérielle, a permis de classer correctement toute cette variété d'animaux. Walcott, en effet, les avait étudiés en quelque sorte en deux dimensions, écrasés qu'ils étaient par le poids de la boue qui les avait ensevelis. Mais les nombreux échantillons de la plupart des espèces faisaient qu'ils se présentaient sous divers profils ; un travail de patience minutieux permit de soulever et de détacher un à un de la masse agglomérée les organes qui les composaient, permettant de les reconstituer en trois dimensions, et même de rassembler des morceaux épars initialement perçus comme des organismes différents.

Citons-en quelques-uns, en commençant par un monstre, Gulliver carnivore parmi des Lilliputiens, appelé *Anomalocaris* (« étrange crevette »). Son nom lui avait été donné bien antérieurement à sa redécouverte dans les schistes de Burgess. En effet, il avait été exhumé dès 1886 en un lieu proche, mais seulement en partie. Ce semblant de corps sans tête avait été considéré comme un arthropode ressemblant à une crevette, d'où son nom. Divers appendices lui furent ensuite adjoints, certains à tort, d'autres de façon juste, dont une espèce de tranche d'ananas tout d'abord interprétée comme une sorte de méduse et qui, en réalité, était sa bouche. Une fois correctement reconstitué, l'animal se révéla être un véritable géant par rapport à ses compagnons, pouvant atteindre 60 cm de long alors que ses proies ne dépassaient pas quelques centimètres.

Un autre, l'un des plus étranges, appelé *Opabinia*, était doté de cinq yeux et d'une trompe. Il avait été initialement rangé parmi les arthropodes, mais une dissection minutieuse ne fit apparaître nulle trace du moindre appendice rattaché au corps, comme cela aurait dû être s'il en avait bien fait partie (rappelons qu'arthropode signifie « à pieds articulés »). Encore un animal sans descendance, à moins que les pattes ne soient apparues que plus tard.

Figure 3.1. *Opabinia (source : dessin d'Alexandra Johann)*

Continuons par celui qui a posé le plus de problèmes, une véritable énigme, *Hallucigenia*. Vu la façon dont il a tout d'abord été campé sur de véritables échasses totalement rigides, il méritait bien son nom. En effet, comment un tel être pouvait-il bien vivre, se déplacer, se nourrir, sans basculer sur le côté et ne pouvoir se redresser ? Toutes les hypothèses furent d'abord émises, y compris celle d'un morceau d'un organisme plus grand, sauf la bonne qui tenait de l'œuf de Christophe Colomb. Alors que la première description d'*Hallucigenia* datait de 1977, il fallut attendre 1991 pour trouver la solution pourtant déjà suggérée par des non-spécialistes : il suffisait de retourner cette pauvre bête pour que les échasses deviennent des piquants plantés sur son dos, et que les sortes de tentacules initialement dorsaux deviennent ses pattes. Enfin un animal qui pouvait fonctionner !

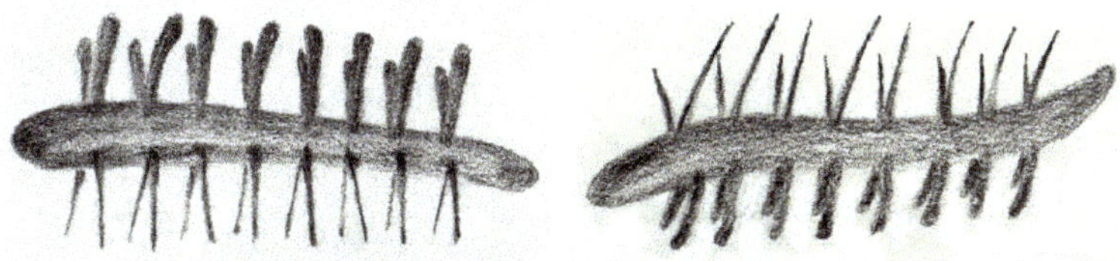

Figure 3.2. *Hallucigenia à l'envers... et remis sur ses pieds (source : dessins d'Alexandra Johann)*

Ce retournement fut ensuite confirmé grâce à la découverte d'autres animaux de même aspect, en particulier en Chine dans un site équivalent à celui de Burgess mais un peu plus ancien. En réalité, *Hallucigenia* était l'une des nombreuses espèces appartenant à la branche des onychophores. Il en existe encore des représentants, différenciés en 80 espèces environ, mais bien modestes et discrets. Ce sont des animaux vermiformes, longs de quelques centimètres, qui vivent dans des milieux terrestres chauds et humides (alors que leurs premiers ancêtres séjournaient en milieu aquatique). On les trouve dans les zones tropicales et équatoriales d'Amérique, d'Afrique et d'Asie, ainsi qu'en Australie et en Nouvelle-Zélande. Cette ubiquité étonnante provient de la séparation en plusieurs morceaux du continent unique où vivaient leurs ancêtres de l'ère primaire, chacun d'entre eux emportant ses spécimens qui évoluèrent lentement jusqu'aux formes actuelles légèrement différenciées. Soulignons la faible descendance du groupe des onychophores, alors qu'il était très largement représenté à l'époque cambrienne. Voilà un embranchement *a priori* promis à un bel avenir qui, n'ayant pas trouvé dans les temps futurs un environnement propice à son épanouissement, s'est trouvé réduit à une petite représentation peu diversifiée sur quelques territoires limités.

Terminons cette rapide et très partielle énumération par un animal beaucoup mieux connu, le trilobite. Apparus au début du Cambrien, les trilobites se multiplièrent de façon extraordinaire, jusqu'à compter plus de 15 000 espèces. Ils disparurent il y a 250 Ma, à la fin du Permien, emportés dans la plus importante extinction que connut le monde vivant. Ils étaient protégés par une carapace qu'ils perdaient plusieurs fois au cours de leur développement, comme les crustacés actuels.

Voilà un autre type de destin : nous avons trouvé des animaux sans descendance après l'époque cambrienne, d'autres qui, après une grande diversification, ne sont plus représentés que par quelques espèces vivant dans des niches très réduites ; voilà les trilobites qui, après une véritable explosion, ont disparu après 300 millions d'années d'existence.

Figure 3.3. *Trilobite (source : photographie de l'auteur)*

D'autres créatures connurent un avenir plus spectaculaire en donnant naissance à l'ensemble du monde animal actuel. Nous allons retrouver ces premiers descendants de la faune cambrienne en explorant la fin de cette époque, puis l'Ordovicien et les époques suivantes du Paléozoïque.

Auparavant, il est intéressant, à la lumière de ces destins divers de la faune de Burgess, de revenir sur l'erreur commise par Walcott lorsqu'il étudia ses fossiles. C'est, en effet, une première occasion qui se présente à nous de combattre une idée confortable, mais fausse, sur l'évolution de la vie. À la tête de ces milliers de spécimens, Walcott étudia cette faune en tentant de la classer dans la lignée des êtres vivants qui lui ont succédé. Mais, empreinte des préjugés de l'époque (toujours vivaces au demeurant), son interprétation fut largement erronée. Le sens commun donne en effet à l'évolution un déploiement que l'on peut illustrer par l'image d'un cône se présentant la pointe en bas, ou d'un arbre aux branches qui s'écartent et se multiplient de plus en plus vers le haut. Au bas du cône, ou au pied de l'arbre, on trouve les organismes primitifs, en petit nombre. Puis ces premiers êtres se diversifient en se complexifiant, donnant au cours des âges des familles et des espèces de plus en plus nombreuses et perfectionnées, jusqu'à l'être qui nous est le plus cher : l'Homme, aboutissement de ce majestueux déploiement. Il est évident que les premiers animaux étant on ne peut plus simples, en commençant par les premières bactéries, les mutations ne pouvaient que créer des êtres plus complexes. Mais, à partir de là, on se trompe totalement si l'on reste sur l'image du cône ou de l'arbre. À cela deux raisons, l'une naturelle, l'autre contingente.

Première raison, il faut se garder de chausser les lunettes d'un progrès qui serait inhérent à la vie, d'un « élan vital » ou toute notion approchante, lorsque l'on aborde le déroulement de l'évolution. En réalité, l'histoire décrite par les fossiles montre des mutations génétiques qui sont le fruit du hasard et donnent des êtres qui survivent ou non, en fonction de la conformation de la nouvelle créature, de son adaptation à l'environnement et de la concurrence qu'elle va rencontrer chez ses frères non mutants. Il n'y a pas de fatalité à ce que les mutations conduisent à des êtres de plus en plus complexes ou de plus en plus grands (ce qui ne se vérifie que lorsque l'augmentation de taille donne à ces descendants un avantage compétitif). On connaît d'ailleurs de nombreux exemples d'animaux qui ont évolué vers des formes plus simples ou plus petites que leurs ancêtres (nous en rencontrerons plus loin).

La deuxième raison est une simple conséquence de l'histoire de la Terre. Périodiquement, une catastrophe anéantit des espèces ou des familles entières d'animaux. Cela peut ne concerner qu'un petit nombre, de manière discrète et difficilement décelable, mais il s'est également produit de nombreuses extinctions de grande ampleur, régionales ou mondiales (nous en examinerons les causes au chapitre 7). Les plus importantes, véritables cataclysmes, ont touché la totalité de la planète, produisant des hécatombes qui ont anéanti de 70 % à plus de 90 % des familles et des espèces. La dernière (pour le moment ?) et la plus connue, parce qu'elle a provoqué la disparition des dinosaures, est survenue à la fin du Crétacé, il y a 65 Ma. Ainsi, périodiquement, l'arbre de la vie se trouve élagué de nombreuses branches, voire de la plupart, et l'évolution reprend à partir des quelques rameaux ayant survécu. Les catastrophes qui causent ces extinctions (chute d'une énorme météorite, monstrueuses émissions volcaniques, glaciation extrême, ou au contraire réchauffement noyant des continents entiers sous l'eau de fonte des glaciers) ne font pas de distinction entre les êtres qu'elles anéantissent : les caractéristiques qui faisaient qu'un animal vivait en bon équilibre avec son milieu ne sont *a priori* d'aucun secours devant un phénomène brutal, extrême et imprévisible de ce type. Seuls survivent ceux qui ont la chance de posséder, pour un tout autre usage d'adaptation à leur milieu habituel, des caractères leur permettant, par hasard, de surmonter l'épreuve, ou de vivre dans des endroits peu sensibles à l'agression subie.

L'image de l'évolution n'est donc pas un cône ou un arbre développant ses ramures quasiment jusqu'à l'infini, mais un buisson aux modifications imprévisibles périodiquement élagué.

Ajoutons une dernière réflexion. Il est très étonnant qu'une telle variété d'animaux, aussi différents, aient pu ainsi apparaître et cohabiter. Il est difficile d'en trouver l'explication dans un schéma classique d'évolution darwinienne. Gageons que les gènes architectes et leurs possibilités de mutation indépendamment de l'ADN, évoqués au précédent chapitre, sont la clé explicative de cette explosion de formes.

Chapitre 4

Différenciation des premiers animaux

4.1. Diploblastes et triploblastes : première différenciation

Avec la faune d'Ediacara et les autres faunes semblables, nous étions restés, autant que l'on puisse en juger à partir de leurs vestiges, avec des plans d'organisation simples. Mais les fossiles de Burgess sont autrement plus complexes et, dès cette époque du Cambrien, les deux plans anatomiques qui vont perdurer jusqu'à aujourd'hui dans l'ensemble du monde animal multicellulaire devaient déjà cohabiter. Examinons-les avant de parler des descendants de ces premières faunes.

Nous avons vu que des colonies de protozoaires s'étaient assemblées et que leurs cellules s'étaient différenciées, en commençant par se structurer en une face dorsale et une face ventrale. Là se trouve l'origine de toute la vie animale. Les crêpes à deux feuillets dorsal et ventral n'évoluèrent pas beaucoup, donnant, outre *Trichoplax adhaerans* qui a gardé ce schéma particulièrement primitif, les démosponges, dont fait partie notre éponge de toilette, les éponges à squelette siliceux ou calcaire, l'ensemble des cnidaires regroupant les hydres, anémones de mer, coraux et méduses, les cténophores, animaux transparents ressemblant à des méduses, et les myxozoaires, parasites de certains vers et vertébrés.

Ces animaux forment l'ensemble de ce que l'on appelle les diploblastes (du grec *diplos*, double, et *blastos*, germe ou bourgeon). Bien que dans l'ensemble peu évolués à nos yeux, ils peuvent cependant avoir des caractéristiques étonnantes. C'est ainsi que certains cnidaires passent cycliquement d'une morphologie de polype à celle de méduse. Le polype, fixé à un substrat, possède à sa partie supérieure une bouche entourée de tentacules qui s'ouvre sur un tube fermé à sa partie inférieure. La phase de méduse, flottant librement, a l'aspect d'un disque dont le plan est retourné, la bouche devenant ventrale, toujours entourée de tentacules. Le polype se reproduit par simple bourgeonnement non sexué, alors que la méduse produit des gamètes (cellules sexuelles) pour assurer sa reproduction. Autre curiosité, les cnidaires sont pourvus d'un petit harpon relié à une source de venin. Ce système urticant leur sert à capturer leurs proies, poussant chez certains d'entre eux la sophistication jusqu'à imiter la forme et les mouvements de petits animaux planctoniques dont se nourrissent ces proies. Ces dernières, attirées par ce leurre, sont ensuite paralysées par le venin.

Ces organismes à deux feuillets ne possèdent pas d'organes à proprement parler qui puissent assurer les fonctions de base comme la digestion, la respiration ou la circulation. Pour y pallier, il existe une sorte de division du travail entre les cellules, qui se différencient en plusieurs groupes assurant chacun une des fonctions nécessaires à la vie de l'animal. Il fallut l'apparition d'un troisième feuillet chez certains d'entre eux pour que de véritables organes se forment. Ce nouveau feuillet est appelé le mésoderme, les deux précédents étant l'ectoderme et l'endoderme. C'est à partir de ces trois feuillets que se développèrent les organes de ces animaux, appelés triploblastes.

Parallèlement, d'autres transformations majeures se produisirent : l'acquisition d'une symétrie bilatérale, le corps prenant une forme allongée, la transformation de la poche alimentaire ventrale en un canal ouvert aux deux extrémités, et la différenciation de certaines cellules pour constituer d'une part les rudiments d'une bouche et d'un anus aux deux extrémités, d'autre part les premières cellules nerveuses aptes à commander une partie du fonctionnement de l'organisme. Ces transformations profondes ouvrirent une extraordinaire potentialité d'évolution qui conduisit à l'immense diversification, dont la première manifestation spectaculaire connue constitue la faune fossile de Burgess.

Les premiers triploblastes ont laissé quelques descendants ayant peu évolué. Ce sont des vers plats dont beaucoup sont des parasites, comme le ténia ; les autres vivent surtout dans les eaux douces ou marines. En revanche d'autres allaient utiliser à plein les nouvelles potentialités qu'apportait le troisième feuillet, en s'associant aux deux premiers pour former de véritables organes baignant dans un liquide. La formation de branchies, replis cutanés augmentant considérablement la surface de contact avec le milieu ambiant, facilita l'absorption de l'oxygène tandis que l'apparition d'une pompe accélérait la circulation du liquide (on peut avoir une idée de ce qu'a dû être cette première pompe avec quelques animaux actuels dont le sang est propulsé par une simple contraction des parois de certains de leurs vaisseaux). Enfin, l'adjonction de protéines véhiculant l'oxygène en accrût la performance. Le liquide intérieur se diversifia, formant le liquide sanguin circulant dans des tubes spécialisés et la lymphe stationnaire dans laquelle baignaient les cellules. Une partie de ces tubes entourèrent le canal alimentaire de façon à recueillir les aliments pour les conduire, comme l'oxygène, au niveau des cellules et récupérer les déchets pour les ramener vers des organes excréteurs. Alors les organismes purent grossir, dépassant l'épaisseur de quelques couches de cellules et permettant la création d'autres organes. Ainsi apparurent des cellules de soutien du corps accompagnant et facilitant l'accroissement de son volume, des cellules contractiles se groupant en muscles, des organes reproducteurs diversifiant les modes de fécondation, des cellules nerveuses de plus en plus nombreuses, des glandes sécrétant des enzymes digestifs et d'autres produisant des hormones, transmetteurs chimiques véhiculant des messages vers les organes et les tissus par l'intermédiaire de la circulation sanguine. La vie allait pouvoir ainsi dépasser le stade du ver et créer de nouveaux animaux de plus en plus complexes.

4.2. Duplication du corps et deuxième différenciation

Tout le monde connaît le lombric, notre ver de terre familier des jardins dont il malaxe inlassablement la terre qui, sans lui, serait largement stérile. On peut distinguer tout au long de son corps une série d'anneaux qui donnent l'impression d'un être formé par la duplication d'un segment unique. Il est le témoignage vivant d'un passé lointain, lorsque certains des premiers triploblastes connurent une mutation de leur génome, qui eut pour conséquence le développement d'un animal à segments multiples identiques. Chaque segment resta dans un premier temps semblable à l'organisme complet d'origine, puis commença à évoluer. Les gènes ayant commandé cette transformation continuèrent eux-mêmes à se modifier, ouvrant la lignée des gènes architectes (ou homéotiques) déjà évoqués au chapitre 2. Présents dans tous les êtres vivants, plantes, mycètes, animaux, leur fonction essentielle est de piloter la formation de l'embryon et son évolution vers l'être complet. Ils sont restés extraordinairement semblables d'un être à l'autre jusqu'à aujourd'hui, nouvelle preuve de l'unicité du vivant.

Les multiples possibilités d'évolution des anneaux ainsi formés aboutirent à deux familles : les protostomiens et les deutérostomiens. Les principaux représentants actuels des protostomiens sont les annélides (parmi lesquels les vers terrestres), les arthropodes (principalement les araignées, scorpions, crustacés, acariens et insectes, de loin les plus nombreux avec plus d'un million d'espèces) et les mollusques. Ceux des deutérostomiens sont les vertébrés. Les protostomiens tirent leur nom de *proto* (primaire) et *stoma* (bouche), signifiant que la bouche est le premier orifice du canal alimentaire à se former chez l'embryon. Chez les deutérostomiens, dont le nom vient de *deutero* (secondaire) et *stoma*, l'anus se forme en premier, la bouche apparaissant secondairement.

Cette histoire de tuyaux et d'orifices peut paraître d'un faible intérêt et l'on peut se demander pourquoi elle a donné les noms respectifs de ces deux grands groupes. En fait, cette différence chronologique dans l'apparition des deux extrémités du canal alimentaire n'est que la première étape d'une différenciation majeure des plans anatomiques des deux ensembles. La disposition des organes principaux suit des voies différentes, aboutissant à deux plans anatomiques contrastés, on peut même dire inversés. En particulier, le système nerveux est ventral chez les premiers alors qu'il est dorsal chez les seconds. Cette inversion eut des conséquences spectaculaires, puisque c'est grâce à elle que l'on va trouver d'un côté des langoustes, des huîtres et des mouches, de l'autre des saumons, des hérons, des antilopes et des Hommes.

Malgré leur évolution vers des formes à la fois diverses et sophistiquées, beaucoup des caractères des protostomiens sont restés primitifs. Ainsi, la pompe qui assure la circulation d'un liquide en partie analogue au sang, appelé hémolymphe, est constituée d'un simple tube contractile. Il est vrai qu'il n'est pour eux nul besoin d'un organe complexe comme notre cœur composé de quatre compartiments. En effet, autre caractère primitif, ce liquide, ne renfermant pas de globules rouges, ne participe pas à la respiration. Baignant l'abdomen et propulsé vers le reste du corps en passant dans un vaisseau appelé aorte, il transporte simplement les matières nutritives dans un sens et les déchets dans l'autre. La circulation de l'oxygène (et du gaz carbonique en retour) se fait par diffusion dans tout le corps grâce à une ramification des trachées par lesquelles pénètre l'air.

Nous allons quitter les protostomiens à la fin de ce chapitre pour consacrer les suivants à la longue et spectaculaire histoire des vertébrés qui constituent l'essentiel du second groupe.

Mais auparavant, pour l'anecdote, disons quelques mots des gastéropodes, mollusques qui ont fait l'objet, comme beaucoup d'autres espèces, d'un débat acharné sur les mécanismes de l'évolution. Comprenant de très nombreuses espèces, marines, d'eau douce ou terrestres, leur taille varie de 1 mm à 60 cm. La plupart sont dotés d'une coquille torsadée. Cet enroulement est accompagné de celui du corps : au cours de son développement, l'embryon se tord de 180 degrés, les organes situés à droite s'atrophiant et ceux de gauche se développant à droite. Cette latéralisation est parfois inversée, avec des espèces ou, dans la même espèce, des individus enroulés dans l'autre sens. Par convention, l'animal est dit « dextre » si, placé la pointe vers le haut, l'ouverture de sa coquille se présente du côté droit. Dans le cas contraire, il est dit « sénestre ». Les formes dextres prédominent largement. Si vous trouvez pourquoi il en est ainsi, vous gagnerez votre poids en coquilles de *Busycum perversum* (espèce sénestre de l'Atlantique Nord). Il n'y a vraisemblablement pas de raison particulière, comme pour la dominante des droitiers dans l'espèce humaine. Une mutation du génome a rendu dissymétrique, dans un sens qui s'est trouvé être le dextre, le développement d'un embryon qui a transmis cette caractéristique à ses descendants. Parfois, une nouvelle erreur de duplication inverse la distorsion, fabriquant des individus enroulés en sens contraire.

Ce sont les raisons de la prédominance de l'enroulement droit qui ont fait surgir un débat maintenant classique sur la part du hasard dans l'évolution. Dans le cas des escargots, cette dispute fut ouverte au début du XXe siècle. Un dénommé John T. Gulick, missionnaire passionné par les escargots et opposé par conviction religieuse au déterminisme, ne trouvant aucun lien entre l'enroulement de ses très nombreux échantillons et leur environnement, attribua au hasard le sens de cet enroulement. Cela heurtait les convictions des tenants du déterminisme (théorie selon laquelle tout fait a une cause), pour qui seule la pression de la sélection naturelle pouvait expliquer l'évolution des êtres vivants. Mais notre missionnaire avait très probablement raison (bien que pour des raisons erronées : il n'est nul besoin d'introduire des convictions religieuses pour admettre que la contingence trouve toute sa part dans l'évolution, au moins chaque fois qu'une mutation n'empêche pas le nouvel être vivant de survivre dans son environnement). Comme quoi il n'est jamais bon d'ériger en dogme une théorie, scientifique ou autre, en rejetant *a priori* toute remise en cause, même mineure, ce que faisaient ces évolutionnistes tenants d'un déterminisme pur et dur.

4.3. Retour sur la bifurcation protostomiens-deutérostomiens

Nous avons vu que protostomiens et deutérostomiens commencent à se différencier dans leur développement dès la multiplication des premières cellules de l'embryon. Comment s'est faite cette différenciation entre les deux groupes ? Durant très longtemps, on a fait des arthropodes les ancêtres des vertébrés, selon l'hypothèse intuitive habituelle – mais fausse – d'une progression faisant se succéder dans une lignée ascendante les êtres que nous connaissons aujourd'hui. Ainsi seraient d'abord apparus les annélides, puis les arthropodes avec des parties spécialisées portant les divers organes externes (yeux, antennes, pattes, ailes, etc.), et enfin, les vertébrés issus des arthropodes. Ces vertébrés auraient commencé eux-mêmes par des poissons simples, comme la lamproie, puis de plus en plus complexes, pour donner ensuite les premiers animaux terrestres, jusqu'à l'Être parfait, l'Homme. L'erreur de base de ce raisonnement est de croire que les animaux actuels sont issus les uns des autres, ceux qui sont censés être plus évolués descendant de plus primitifs qu'eux. La seconde erreur est de décider du degré d'évolution d'une créature selon des critères qui, de façon plus ou moins consciente, reviennent à construire une échelle de complexité fondée sur une comparaison avec l'Homme : plus on lui ressemble, plus on est sur un barreau élevé de l'échelle.

La question de l'archevêque Wilberforce à Thomas Huxley lors de leur célèbre confrontation du 30 juin 1860 (quelques mois après la parution de *L'Origine des espèces*), « descendez-vous du singe par votre grand-père ou par votre grand-mère ? », était une stupidité (encore que compréhensible à l'époque) : aussi bien l'un que l'autre descendaient d'un ancêtre qu'ils partageaient avec les chimpanzés, les gorilles et les orangs-outangs. De même, depuis les temps les plus reculés, chaque branche de l'arbre de la vie s'est divisée et redivisée, et chaque espèce actuelle se trouve à l'extrémité d'un rameau qui est apparu il y a plusieurs millions ou plusieurs centaines de milliers d'années. Bien entendu, il n'y a aucune raison que toutes ces branches se soient détachées du tronc commun en même temps, et il est probable par exemple que les premiers annélides soient apparus avant les premiers arthropodes et ceux-là avant les premiers vertébrés, mais sans faire des premiers les ancêtres des suivants.

De façon basique, qu'est-ce qui différencie un deutérostomien d'un protostomien ? On peut le voir en regardant comment se développe un embryon. En effet, le morphologiste allemand Ernst Haeckel, au XIXe siècle, émit un aphorisme resté célèbre : « L'ontogenèse récapitule la phylogenèse. » Autrement dit, le développement de l'embryon (ontogenèse) passe par toutes les phases d'évolution de ses ancêtres (phylogenèse). Cela n'est que partiellement vrai mais, à condition de rester prudent dans les interprétations que l'on peut en faire, l'observation des phases successives du développement d'un fœtus apporte des renseignements précieux sur le passé de l'espèce à laquelle il appartient. C'est ainsi qu'après les premières divisions d'un œuf fécondé, il se forme une sphère (la blastula) qui se transforme en gastrula, sac à deux feuillets dont l'ouverture, d'abord unique, est appelée le blastopore. Ce sac constitue l'ébauche du tube digestif ; on lui donne le nom d'archentéron (du grec *arkhê*, commencement, et *enteron*, entrailles). L'archentéron s'ouvre ensuite à l'autre extrémité, devenant un canal ouvert à ses deux bouts, comme il se doit d'un tube digestif se voulant en ordre de marche.

Chez les protostomiens – rappelons que cela veut dire « bouche en premier » –, la première ouverture va devenir la bouche, la seconde dans l'ordre d'apparition formant l'anus. Chez les deutérostomiens (« bouche en second »), tout s'inverse : le premier orifice va devenir l'anus et le second la bouche. Cette inversion eut pour première conséquence de regrouper les organes d'absorption de l'oxygène et de la nourriture, ouvrant la voie à l'apparition des branchies. Il existe de nombreuses autres différences entre les deux types d'embryon. On peut citer le fait remarquable que les toutes premières cellules d'un protostomien sont déjà différenciées : si l'on enlève l'une d'elles, l'embryon ne sera pas viable, alors que chez les deutérostomiens, la différenciation apparaît plus tard : les premières cellules sont dites totipotentes, c'est-à-dire que chacune d'elles peut, si on l'isole, former un nouvel organisme viable.

Tout ce qui vient d'être dit montre que les différences dans le développement des deux types d'embryons sont très importantes et ne se bornent pas à une simple inversion des orifices d'un canal. Un autre changement va prendre toute sa place après ceux que nous venons de voir. Il concerne le système nerveux qui, pour les protostomiens, se situe dans sa plus grande partie le long de la surface ventrale, alors que pour les deutérostomiens il se place près du dos. Chez ces derniers, les cordons nerveux ont pu ainsi se regrouper dans un tube dorsal formé par un repli de l'ectoderme, la crête neurale. Puis, pour la plupart d'entre eux, appelés chordés, le tube neural s'est renforcé par l'ajout d'une tige fibreuse, la corde dorsale, d'où leur nom (du grec *chorde*, corde).

Un autre événement, certes secondaire mais étrange, s'est produit, probablement tout au début de la formation des premiers deutérostomiens, illustrant bien la marche cahotante de l'évolution. Alors que la symétrie bilatérale était la règle, la larve de l'un d'entre eux donna un adulte doté d'une symétrie rayonnante à cinq côtés. Ainsi naquit l'embranchement des échinodermes. Ce nom, venant du grec *echinos*, hérisson, fait référence à ceux qui sont dotés de piquants. C'est à cette bizarre radiation que l'on doit les étoiles de mer, oursins ou concombres de mer. Leur origine est très lointaine : le plus ancien fossile connu d'échinoderme, trouvé en Californie, date du début du Cambrien.

Figure 4.1. *Scutella (échinoderme du Miocène) (source : photographie de l'auteur)*

C'est dès le début du XIXe siècle que Geoffroy Saint-Hilaire émit l'idée que les vertébrés étaient des arthropodes en quelque sorte retournés. L'idée était astucieuse, mais à peu près personne ne le crut. Les progrès dans l'acceptation de la théorie de l'évolution redonnèrent une certaine actualité à cette thèse ; encore fallait-il expliquer comment un tel retournement avait bien pu se produire. Des théories quelque peu délirantes furent avancées, comme l'idée que des organes avaient changé de fonction, le tube digestif devenant ainsi cerveau et moelle épinière alors que d'autres organes naissaient à partir de rien.

En réalité, si Geoffroy Saint-Hilaire avait raison quant à l'inversion de l'anatomie, ce changement n'avait pas été progressif. Le plan anatomique s'était retourné brutalement, d'une seule pièce. Il fallut attendre la découverte des gènes architectes pour comprendre ce qui avait dû se passer. Une mutation dans ces gènes avait mis littéralement cul par-dessus tête la séquence chronologique et spatiale de mise en place des tissus et des organes.

Soulignons que c'est ce nouveau plan d'organisation chez les deutérostomiens qui a ouvert la voie à un nouveau champ d'évolution dans le monde animal. Regardons en effet le système nerveux central dans chacun des deux plans anatomiques. Chez les deutérostomiens, il est logé dans la boîte crânienne et la colonne vertébrale, alors que chez les protostomiens, il entoure simplement le tube digestif, sans protection ni séparation spéciale. Dans ce deuxième cas de figure, cela limite ses possibilités d'expansion, qui se ferait au détriment de la place prise par le tube digestif. On peut penser qu'il y avait là une contradiction, un problème sans solution, limitant l'évolution de ces mollusques, arthropodes et autres. En revanche, chez les chordés, l'autonomie du système nerveux central, séparé du reste du corps, ouvrit le champ à des possibilités d'évolution et d'augmentation de taille qui permirent au cerveau et au reste du corps de se développer pour conduire aux espèces évoluées actuelles ou disparues. Ces transformations sont cependant restées plus limitées chez les poissons que chez les animaux terrestres, sans doute parce que le milieu homogène dans lequel vivent les premiers restreint l'intérêt des innovations structurelles ; la pression de sélection est beaucoup moins forte qu'en milieu terrestre où les environnements écologiques très variés ont engendré des adaptations beaucoup plus diverses et importantes.

Chapitre 5

Apparition et installation des vertébrés

Nous avons vu que les deutérostomiens se sont dotés d'un tube neural qui, chez certains, a été ensuite renforcé par une structure fibreuse, appelée la chorde, d'où leur nom de chordés. À partir de là, des branches se sont successivement détachées pour aboutir par étapes à celle des vertébrés osseux.

Le groupe des chordés actuels est constitué de l'ensemble des animaux aquatiques que l'on appelle de façon spontanée des poissons, au vu de leur aspect extérieur, auxquels s'ajoutent les animaux terrestres à quatre pattes (les deux pattes antérieures pouvant être remplacées par des ailes, sans oublier l'animal doté de deux bras et deux jambes), plus les serpents qui ont perdu les leurs et les cétacés et phocidés, retournés dans les mers et océans, chez qui elles se sont transformées en nageoires. Dit autrement, on trouve chez les chordés, les poissons, les mammifères, les oiseaux, les reptiles et les batraciens ou amphibiens. Mais ces dénominations ne recouvrent pas la réalité des embranchements et ceux que l'on appelle poissons et reptiles sont loin de former des groupes homogènes.

Une mise en ordre a été rendue possible par la convergence de travaux portant sur l'étude anatomique de fossiles et d'animaux actuels, l'observation du développement des embryons et l'analyse des génomes. D'où, représentées dans le schéma de la figure 5.1, les véritables relations de parenté des chordés.

On peut voir une branche principale sur laquelle se succèdent les évolutions jusqu'aux plus récentes, et des rameaux latéraux constitués des organismes dont la transformation est restée plus limitée, sachant que, très probablement, des branches éteintes n'ont laissé aucune trace fossile identifiable. Examinons rapidement tous ces groupes.

```
                         Céphalochordés              Pétromyzontides
                                  /                        /
              Urochordés        /      Myxinoïdes        /  Chondrichthyens
                  /           /           /            /         /  Actinoptérygiens
________        /___________/__________/_____________/_________/_______________)
Chordés    Myoméro-   Crâniates    Vertébrés   Gnathos-   Ostéichthyens   )
           -zoaires                            -tomes              Sarcoptérygiens
```

Figure 5.1. *Filiation des chordés*

5.1. Les premiers chordés

Les urochordés sont de curieux petits animaux dont la larve à symétrie bilatérale est dotée d'une chorde. Chez les plus nombreux, la symétrie disparaît chez l'adulte qui a la forme d'un sac à deux ouvertures par lesquelles entre et sort l'eau de mer qui est filtrée à l'intérieur du corps pour en retenir les particules en suspension dont il se nourrit. D'autres présentent une forme de tonneau. Un dernier groupe conserve sa queue et sa chorde à l'âge adulte.

Figure 5.2. *Ascidie (urochordé) (source : dessin d'Alexandra Johann)*

On trouve ensuite les myomérozoaires, à symétrie bilatérale, chez qui apparaissent les premiers muscles. Les plus primitifs, appelés céphalochordés, ressemblent à des poissons de quelques centimètres de long, sans véritablement de tête formée. Ils ne sont représentés aujourd'hui que par quelques rares espèces, mais ils nous renvoient directement à un lointain passé : le Cambrien et la faune de Burgess. En effet, parmi les étranges spécimens que nous ont conservés les schistes de Burgess, il en est un de forme des plus banales, ressemblant à un petit poisson. C'est *Pikaia.* Son anatomie amène à se demander s'il n'est pas (lui ou un de ses cousins proches) l'ancêtre d'espèces actuelles, peut-être même de l'ensemble des vertébrés, comme d'autres animaux du site de Burgess sont par exemple les ancêtres des arthropodes. On peut en effet distinguer sur certains fossiles le trait noir de la chorde de l'animal en zone dorsale, et d'autres organes comme les plaques musculaires empilées le long de la chorde qui évoquent fortement les céphalochordés actuels. C'est pour cela que l'un d'eux, *Amphioxus*, fait partie des animaux qui passionnent les évolutionnistes, comme témoin vivant de ce que devaient être les ancêtres des vertébrés. Sa simple observation est déjà fascinante : son corps, non pigmenté, est transparent, et l'on peut distinguer la chorde et le tube neural, les muscles, ainsi que le système sanguin dépourvu de cœur, avec une circulation du sang se faisant par contraction des vaisseaux.

Les autres myomérozoaires constituent les crâniates. Leur nom souligne l'apparition d'un crâne, cartilagineux pour les premiers, osseux ensuite. Ils sont dotés d'organes sensoriels (ouïe, vue, odorat). Les organismes actuels probablement les plus proches des premiers crâniates sont les myxines. Ces animaux ressemblent à de longs vers qui s'enfouissent dans la vase, guettant les poissons malades ou morts qu'ils vont absorber grâce à une bouche et une amorce de mâchoire primitives, par morsure et succion. Leur évolution à partir de l'ancêtre originel est illustrée par leurs yeux qui ne sont plus apparents, mais enfouis sous la peau. Ils possèdent un canal semi-circulaire facilitant l'orientation de l'animal (c'est le premier des trois canaux semi-circulaires que nous possédons dans notre oreille interne). On a retrouvé des ancêtres fossiles des myxines dans des terrains du Carbonifère (– 300 Ma).

Après le crâne, un nouvel organe essentiel apparaît : la colonne vertébrale. Entourant la chorde, les vertèbres sont d'abord cartilagineuses avant de devenir osseuses. Le groupe de vertébrés le plus proche de l'ancêtre commun est celui des pétromyzontides, représenté aujourd'hui par les lamproies. Avec la lamproie les premières nageoires (deux dorsales et une caudale) et un deuxième canal semi-circulaire apparaissent. Les plus anciennes lamproies fossiles connues ont plus de 300 Ma.

Tous ces animaux étaient encore dépourvus de mâchoires (agnathes). Ils ont proliféré de la fin du Cambrien jusqu'au Dévonien, sur une période de quelque 150 millions d'années. Puis ils ont disparu, après une longue cohabitation avec leurs cousins à mâchoires. Les plus anciens agnathes, les conodontes, avaient une morphologie ne rendant pas évident leur apparentement à des poissons, avec leur corps vermiforme, de petites nageoires au niveau de la queue et des yeux proéminents.

Aussi a-t-on longtemps hésité sur leur véritable statut (vers, mollusques, chordés ou autres). De nombreux autres agnathes possédaient à l'avant du corps une protection faite de plaques osseuses. Parfois ces plaques étaient soudées pour former un véritable bouclier, mais chez d'autres, elles pouvaient couvrir tout le corps.

5.2. Les véritables poissons

L'étape suivante est franchie avec les gnathostomes. À la fin du Cambrien ou à l'Ordovicien, il y 450 à 500 Ma, les premiers arcs branchiaux d'un agnathe se transforment en mâchoires et un troisième canal semi-circulaire apparaît. Notre système d'équilibre a donc des origines très lointaines. Des restes de gnathostomes ont été trouvés en Suède, datés de – 410 Ma. Avec ce groupe, nous entrons dans le monde des poissons qui nous sont familiers, à squelette d'abord cartilagineux, puis osseux. Du tronc commun se séparent tout d'abord les chondrichthyens, à squelette resté cartilagineux et dépourvus de vessie natatoire. Ils sont représentés aujourd'hui par les requins, les raies et les chimères qui vivent dans des eaux profondes.

Le squelette osseux apparaît chez les ostéichthyens, ainsi que les poumons que l'on trouve encore aujourd'hui chez quelques poissons. Il ne faudrait pas croire pour autant que ces derniers organes soient issus de la vessie natatoire qui serait apparue en premier pour aider les poissons à se maintenir entre deux eaux. D'ailleurs, les chondrichtyens n'en sont pas pourvus et s'en passent très bien. Contrairement à ce que l'on pense généralement (et que pensait Darwin), les poumons sont apparus en premier, puis leur dégénérescence a abouti à une simple poche d'air utilisée secondairement pour monter ou descendre.

Signalons que la vessie natatoire peut avoir d'autres usages que la stabilisation verticale. C'est ainsi que beaucoup de poissons apprécient la profondeur à laquelle ils se trouvent grâce à des capteurs logés dans la paroi de leur vessie natatoire qui transmettent au cerveau les variations de pression. Elle peut également remplir une fonction auxiliaire de l'audition, en accentuant les vibrations sonores. Soit des prolongements de la vessie communiquent directement avec l'oreille, soit une chaîne de trois osselets transmet les vibrations à cette dernière. Il est particulièrement remarquable que cette apparition d'osselets s'apparente au système de transmission des sons dans l'oreille des mammifères. On voit bien par cet exemple comment la nature « bricole » (pour reprendre l'expression du prix Nobel François Jacob), en utilisant ce qu'elle a sous la main, si l'on peut dire, pour créer de nouvelles fonctions à partir de l'adaptation d'un organe préexistant destiné initialement à un tout autre usage. Mais l'énumération n'est pas terminée : la vessie natatoire est également utilisée chez certains poissons pour produire des sons, soit en les émettant directement, soit en amplifiant ceux qui proviennent d'un autre organe.

Les ostéichthyens modernes comprennent deux groupes : les actinoptérygiens, qui rassemblent les poissons à squelette osseux, et les sarcoptérygiens, qui ont quitté pour la plupart le statut de poissons pour devenir les vertébrés à quatre pattes (dans certains cas plus ou moins transformées, voire disparues comme chez les serpents). Il faut inclure dans ce second groupe les quelques poissons possédant à la fois des branchies et des poumons : les dipneustes et les cœlacanthes. Ces deux espèces sont les descendants aquatiques rescapés des premiers sarcoptérygiens, alors que des cousins de leurs ancêtres entamaient l'aventure de la vie hors de l'eau pour se diversifier en donnant l'ensemble des vertébrés terrestres (dont certains ont retrouvé plus tard le milieu aquatique).

Les dipneustes vivent dans des eaux douces tranquilles ou stagnantes, se nourrissant de crustacés, de mollusques et de petits poissons. Leurs poumons leur servent lorsque la teneur en oxygène de l'eau est insuffisante ou en cas de sécheresse. On les trouve en Afrique intertropicale, en Amérique du Sud et en Australie, où certains individus peuvent mesurer plus de 1,50 m de long. Les cœlacanthes ont leur aire de vie limitée à l'archipel des Comores. Ils peuvent mesurer plus de 1 m et peser plus de 35 kg. Ils ont la caractéristique très particulière de nager en bougeant alternativement les nageoires latérales situées en diagonale (avant-droit en même temps qu'arrière-gauche, puis l'inverse) avec une démarche qui rappelle de façon fascinante celle d'un cheval au trot. Une partie au moins des premiers sarcoptérygiens devaient partager cette caractéristique qui s'est transmise à la lignée des tétrapodes, gouvernant le mode de locomotion de ces derniers.

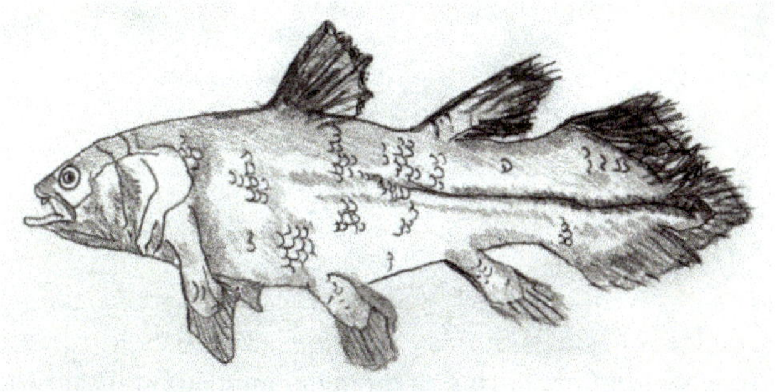

Figure 5.3. *Cœlacanthe (source : dessin d'Alexandra Johann)*

La plus importante différence entre les deux groupes se situe au niveau des nageoires. Alors que les nageoires paires des actinoptérygiens sont soutenues par des rayons cartilagineux ou osseux en éventail (d'où leur nom), celles des sarcoptérygiens ont une base épaisse et charnue (d'où également leur nom) portée par un squelette formé de plusieurs os. De plus, l'attache de ces nageoires au reste du squelette est différente : chez les sarcoptérygiens, les nageoires sont reliées aux ceintures par un seul élément, constituant une véritable amorce de membre (les ceintures sont les parties du squelette qui relient les membres à la colonne vertébrale, comme le bassin pour les jambes de l'Homme), alors que chez les actinoptérygiens, elles sont rattachées au squelette comme le seraient les plis d'un éventail. Cette évolution curieuse chez les sarcoptérygiens de nageoires mal adaptées à la propulsion dans l'eau vient vraisemblablement du fait que ces poissons devaient vivre à faible profondeur près des côtes, dans des herbiers d'algues ou des sortes de mangroves, avançant en appuyant sur le fond ou contre ces plantes ces nageoires dont les squelettes et les attaches se sont de ce fait renforcés au fil des générations. Jusqu'à ce que l'un d'entre eux pousse l'expérience et l'innovation en utilisant ces accessoires pour s'aventurer à l'extérieur de l'eau et y trouver une autre pitance.

Signalons, pour finir, l'existence éphémère de deux autres groupes aujourd'hui éteints : les acanthodiens et les placodermes. Les premiers étaient généralement d'assez petite taille (moins de 20 cm), au corps plutôt élancé. Les seconds, généralement de plusieurs dizaines de centimètres, étaient dotés d'une carapace osseuse. Ils étaient de formes et de tailles très variées. Ainsi, certains avaient le corps aplati et vivaient sur le fond des mers, d'autres, nageant en pleine eau, étaient des prédateurs pouvant mesurer plus de 5 m, d'autres enfin ressemblaient à des raies.

Figure 5.4. *Placoderme (source : dessin d'Alexandra Johann)*

Revenons quelques instants sur les poumons et la vessie natatoire pour voir comment ces organes sont apparus. Les premiers animaux utilisant l'oxygène l'absorbaient par leurs cellules situées à la surface de leur corps. Il était ensuite transmis aux cellules intérieures par le liquide qui les baignait. Puis l'apparition des branchies permit une meilleure irrigation de l'organisme par cet oxygène. Mais pourquoi des poumons pour des animaux vivant dans l'eau ? Une chose est maintenant certaine : les poissons possédèrent très tôt ces organes. On peut reconstituer de façon plausible ce qui s'est passé. Certains se trouvèrent vivre, au moins en partie, dans des eaux stagnantes pauvres en oxygène. Ils firent alors ce que font aujourd'hui un poisson rouge dont l'eau du bocal n'a pas été renouvelée, ou ceux qui vivent dans des étangs lorsqu'il fait chaud et que l'eau s'appauvrit en oxygène : ils vinrent à la surface « gober » de l'air atmosphérique pour remplacer l'insuffisance d'air dissous dans l'eau. On imagine très bien se former une poche, de plus en plus grande, conservant une bulle de cet air avant de l'utiliser pour la respiration. Puis cette poche se dota d'invaginations améliorant l'absorption de l'air grâce à l'augmentation de la surface de contact avec l'intérieur de l'organisme. Ainsi put naître le premier poumon, doublant les branchies en cas de pénurie d'air dissous. Les sarcoptérygiens, piètres nageurs vivant plutôt dans des eaux peu profondes proches des rivages, étaient plus destinés à conserver cette double possibilité. Chez les autres poissons, vivant en pleine eau, la double respiration devint inutile et les poumons perdirent leur fonction initiale, disparaissant ou dégénérant en vessie natatoire.

Avant de quitter les poissons pour débarquer sur la terre ferme au chapitre suivant, signalons qu'une très importante extinction s'est produite au Dévonien, en trois périodes. Elle a affecté tout particulièrement le milieu marin, et singulièrement la faune vivant à une faible profondeur. C'est ainsi que tous les agnathes ont disparu, à l'exception des myxines et des lamproies. Nous retrouverons cette extinction plus loin (chapitre 7).

Chapitre 6

La sortie de l'eau

Nous sommes au Dévonien, au milieu de l'ère du Paléozoïque. Un des deux grands groupes de poissons, les sarcoptérygiens, va quasiment disparaître du milieu aquatique ; mais il va trouver une extraordinaire expansion en quittant l'eau pour la terre ferme. Voyons comment cette aventure a débuté.

6.1. Les premiers vertébrés terrestres

Chez certains poissons sarcoptérygiens, les quatre nageoires ventrales évoluent pour se doter d'une charpente osseuse qui ressemble à une ébauche de membres d'un animal terrestre tétrapode. Dès la découverte des premiers fossiles, on a imaginé ces poissons, dotés simultanément de ces nageoires renforcées permettant la reptation et de poumons pouvant relayer les branchies hors de l'eau, commencer à passer du milieu aquatique au milieu terrestre sur des sols en pente douce, en quête d'une nourriture nouvelle. Mais leur adaptation plus complète à la vie terrestre nécessitait qu'un certain nombre de conditions d'environnement soient réunies. Il fallait en particulier que notre futur tétrapode trouve hors de l'eau un climat favorable ainsi que de quoi se nourrir. C'était effectivement le cas : les eaux étaient plutôt chaudes et la plus grande partie des poissons vivaient dans la ceinture comprise entre les deux tropiques.

Les premiers végétaux terrestres étaient déjà présents, en premier lieu les mousses issues des algues vertes des océans. Ce passage aux mousses, puis aux autres végétaux, avait pu se faire grâce à l'apparition des spores assurant la reproduction et des racines permettant la nutrition. On a trouvé des spores de mousses dès la fin de l'Ordovicien (environ – 450 Ma). Puis sont apparues les premières plantes vasculaires, c'est-à-dire des organismes dotés de cellules permettant la circulation de l'eau dans la plante. À la même époque, les premiers arthropodes se formaient. Les plantes devenaient de plus en plus denses en s'approchant de la fin du Dévonien, époque à laquelle les arbres étaient également présents (ces derniers connaîtront un développement spectaculaire au Carbonifère qui succédera au Dévonien). Les arthropodes étaient également de plus en plus nombreux : araignées, scorpions, insectes qui n'étaient pas encore ailés, auxquels se joignaient des escargots. Ces petites bêtes pouvaient constituer, avec les végétaux, une abondante source d'alimentation pour nos premiers vertébrés explorateurs d'un monde nouveau.

Puis, la sélection favorisant ceux de ces poissons aventuriers dont la charpente osseuse des nageoires se renforçait, de véritables membres allaient peu à peu se former. Un des plus spectaculaires chaînons intermédiaires, encore poisson, témoin de cette évolution, est *Eusthenopteron*, dont on a trouvé les restes fossiles vieux de 370 Ma dans le parc de Miguasha en Gaspésie (Québec). On distingue nettement dans les os de ses nageoires pectorales et pelviennes les ébauches des éléments qui constitueront ensuite les pattes des premiers tétrapodes.

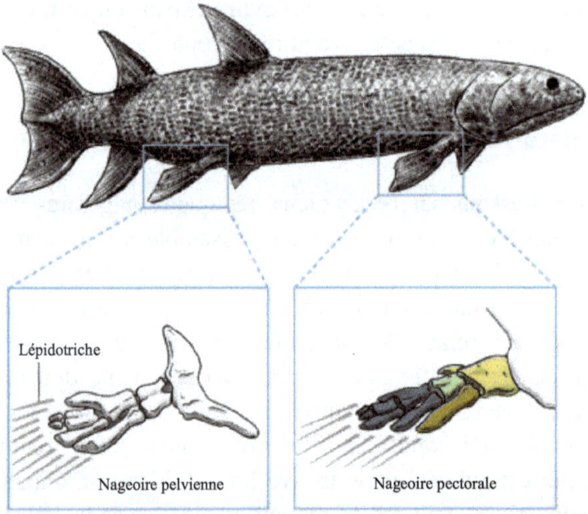

Figure 6.1. *Eusthenopteron (source : extrait de l'ouvrage* La Terre avant les dinosaures, *de J.S. Steyer et A. Bénéteau, paru aux éditions Belin, © Alain Bénéteau 2009)*

D'autres modifications allaient ensuite se faire jour, en particulier l'évolution des articulations des ex-nageoires sur les ceintures pectorale et pelvienne (l'équivalent de celles de nos membres sur les épaules et les hanches), la forme et l'articulation des mâchoires, permettant d'absorber une nourriture nouvelle, et les poumons, qui allaient jouer de plus en plus un rôle primordial dans la respiration des adultes, alors que les branchies subsistaient chez la larve. La suite naturelle en serait l'émergence des tétrapodes.

Le premier tétrapode primitif connu a été découvert en 1929 au Groenland, dans des terrains âgés de 365 Ma (fin du Dévonien). Il a reçu le nom d'*Ichthyostega* (poisson à quatre pattes). C'est le descendant d'*Eusthenopteron* ou d'une espèce voisine. Depuis, l'exhumation de fossiles de nombreuses espèces tant chez les derniers poissons sarcoptérygiens que chez les premiers tétrapodes a permis de mieux cerner l'histoire de l'évolution de la première forme à la seconde.

On sait aujourd'hui, contrairement à l'idée simpliste d'une transition progressive accompagnant le passage de l'eau à la terre ferme, que le scénario a été plus complexe. En effet, la découverte de nouveaux fossiles a montré que les futurs membres avaient commencé à se développer dans l'eau, facilitant la locomotion dans ce milieu de ceux qui bénéficiaient de cette évolution. Ce n'est qu'ensuite que certains d'entre eux ont utilisé cette opportunité pour ramper sur le rivage et s'extraire du milieu aquatique pour adopter une vie de plus en plus terrestre.

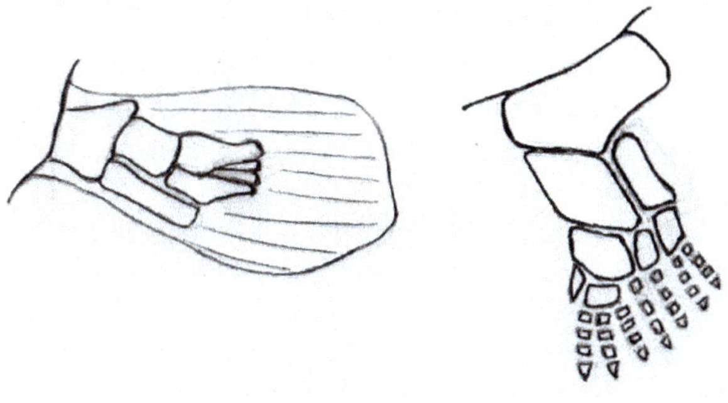

Figure 6.2. *Des nageoires aux pattes (source : dessin d'Alexandra Johann)*

Quel qu'ait été le scénario réel précis, il faut bien insister sur ce point : début de locomotion sur les fonds aquatiques, puis exploitation et amélioration de cette faculté sur la terre. C'est souvent ainsi que fonctionne l'évolution : un caractère acquis dans un milieu initial est exploité et modifié, au gré des mutations, dans un nouvel environnement qui donne un avantage compétitif à ceux qui le possèdent. C'est ce que l'on appelle dans le jargon évolutionniste une « exaptation », c'est-à-dire le détournement d'une fonction vers une autre.

En plus de l'évolution des nageoires en véritables membres, de nombreuses modifications anatomiques étaient nécessaires pour que les premiers tétrapodes puissent marcher, manger, se reproduire. Le squelette devait se renforcer : le corps n'était plus soutenu par l'eau et, sans modifications, les organes internes auraient pesé de tout leur poids sur le ventre de l'animal. Les organes sensoriels devaient également s'adapter. On peut suivre cette évolution en particulier avec l'audition, grâce au fait qu'une partie de cette fonction est assurée par des os, partie du corps qui se conserve chez les fossiles alors qu'il ne reste généralement aucune trace des parties molles : un os de l'articulation des mâchoires s'est transformé, permettant la captation des sons par vibration (le stapes, qui se maintiendra chez les reptiles et deviendra chez les mammifères l'étrier, troisième osselet de l'oreille moyenne).

Un détail intéressant et curieux est à signaler. On a longtemps cru que les tétrapodes possédaient dès l'origine cinq doigts à chaque membre. On retrouve en effet ce même nombre chez tous leurs descendants modernes. Même s'ils ont évolué, se modifiant ou s'atrophiant, ils ont conservé le même plan de base. Mais des fossiles de tétrapodes primitifs ont montré qu'ils possédaient en réalité sept et même parfois huit doigts (comme on peut le voir sur la figure 6.2). Au cours de l'évolution, le programme de construction des membres de l'embryon s'est interrompu plus tôt, limitant finalement à cinq l'apparition successive des doigts, du « pouce » vers le « petit doigt ». Il existe même des salamandres chez qui il n'y a plus que quatre doigts. Sans doute le hasard a-t-il présidé à l'apparition des sept ou huit doigts initiaux, l'optimisation des conditions de locomotion terrestre les réduisant à cinq.

Ces premiers tétrapodes, ouvrant la lignée des amphibiens (ce qui veut dire « à deux vies », allusion au fait que, si l'adulte est, au moins partiellement, un animal terrestre, la larve reste aquatique), vont connaître une grande expansion à la fin du Dévonien et au cours du Carbonifère. Certains vont conserver une vie essentiellement aquatique, se nourrissant de la faune des lacs et des rivières, avec des espèces de grande taille (jusqu'à 2 m de long, et sans doute plus), aux membres peu développés qui disparaissent même chez certains. D'autres se risquent sur la terre ferme, où ils trouvent un milieu favorable, avec une végétation luxuriante composée d'arbres pouvant atteindre 40 m de haut, de fougères et des premières plantes à graines (ou gymnospermes), peuplée d'une multitude d'insectes (dont certains ont acquis le vol) et autres arthropodes qui peuvent leur fournir une nourriture abondante. On en connaît plusieurs groupes dont certains, les microsaures, ressemblaient à de petits lézards. Un de ces groupes, celui des anthracosaures, va connaître un destin primordial : certains d'entre eux vont être à l'origine des premiers reptiles.

Un des premiers sites où furent découverts, à la fin du XIXe siècle, des fossiles d'amphibiens en abondance est situé en République tchèque, près d'une ancienne ville minière du nom de Nyrany. Dans ce petit espace, de nombreuses espèces différentes d'amphibiens purent être identifiées, ce qui illustre la très grande radiation de ces animaux. Leur morphologie montre l'existence d'espèces à dominante aquatique et d'autres au mode de vie terrestre, certaines de ces dernières ayant des caractéristiques annonçant déjà les reptiles, en particulier un crâne haut (plusieurs espèces de reptiles accompagnaient d'ailleurs ces amphibiens).

Les amphibiens actuels (ou batraciens) comprennent les urodèles (salamandres, tritons et protées, animaux cavernicoles restant sous la forme larvaire même adultes), les anoures, ce qui veut dire sans queue (grenouilles, crapauds, rainettes) et les plus rares apodes, amphibiens tropicaux qui ont perdu leurs pattes et vivent pour la plupart sous terre. Si les larves respirent à l'aide de branchies, la respiration des adultes est pour la plus grande partie cutanée, avec un apport complémentaire des poumons.

Mais alors que les amphibiens restent très dépendants du milieu aquatique, l'apparition des reptiles va totalement couper le cordon ombilical avec ce berceau originel de la vie.

6.2. Les premiers reptiles

D'autres évolutions étaient nécessaires pour s'affranchir définitivement du milieu aquatique. Ainsi, les écailles devaient devenir imperméables pour éviter la dessiccation du corps, délivrant l'animal de la contrainte de retourner fréquemment dans l'eau.

Mais la modification majeure était ailleurs : au niveau de l'œuf. En effet, les femelles de poissons pondent leurs œufs directement dans l'eau, avant fécondation. Les mâles assurent cette fécondation en répandant leur semence à proximité. Cela n'est plus possible hors de l'eau. Les amphibiens gardèrent ce mode de fécondation, jusqu'à leurs descendants modernes (à part quelques exceptions sur lesquelles nous allons tout de suite revenir). Mais la transition vers les tétrapodes totalement terrestres nécessitait une transformation de l'œuf afin de l'affranchir du milieu aquatique. Il va ainsi devenir cléidoïque (c'est-à-dire clos), autrement appelé amniotique (d'*amnios*, embryon), en acquérant une coquille qui le protège des chocs et le rend imperméable, tout en maintenant les échanges gazeux pour la respiration de l'embryon. De plus, des membranes internes, dites également amniotiques, délimitent plusieurs cavités renfermant l'embryon, les éléments nutritifs et les déchets, l'ensemble étant enveloppé par une dernière membrane (il est remarquable que ces membranes sont homologues des annexes embryonnaires des mammifères, c'est-à-dire qu'elles ont la même origine génétique). On appelle amniotes les animaux dont les femelles pondent des œufs dotés de telles membranes.

La comparaison des différences existant dans la reproduction des amphibiens actuels permet de se faire une bonne idée de la façon dont est apparu l'œuf amniotique. C'est ainsi que la ponte est terrestre chez certaines espèces américaines, avec de gros œufs et des adultes seulement trois à quatre fois plus gros que les jeunes au moment de l'éclosion. De plus, ces jeunes ont déjà acquis la forme adulte à leur naissance. C'est la taille importante de l'œuf qui permet à l'embryon de se nourrir et de se développer hors de l'eau. Un semblable changement s'est certainement produit chez des amphibiens primitifs dont les œufs ont grossi et ont pu être pondus sur la terre, ouvrant la voie à un début de vie totalement affranchie du milieu aquatique.

Le mâle va maintenant devoir féconder la femelle avant la ponte, comme cela existait déjà chez les arthropodes terrestres. C'est ainsi qu'est apparue la sexualité chez les vertébrés, avec tous les avatars qui en ont résulté chez un certain mammifère. Mais cela est une autre histoire.

Cette transformation majeure, permettant l'émergence des reptiles, va se produire au Carbonifère. Les plus anciens fossiles de reptiles connus sont datés d'environ – 310 Ma. Ce sont *Hylonomus* et *Paleothyris*, petits animaux d'environ 20 cm trouvés au Canada, en Nouvelle-Écosse. Leur crâne est haut et leur tête petite par rapport au reste du corps, ce qui caractérise les reptiles par rapport aux amphibiens. Leurs mâchoires sont également différentes de celles des amphibiens, permettant des prises plus solides, avec des dents pointues pouvant percer la carapace des insectes dont ils se nourrissent.

Les reptiles se sont subdivisés à la fin du Carbonifère et au cours du Permien suivant. On les range en trois groupes, les anapsides, les diapsides et les synapsides, qui se différencient par l'absence ou la présence d'une ou deux ouvertures dans le crâne, en arrière des orbites, appelées fenêtres temporales. Précisons que ces distinctions sont purement descriptives et n'impliquent pas des parentés particulières dans chaque groupe. Un autre groupe est apparu plus tard, celui des euryapsides. Nous le retrouverons au chapitre 8.

Les anapsides sont dépourvus de fenêtres temporales comme leurs ancêtres amphibiens. Après une importante radiation (y compris le retour dans les océans de certains, tels beaucoup plus tard les mammifères cétacés), leurs seuls descendants actuels sont les tortues.

Les diapsides ont le crâne percé de deux fenêtres temporales de chaque côté. L'un d'eux, *Coelurosauravus*, trouvé aussi bien à Madagascar qu'en Allemagne et en Grande-Bretagne (dispersion fossile due à la dérive des continents), possédait de larges côtes en saillie supportant une voilure qui lui permettait de planer. Quelle ancienneté pour la première tentative de vol ! Comme pour les anapsides, certains diapsides étaient retournés dans l'eau, tel *Hovasaurus*, semblable à un lézard, qui nageait grâce à des pattes arrière aux pieds élargis et une queue aplatie. Ce groupe a connu une riche destinée puisqu'il est à l'origine des lézards, des serpents, des crocodiles, ainsi que des dinosaures dont sont issus les oiseaux.

Les synapsides ont une seule fenêtre temporale. Cette branche de reptiles s'est totalement éteinte, mais elle est à l'origine des mammifères et présente des caractéristiques qui annoncent cette évolution, d'où leur deuxième nom de « reptiles mammaliens ». Certains, trouvés au Texas, étaient pourvus d'une voilure sur le dos, tendue sur une charpente constituée par un allongement spectaculaire d'apophyses sur certaines vertèbres. Ces apophyses montrent des rainures à leur base, ce qui fait penser au passage de vaisseaux sanguins qui innervaient la voilure. Cette dernière aurait alors servi de radiateur absorbant et diffusant la chaleur dispensée par le Soleil, accélérant ainsi le réchauffement du corps au sortir de la nuit. Ces animaux étaient en effet « à sang froid », ou plus exactement poïkilothermes (c'est-à-dire à température variable), comme les reptiles modernes. La fraîcheur de la nuit les engourdissait et ils retrouvaient leur pleine vigueur grâce au réchauffement diurne. Parmi eux, il existait des animaux impressionnants, comme le carnivore *Dimetrodon*, qui pouvait atteindre une longueur de 3,50 m pour un poids de 250 kg (précisons que des herbivores possédaient la même excroissance).

Figure 6.3. *Dimetrodon (source :* Vertebrate paleontology. *Blackwell Science, 2000, © M.J. Benton)*

La majorité d'entre eux ne possédaient cependant pas de voilure, mais se débrouillaient certainement très bien sans elle. On trouvait parmi eux *Moschops*, paisible herbivore trouvé en Afrique du Sud qui devait être particulièrement spectaculaire : doté d'un squelette massif, il pouvait mesurer 5 m de long.

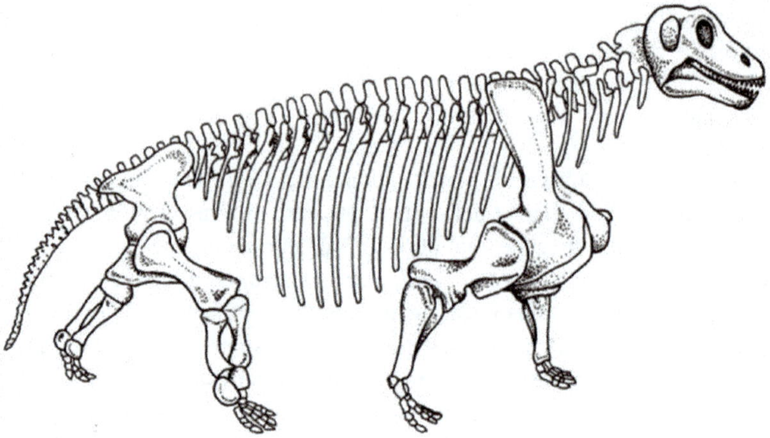

Figure 6.4. *Moschops (source :* Vertebrate paleontology. *Blackwell Science, 2000, © M.J. Benton)*

Une énorme concentration de ces reptiles a été mise au jour en Afrique du Sud, dans le bassin du Karoo, à partir du milieu du XIXe siècle. Leurs milliers de squelettes illustrent l'extraordinaire diversité de ces tétrapodes jusqu'à la fin du Permien. Ils ont évolué vers une morphologie plus mammalienne, avec une fenêtre temporale plus grande, un moindre nombre de dents et un os dentaire plus gros. Cet os porte les dents de la mâchoire inférieure ; chez les reptiles mammaliens, ce n'est que l'un des nombreux os de cette mâchoire, alors que chez les mammifères il subsiste seul, les autres ayant disparu, ou plus précisément ayant changé de fonction (nous allons en reparler). Une bonne partie de ces reptiles vont disparaître dans une énorme extinction à la fin du Permien, comme nous allons le voir au chapitre 7, alors que d'autres vont trouver une deuxième jeunesse au Trias, à partir des quelques rescapés de cette extinction.

Le développement de cet ensemble de premiers reptiles, anapsides, diapsides et synapsides, comme celui des amphibiens, a été fortement conditionné par l'évolution du climat au Permien. En effet, la soudure achevée des continents (formation de la Pangée) au début de cette période a produit un climat continental, chaud et sec, dans l'hémisphère nord. À l'opposé, même si la calotte glaciaire de l'Antarctique qui s'était développée à la fin du Carbonifère disparaît au Permien, le climat reste froid dans l'hémisphère sud. Il en résulte une abondance de reptiles au nord, alors que le climat est trop froid pour qu'ils puissent se développer au sud. À l'inverse, les amphibiens trouvent des conditions de vie plus favorables au sud, l'hémisphère nord étant trop sec pour eux.

Figure 6.5. *Gorgonopsien, impressionnant carnivore mammalien (source : dessin d'Alain Bénéteau pour une dédicace de* La Terre avant les dinosaures, *© Alain Bénéteau 2009)*

Comme nous venons de le dire, beaucoup de ces reptiles vont disparaître à la fin du Permien, ces extinctions se prolongeant au début du Trias qui lui succède. En effet, la transition entre ces deux périodes va connaître une véritable hécatombe dans les espèces et familles d'animaux, tant aquatiques que terrestres. Cela explique que la limite Permien-Trias soit considérée comme la fin d'une ère, le Paléozoïque (ou ère primaire), et le début d'une autre, le Mésozoïque (ou ère secondaire). Nous avons déjà fait allusion à une extinction importante au cours du Dévonien. Mais celle-ci la dépasse de beaucoup et constitue un véritable cataclysme. Aussi est-il intéressant de s'y attarder quelque peu, ce que nous allons faire au chapitre suivant. Nous dirons également quelques mots de celle du Dévonien et d'une autre encore antérieure, que nous n'avons pas encore évoquée. Nous en rencontrerons plus loin deux autres, en particulier la plus fameuse, parce qu'ayant connu la disparition des dinosaures : celle du Crétacé-Tertiaire, il y a 65 Ma, sachant que bien d'autres disparitions à grande échelle d'animaux divers se sont produites à de nombreuses reprises, mais sans avoir le côté massif et spectaculaire des cinq principales.

Chapitre 7

Climats et extinctions

7.1. Les changements des climats et leurs causes

Les sédiments déposés au fond des océans, les moraines glaciaires, les variations des proportions des gaz qui composaient l'atmosphère aux diverses époques, dont on trouve des bulles enfermées dans les glaces de l'Antarctique, les fossiles d'animaux et de végétaux (dont les pollens) : autant de moyens qui permettent d'appréhender les climats du passé, et ce de plus en plus précisément avec l'accumulation des découvertes et la sophistication des moyens scientifiques à la disposition des chercheurs. Mais pourquoi les climats évoluent-t-il au cours des âges ?

Ils sont évidemment fonction, en premier lieu, de la température globale moyenne de l'ensemble de la planète, liée à l'intensité de l'ensoleillement. Premier élément, le Soleil s'est réchauffé après sa naissance : lors de la formation du système solaire, lorsque ses premiers rayons ont éclairé la Terre, il n'était qu'à 70 % de la puissance qu'il a atteinte de nos jours. Mais à l'intérieur de cette évolution continue vers plus de chaleur, des variations cycliques sont apparues dans la température moyenne de la Terre du fait des fluctuations dans le temps des caractéristiques de l'orbite terrestre. Ces phénomènes ont été étudiés pour la première fois par le Serbe Milutin Milankovitch, qui publia le résultat de ses recherches en 1941.

En effet, si seules les variations quotidiennes et annuelles nous sont perceptibles, cela ne veut pas dire qu'il n'y en a pas d'autres ; mais ces dernières se produisent selon un rythme qui ne permet pas de les percevoir à l'échelle d'une vie humaine. Elles sont dues à des fluctuations de l'excentricité de l'orbite terrestre, à des variations de l'obliquité de l'axe de rotation (axe des pôles) et à la précession des équinoxes (ou précession astronomique). De quoi s'agit-il, et à quoi cela est-il dû ? Si la Terre était une sphère homogène tournant seule autour du Soleil, son orbite ne devrait pas fluctuer, ni son axe de rotation bouger. Mais il existe d'autres planètes qui exercent une attraction sur elle, certes très modeste, mais non négligeable et dont la somme est totalement aléatoire. De plus, le Soleil et la Lune exercent eux aussi une attraction variable du fait des irrégularités que présente notre planète, sphère imparfaite pleine de bosses, de trous et de variations de densité.

Il en résulte que l'orbite de la Terre subit quatre types de modifications : premièrement, la courbe qu'elle décrit autour du Soleil oscille entre un cercle presque parfait et une ellipse dont l'excentricité peut atteindre 0,07 (c'est-à-dire 7 % de différence de longueur entre les deux axes de l'ellipse), la valeur actuelle étant de 0,017 environ ; deuxièmement, l'obliquité de son axe peut subir des fluctuations de plus ou moins 1°30' ; troisièmement, l'attraction qu'exercent le Soleil et la Lune, en particulier sur son renflement équatorial, engendre une rotation de la ligne des pôles autour d'un axe moyen (comme une toupie lorsque sa rotation se ralentit). Enfin, l'ensemble de cette ellipse pivote sur elle-même dans son plan en sens inverse du mouvement précédent. Aucune de ces fluctuations n'est exactement cyclique, mais il résulte de leur combinaison deux quasi-périodicités principales de 19 000 et 23 000 ans.

Même si ces fluctuations de l'orbite de la Terre sont faibles, elles ont pour conséquence un climat global alternativement plus froid ou plus chaud, en même temps que plus ou moins contrasté suivant les saisons, sur des cycles qui peuvent être de durée très courte par rapport aux temps géologiques (que représentent 20 000 ans par rapport aux millions d'années qui ont jusqu'à présent été notre échelle dans l'évocation de l'histoire de la vie ?), mais dont la combinaison peut avoir pour effet d'autres variations beaucoup plus lentes pouvant se compter en centaines de milliers d'années. Les conséquences sont loin d'en être négligeables : l'alternance de périodes tempérées et d'âges glaciaires qui ont profondément marqué les dernières dizaines de milliers d'années en est la preuve. Il convient cependant de préciser que les valeurs qui viennent d'être citées ne concernent au plus que les quelques millions d'années les plus récentes. Auparavant, certains paramètres étaient différents, vu le caractère globalement aléatoire de l'influence des autres planètes, avec pour conséquence des variations en amplitude et en périodicité également différentes.

Mais d'autres phénomènes, dont nous allons maintenant parler, ont dans le passé provoqué (et continuent à produire) des modifications de climat nettement plus importantes que ce qui pouvait provenir des variations dans la rotation de la Terre. Les modifications de la composition de l'atmosphère en sont une première cause. On parle beaucoup actuellement de l'effet de serre dû en particulier aux rejets de gaz carbonique qui augmentent sa teneur dans l'air, freinant l'évacuation de la chaleur. Des variations de concentration de ce gaz ont pu être constatées sur de longues périodes par l'analyse de « carottes » de glace de l'Antarctique qui enferment des bulles d'air de plus en plus anciennes lorsque l'on descend plus profondément dans la glace ; on a pu ainsi mettre en évidence que la teneur de l'air en dioxyde de carbone est plus forte en période chaude qu'en période glaciaire. On a également pu apprécier la température à la surface du globe en analysant la composition chimique des coquilles fossiles de petits animaux marins, les foraminifères ; celle-ci varie en effet en fonction de la température moyenne de l'air, selon un phénomène complexe d'influence de cette température sur la composition chimique de l'eau des océans où naissent et se développent ces organismes (les foraminifères sont des protozoaires marins pourvus d'un squelette intérieur ou extérieur).

Une deuxième cause de variation, qui ne concerne plus la Terre dans sa globalité mais ses diverses régions, est la dérive des continents. Elle couvre évidemment des périodes d'une bien plus grande amplitude que le phénomène précédent. L'emplacement des continents en latitude (plus près des pôles ou, au contraire, de l'équateur), le fait qu'il y ait ou non des terres émergées à l'un des pôles, avec ou non une calotte glaciaire, la disposition des continents et la forme des océans, sont autant d'éléments qui influent sur la circulation des courants océaniques, les vents dominants, la pluviosité et les températures régnant sur chacune des terres émergées. Ainsi les températures de certaines terres changeront très fortement du fait de la simple dérive des continents, qui va par exemple faire passer des masses continentales du pôle Sud aux régions tempérées de l'hémisphère nord, en passant par l'équateur. De même, il n'est pas indifférent qu'une terre se présente sous la forme d'un immense continent ou sous celle d'un chapelet d'îles. Dans le premier cas, la partie centrale du continent connaîtra un climat contrasté et sec ; dans le second, le climat sera plus tempéré et humide.

Une illustration spectaculaire de ces importants changements climatiques se situe dans le milieu de l'ère du Paléozoïque, avec une période de glaciation à la fin de l'Ordovicien (vers – 435 Ma) suivie d'un épisode tempéré puis d'un réchauffement important à la fin du Dévonien (– 365 Ma environ), auquel va succéder une nouvelle chute brutale de la température. Ces fluctuations importantes contribuent aux extinctions massives dont nous allons parler après cet exposé général.

Deux autres sources de variation de l'ensoleillement ont pu s'ajouter épisodiquement, du fait de la présence de nuages de poussière ou de gaz dans l'atmosphère. De tels nuages ont pu être engendrés soit par des chutes de météorites, soit par des éruptions volcaniques. Parlons d'abord des chutes de météorites. La Terre a longtemps été intensément bombardée par des corps célestes de toutes tailles, jusqu'à ce que ces cailloux interplanétaires soient pour la plupart tombés sur l'un ou l'autre des astres du système solaire. Il suffit de regarder la surface de la Lune pour se faire une idée de l'intensité de ce phénomène, alors même que notre satellite, moins massif, l'a moins subi que la Terre. Mais aucune époque n'a ensuite été à l'abri de nouvelles chutes. Preuve que nous sommes toujours à la merci de tels cataclysmes, on a pu observer la chute d'une comète sur Jupiter en 1994, et des objets de taille imposante passant à seulement quelques centaines de milliers de kilomètres de la Terre sont régulièrement détectés. Certes, même à cette faible distance, la probabilité d'une collision reste faible, mais elle est loin d'être nulle. On estime à plusieurs centaines de tonnes par jour la masse des météorites tombant sur notre planète, heureusement sous forme de poussières ou de cailloux dont la plupart se désagrègent avant d'atteindre le sol.

De nombreux cratères témoignent de l'intense bombardement passé (on en connaît environ 150). Un des plus célèbres est le Meteor Crater, situé en Arizona, de 1 km de diamètre, particulièrement bien visible du fait de son époque récente (50 000 ans). Un autre est celui de Chixculub, dans le Yucatan (Mexique). Recouvert de sédiments et partiellement sous les eaux, il n'est pas visible à l'œil nu. Son existence a été révélée par des recherches pétrolières qui ont détecté de fortes variations de la densité du sous-sol. Son diamètre est de 200 km, ce qui donne à la météorite un diamètre d'environ 10 km, le rapport entre les dimensions de l'objet et celles du cratère étant de l'ordre de 20. Tombé il y a 65 Ma, ce monstre a certainement soulevé des masses énormes de poussières qui pourraient être, au moins partiellement, à l'origine de l'extinction des dinosaures (nous y reviendrons). Autres impacts intéressants : ceux de cinq projectiles, tous de la même époque, fragments probables d'une unique météorite qui aurait éclaté en au moins cinq morceaux avant sa collision avec le sol. L'un d'eux se trouve en France, près de Rochechouart en Haute-Vienne – il ne faut évidemment pas chercher de rapport entre le nom de la ville et la chute de la météorite ; « Rochechouart » provient du dialecte occitan et signifie peut-être « le château de la chouette ».

Voyons maintenant ce qu'il en est du volcanisme. C'est un phénomène largement répandu dans le système solaire, y compris sur la Lune, certains satellites d'autres planètes et même certains astéroïdes. Sur notre Terre, il se manifeste surtout à la jonction des plaques formant sa croûte superficielle, y provoquant de surcroît des tremblements de terre souvent ravageurs. Mais il existe également des zones où cette croûte est transpercée par des cheminées qui ouvrent la voie aux roches en fusion des couches profondes, comme de façon spectaculaire à l'île de la Réunion avec le volcan du piton de la Fournaise. Les émissions d'un volcan sont diverses : lave, cendres, gaz, en particulier du dioxyde de soufre (SO_2). À la suite d'éruptions majeures, les cendres et les gaz peuvent rester plusieurs années en suspension dans la haute atmosphère, obscurcissant le ciel et absorbant ou renvoyant vers l'espace le rayonnement solaire. L'effet du SO_2, qui se transforme en acide sulfurique, est majeur dans cette diminution de la température au sol. On a pu le constater ces dernières années lors des éruptions des volcans El Chichón au Mexique (1982) et Pinatubo aux Philippines (1991). Un autre effet du volcanisme peut être l'augmentation de l'acidité des océans, contribuant à l'extinction de nombreuses espèces marines. Certaines éruptions de très longue durée peuvent également, par le déversement de laves dans les océans, provoquer un réchauffement des eaux conduisant, en plus de l'effet éventuel de l'acidité, à d'autres disparitions d'espèces.

Les grandes manifestations anciennes du volcanisme ont laissé des traces spectaculaires sous la forme de plateaux, terrestres ou sous-marins, appelés trapps. Leur nom vient du suédois *trappar*, escalier, à cause de la forme générale de ces coulées qui descendent effectivement en escalier. Citons les trapps du Deccan, en Inde, qui s'étendent sur 3 millions de km^2 et se prolongent sous l'océan, ou le plateau océanique d'Ontong Java qui atteint 25 millions de km^2. La formation de beaucoup d'entre eux (Amérique du Nord ou centrale, Sibérie, Éthiopie, Deccan, Ontong Java) coïncide étroitement avec des extinctions majeures, confirmant l'influence au moins partielle du volcanisme sur ces dernières.

Nous allons voir que, par leur combinaison, les phénomènes que nous venons de passer en revue ont provoqué à plusieurs reprises des bouleversements du climat aux conséquences dramatiques sur la survie du monde vivant.

7.2. Les extinctions de l'ère du Paléozoïque

Pour nous y retrouver, listons tout d'abord les cinq extinctions majeures :

– fin de l'Ordovicien, à – 440 Ma ;

– fin du Dévonien, à – 360 Ma ;

– Permien-Trias, à – 250 Ma ;

– fin du Trias, vers – 220 à – 205 Ma ;

– Crétacé-Tertiaire, à – 65 Ma.

Nous avons déjà fait allusion aux extinctions de la fin du Dévonien et de la fin du Permien. Mais, avant d'y revenir, abordons tout d'abord une crise antérieure dont nous n'avons pas encore parlé, celle de l'Ordovicien terminal, vers – 440 Ma. Les descendants de la faune de Burgess et de ses cousines se sont développés et diversifiés et les premiers vertébrés sont apparus, peuplant les mers peu profondes de l'Ordovicien. Mais la fin de cette époque voit disparaître, en deux phases, de nombreuses espèces et même des genres ou familles entiers. Il en est ainsi, par exemple, de près des deux tiers des familles de trilobites, certaines de celles qui subsistent n'étant plus représentées que par une seule espèce, ou des conodontes qui tombent d'une centaine d'espèces à seulement une vingtaine. À l'inverse, d'autres groupes d'animaux paraissent peu affectés, tels les bivalves. Le repeuplement sera cependant rapide, la crise ayant touché les familles, genres et espèces, mais pas les niveaux supérieurs des classes et ordres. Quelles peuvent être les causes de cette hécatombe ?

Au Précambrien, vers – 650 Ma, on pense que les terres émergées étaient rassemblées en un seul continent appelé Rodinia. Cet énorme bloc a ensuite éclaté en plusieurs morceaux. L'un d'entre eux forme aujourd'hui une grande partie de l'Amérique du Nord, le Groenland et l'Écosse ; un deuxième se retrouve en Scandinavie, Russie, Pologne et Allemagne, les autres en Sibérie, en Chine et en Indonésie. La masse principale, appelée Gondwana, constitue aujourd'hui une partie de l'Amérique du Sud, de l'Afrique, de l'Australie, de l'Antarctique et du sud de l'Europe. Ce continent a lentement dérivé vers le pôle Sud, permettant la constitution d'une calotte glaciaire (on en a retrouvé des traces en Afrique du Nord, en Arabie et en Amérique du Sud, dans des terrains qui, à l'époque, constituaient la partie du Gondwana proche du pôle). Il en est résulté à la fois un important refroidissement des eaux et une forte baisse du niveau des océans qui ont concouru à la disparition de nombreuses espèces. D'autres, issues des latitudes froides, ont alors prospéré, mais pour se trouver exterminées à leur tour, dans un second temps, par la circulation d'eaux anoxiques qui les ont privées de l'oxygène des eaux froides dans lesquelles elles prospéraient.

Nous avons brièvement signalé, à la fin du chapitre 5, la crise majeure suivante (il y en a eu d'autres, mineures, dans l'intervalle) qui survient à la fin du Dévonien : un cinquième des familles, la moitié des genres et trois quarts des espèces de la faune marine disparaissent. Même les récifs de coraux sont anéantis et ne se reconstitueront que 150 Ma plus tard, à partir d'autres espèces. C'est surtout la faune vivant dans des eaux peu profondes qui est le plus affectée, les espèces benthiques (c'est-à-dire vivant sur les fonds marins) étant moins touchées. Citons les trilobites, déjà raréfiés, qui sont tout près de disparaître totalement. Les foraminifères sont également très touchés, avec l'extinction totale de ceux dont l'architecture de la coquille est la plus évoluée. Seule une petite partie des conodontes résiste, les survivants étant plutôt ceux de petite taille. Citons encore les agnathes qui, déjà en régression, ne voient réchapper que ceux qui donneront les myxines et les lamproies modernes. En revanche, les premiers tétrapodes qui se sont aventurés sur terre dès cette époque ne sont pas affectés – sans quoi nous ne serions peut-être pas là –, non plus que les premières plantes et les arthropodes terrestres déjà présents.

L'extinction a donc intéressé essentiellement le milieu marin. Qu'a-t-il pu se passer ? On peut invoquer à la fois des origines extraterrestres et climatiques. Divers indices, dont des traces d'impacts comme le cratère de Siljan d'un diamètre de 52 km, en Suède, ou celui de Charlevoix au Québec de 46 km, permettent de mettre en cause la chute de météorites. Mais cela n'était certainement pas suffisant pour provoquer une extinction aussi massive, et il faut chercher d'autres causes dont les impacts de météorites n'auraient fait qu'accentuer les effets. On va trouver une piste en reprenant l'observation de la dérive des continents.

En effet, leur expansion à partir de Rodinia a cessé, et les masses continentales vont se rapprocher peu à peu. Le climat général s'est réchauffé et à peu près uniformisé. Le Gondwana s'est éloigné du pôle Sud, faisant disparaître la calotte glaciaire, ce qui a provoqué une augmentation du niveau des mers, en même temps que l'océan situé entre les masses continentales se refermait fortement, diminuant les possibilités de circulation des courants. De plus, les conditions initialement favorables vont accentuer le développement de matières organiques terrestres (plantes et surtout forêts) qui vont produire des nutriments se déversant largement dans les mers, favorisant une véritable explosion de plancton qui va appauvrir en oxygène des eaux moins irriguées par les courants. C'est donc d'abord d'asphyxie que vont souffrir les créatures marines.

Mais, un malheur n'arrivant jamais seul, une grande partie du gaz carbonique va être soustraite à l'atmosphère par l'enfouissement de matière organique d'origine végétale dans la terre (charbon) et au fond des océans. Le climat va alors se refroidir par diminution de l'effet de serre, jusqu'à provoquer une nouvelle glaciation. On en a retrouvé des traces aussi bien au nord du Brésil qu'au centre de l'Afrique. Les eaux vont alors se retirer de nouveau des continents. Un tel enchaînement d'événements sur une période relativement brève ne pouvait que perturber profondément la vie maritime. En revanche, la vie terrestre en fut peu affectée, les météorites elles-mêmes n'étant pas d'une taille suffisante pour provoquer des bouleversements allant au-delà d'une zone proche de l'impact.

Nous en arrivons enfin à la troisième crise majeure, abordée au chapitre précédent, qui va survenir à la charnière entre les ères Paléozoïque et Mésozoïque, à la fin du Permien et au début du Trias qui lui succède. Des cinq extinctions les plus importantes, ce fut, de loin, la plus sévère dans ses conséquences et elle justifie à ce titre que ce moment ait été choisi comme frontière entre les deux ères. En plus de la vie maritime, elle a affecté très fortement la faune terrestre et va, de ce fait, nous intéresser maintenant, alors que nous allons aborder la longue période qui, à partir de certains des reptiles primitifs, va voir naître, se répandre et se diversifier extraordinairement, avant de disparaître dans le dernier cataclysme, les plus célèbres des animaux disparus : les dinosaures.

Avant de lever le rideau sur les dinosaures, parlons donc de cette troisième crise charnière, dont les causes restent encore passablement mystérieuses, ou tout au moins controversées.

7.3. La grande extinction Permien-Trias

Le passage entre les ères Paléozoïque (ou primaire) et Mésozoïque (ou secondaire) est marqué par la disparition de très nombreux tétrapodes et autres animaux tant terrestres que marins. Que s'est-il passé ?

Nous sommes à – 250 Ma, fin du Permien. Les terres émergées, en se rapprochant, ont fini par former un unique continent, la Pangée. On a ainsi à peu près un demi-globe occupé par les terres, du pôle Sud au pôle Nord, et l'autre par les mers, une poche maritime s'enfonçant dans les terres au nord-est. Bien entendu, aucun des deux ensembles terre et océan n'est totalement homogène : le nord continental est échancré par des avancées maritimes et l'océan est parsemé d'îles partiellement volcaniques. La température globale est relativement élevée, sans glaciation. L'extrême étendue de la masse continentale produit un climat à la fois contrasté entre l'été (très chaud) et l'hiver (très froid) et aride à l'intérieur des terres.

Le réchauffement estival est accentué par l'effet de serre produit par l'augmentation de la teneur de l'atmosphère en gaz carbonique. La première cause en est la mise au contact de l'air de dépôts organiques (charbon, méthane) précédemment enfouis, du fait de la diminution du niveau des mers (nous allons voir pourquoi), qui fabriquent du CO_2 par oxydation de ces matières organiques. La seconde est l'intense activité volcanique qui produit également du CO_2.

Les éruptions volcaniques sont en effet très intenses à cette période et ont laissé des marques spectaculaires. Les coulées de lave ont ainsi formé une couche atteignant par endroits plus de 3 000 m d'épaisseur, les trapps que nous avons déjà rencontrés. On connaît mieux les trapps du Deccan, en Inde, parce qu'ils se sont formés à la jonction Crétacé-Tertiaire, époque de la disparition des dinosaures. Mais ceux qui se sont accumulés à la limite Permien-Trias, sur ce qui est aujourd'hui le nord-est de la Sibérie, sont encore plus importants en s'étendant sur plus de 2 millions de km^2. Cette activité volcanique, en plus du CO_2, va précipiter dans l'atmosphère d'autres gaz nocifs et des poussières.

À la fin de la formation de la Pangée, l'activité tectonique connaît une pause et les dorsales océaniques (montagnes sous-marines créées par les collisions de plaques continentales) retombent, offrant un plus grand volume à l'eau qui va se retirer largement des terres. Cette régression des mers va accentuer encore le climat continental qui s'est installé. Le réchauffement des eaux va diminuer leur teneur en oxygène et leur salinité va également baisser, de grandes quantités d'eau restant piégées à l'intérieur des terres ; leur évaporation va être à l'origine de ce que l'on appelle des évaporites, énormes dépôts de sel dont de nombreux témoignages sont toujours présents. Enfin, le rassemblement de la plus grande partie des terres en un seul bloc diminue la longueur totale des zones côtières dans lesquelles vivent la grande majorité des animaux marins.

On comprend que de tels bouleversements, qui modifient radicalement l'environnement de la faune – ainsi que les végétaux qui, eux aussi, sont largement touchés –, produisent des extinctions massives. On a estimé que plus de 70 % des familles de vertébrés terrestres s'éteignent, les petits animaux et ceux qui vivent dans l'eau douce étant moins touchés. Ainsi disparaissent la plupart des amphibiens et une grande partie des premiers reptiles, en particulier les reptiles mammaliens qui sont bien près de disparaître. Les insectes, qui s'étaient beaucoup développés depuis leur émergence au début du Dévonien, sont également fortement touchés, perdant au moins 60 % de leurs familles. Il en est à peu près de même pour les organismes marins, poissons et autres, alors que dans les familles qui subsistent, les disparitions des espèces sont énormes, de plus de 90 % à parfois 98 %. Signalons l'anéantissement total des trilobites et celui des coraux avec tous les animaux qui vivaient à leur contact. Il faudra attendre le milieu du Trias pour que de nouveaux coraux apparaissent et que l'ensemble marin se repeuple.

Chapitre 8

Le repeuplement du Trias

Nous venons de voir que la crise Permien-Trias a largement dépeuplé les terres émergées, comme elle l'a fait pour les océans. Au Trias, à partir des espèces qui ont survécu, les continents vont être reconquis par la vie et, les niches écologiques étant largement désertes, l'évolution va pouvoir se développer de nouveau sans contraintes.

Le Trias ressemble beaucoup au Permien qui l'a précédé. Les continents restent rassemblés dans la Pangée, même si des cassures commencent à apparaître. Aussi des radiations de reptiles peuvent continuer à se faire sur la quasi-totalité des terres. Dans ces conditions, quelles vont être les destinées des anapsides, diapsides et synapsides que nous avons rencontrés au Carbonifère puis au Permien ? Nous parlerons également d'un autre groupe qui, parce qu'il est plus récent, n'a pas encore été évoqué : les euryapsides, hôtes des mers.

8.1. Les anapsides

Les anapsides, apparus à la fin du Carbonifère, se sont quelque peu diversifiés au Permien, mais ces embranchements vont tous disparaître au Trias, à l'exception de l'ordre des Chéloniens, c'est-à-dire les tortues, encore largement représentées aujourd'hui. Les premières tortues connues possédaient déjà les principales caractéristiques des tortues modernes. Celles-ci sont de tailles très diverses, de quelques centimètres à plus de 2 m. Elles vivent sur la terre ferme ou dans l'eau (douce ou marine), sont herbivores ou carnivores. Certaines tortues marines peuvent dépasser 500 kg, le record pour les tortues terrestres étant de 200 kg, mais des tortues du Crétacé mesuraient jusqu'à 8 m de long pour un poids en proportion. Elles se divisent en deux groupes, les Pleurodires et les Cryptodires. Les tortues terrestres peuvent rentrer la tête à l'intérieur de leur carapace (incomplètement pour certaines) grâce à une flexion de leur cou. Curieusement – où vont se nicher les variations dans les embranchements ! –, cette flexion est latérale chez les Pleurodires alors qu'elle est verticale chez les Cryptodires.

Certains anapsides du Permien et du Trias étaient de petits insectivores ressemblant à des lézards, d'autres étaient nettement plus grands, jusqu'à 2 à 3 m, avec parfois une morphologie massive. Émergent également au Permien dans cette branche les premiers amniotes marins connus, les Mésosaures, dont la morphologie évoque celle des crocodiles. Il est extraordinaire de voir que dès ces temps très reculés, des animaux terrestres retournent dans l'océan de leurs ancêtres.

Figure 8.1. *Mésosaure (source : dessin d'Alexandra Johann)*

8.2. Les diapsides

Les diapsides vont avoir une descendance beaucoup plus riche puisque leurs représentants actuels sont nombreux et variés : lézards, serpents, crocodiles et oiseaux (ces derniers sont issus des dinosaures disparus). Les premiers diapsides ont été trouvés à la fin du Carbonifère au Kansas (États-Unis). Ils étaient déjà partagés en deux groupes, ce qui laisse présumer une origine plus ancienne. L'un était peut-être aquatique, l'autre ressemblait aux premiers anapsides, avec une morphologie de lézard insectivore. Les deux embranchements survivants au Trias sont les Archosauriens et les Lépidosauriens. Les Archosauriens sont à l'origine des crocodiliens, des ptérosaures (les « lézards volants », du grec *pteron*, aile) et des dinosaures, tandis que les Lépidosauriens ont pour descendants les lézards et les serpents, ainsi qu'un animal isolé, le tuatara de Nouvelle-Zélande, dont le nom scientifique est *Sphenodon*, comprenant deux espèces probablement très semblables à leur lointain ancêtre.

Ce dernier reptile, qu'il est tentant d'appeler un « fossile vivant », a probablement survécu grâce à l'isolement que lui a conféré sa vie sur des îles, comme cela a été sans doute le cas également pour les iguanes des Galapagos. Autrefois répandu sur toute la Nouvelle-Zélande, il s'est retrouvé cantonné par l'arrivée des Hommes sur quelques îlots. Il possède la curiosité d'être doté sur le front d'un troisième œil atrophié, appelé œil pinéal, dont l'origine et la fonction passée (ou présente) sont inconnues (on trouve cet organe, encore plus atrophié, chez d'autres reptiles actuels).

À côté des véritables Archosaures, quelques groupes cousins, comprenant des carnivores et des herbivores, ont vécu jusqu'à leur disparition à la fin du Trias. Ils ressemblaient généralement à des sortes de lézards géants, voire à des crocodiles, avec des variantes parfois spectaculaires comme la véritable aberration que constituait *Tanystropheus*, une espèce trouvée en Europe centrale dont le cou, doté de vertèbres très allongées, était deux fois plus long que le reste du corps.

Les premiers Archosaures véritables du Trias ont pris la place laissée vacante par des carnivores synapsides anéantis lors de l'extinction Permien-Trias. Les plus anciens connus datent du Permien supérieur et du Trias inférieur. Ainsi *Proterosuchus*, originaire d'Afrique du Sud, était un carnivore atteignant 1,5 m de long, à la démarche encore très reptilienne héritée de celle de la plupart des reptiles de la fin du Permien. D'autres, apparus un peu plus tard, étaient nettement plus grands, comme *Vjushkovia*, trouvé en Russie et qui mesurait jusqu'à 5 m.

Archosauria est un terme inventé en 1869 par Cope, grand chasseur américain de dinosaures (ou tout au moins de leurs restes, ce n'était pas Dinosauro Bill !). Il signifie « reptiles qui viennent en premier », non pas chronologiquement, mais par ordre de préséance. Cette appellation est tout à fait justifiée puisque leurs descendants principaux, les dinosaures et les crocodiles, ont dominé pendant longtemps le monde terrestre. Les Archosaures se sont développés au cours du Trias en présentant des tendances adaptatives semblables dans leurs diverses lignées. C'est ainsi que leur posture se redressa jusqu'à, pour certains, l'acquisition d'une démarche bipède, et leur morphologie était adaptée à divers types de subsistance, aboutissant au crâne étroit et élevé des prédateurs terrestres, ou au crâne aplati et au museau allongé pour d'autres plus ou moins amphibies qui se nourrissaient de poissons. Ces convergences entre des lignées différentes ont conduit jusqu'à une époque récente à des confusions dans leur classement. Il en est résulté des erreurs parfois importantes dont il reste aujourd'hui la trace dans les dénominations. Celles-ci n'ayant pas été changées, mais l'appartenance des fossiles ayant été quelque peu chamboulée, on trouve maintenant, par exemple, les véritables crocodiles dans l'ensemble des *Pseudosuchia*, qui signifie « faux crocodiles », alors que les *Ornithosuchia* n'incluent plus la famille des Ornithosuchidés. Essayons d'y voir plus clair.

Les Archosaures se trouvent subdivisés en deux groupes principaux dont nous venons de citer les noms. Le premier, celui des *Pseudosuchia* (ou Crurotarsi), est à l'origine des crocodiles. Le second, *Ornithosuchia* (ou Mesotarsi), regroupe les ptérosaures, les dinosaures et des groupes proches de ces derniers. La différence majeure entre les descendants des premiers Archosaures se trouve dans l'articulation de la cheville. En effet, cette dernière a évolué depuis les premiers reptiles qui ne pouvaient que ramper en soulevant à peine leur corps, les autres articulations des membres se transformant en parallèle, permettant à la stature d'être de plus en plus érigée. Mais cela s'est fait selon deux schémas différents, donnant une articulation appelée « crurotarsienne » ou « mésotarsienne » suivant la façon dont s'effectuait la rotation articulaire. L'articulation crurotarsienne (dont ont hérité les crocodiles modernes) se plaçait pour l'essentiel entre les deux os tarsiens postérieurs (dits proximaux), l'astragale et le calcanéum, alors que la mésotarsienne (que l'on trouve encore chez les oiseaux) se plaçait plus en avant, entre les os tarsiens proximaux et distaux (situés plus en avant de la patte).

Mais ce schéma général ne suffisait pas pour distinguer clairement les deux lignées succédant aux premiers Archosaures. En effet, le type d'articulation crurotarsien se présente sous deux formes, suivant que c'est l'astragale qui possède une partie convexe s'emboîtant dans un creux du calcanéum (type crocodilien), ou qu'à l'inverse une bosse du calcanéum se loge dans un creux de l'astragale (type crocodilien inversé). Les filiations sont donc plus compliquées et il a fallu rebattre les cartes à partir d'autres caractères pour savoir qui ranger respectivement chez les *Pseudosuchia* et chez les *Ornithosuchia.*

Cette transformation des articulations des membres, en particulier au niveau des chevilles où l'on voit deux schémas principaux être adoptés, l'un des deux étant encore subdivisé en deux types d'emboîtement de l'astragale et du calcanéum, est un exemple intéressant de la façon dont l'évolution fonctionne. Des mutations se produisent indépendamment chez certains membres d'une espèce, selon des schémas différents, conduisant toutes à un avantage concurrentiel lié à la possibilité de se déplacer plus rapidement. On voit alors ces mutations se développer chacune de leur côté, pour aboutir dans notre cas à deux groupes de reptiles, dont un séparé en deux sous-groupes.

Une partie des représentants du premier groupe des Archosaures vivaient sur la terre ferme ; certains, essentiellement insectivores comme le font penser leurs dents pointues, étaient même devenus bipèdes. D'autres gagnèrent l'eau en acquérant une morphologie proche de celle des crocodiles, se nourrissant de poissons et même, au moins pour certains, de tétrapodes (dont on a trouvé des restes à l'intérieur de leur corps). Leur posture avait tendance à devenir semi-érigée ou érigée, quittant ainsi le monde des reptiles primitifs. De même, lorsque les crocodiles modernes – surtout les jeunes – marchent sur les berges des mares ou des rivières, ils ont une posture semi-érigée qui leur permet de courir rapidement pour regagner le milieu aquatique en cas d'alerte.

Le squelette de *Saurosuchus*, carnivore de la fin du Trias trouvé en Argentine et pouvant mesurer plus de 6 m de long, illustre bien l'acquisition de la position totalement redressée par de nombreux Crurotarsiens. Il est évident que cela leur conférait une vélocité bien meilleure que celle de leurs ancêtres pour la poursuite de leurs proies. Remarquons que l'évolution vers cette position verticale des membres ne s'est pas opérée de la même manière que pour les dinosaures (et leurs descendants les oiseaux), et aussi ultérieurement pour les mammifères. Chez les dinosaures, l'articulation du fémur dans le bassin est latérale, alors qu'ici elle est située au-dessous de la ceinture pelvienne, le membre s'emboîtant verticalement et non latéralement.

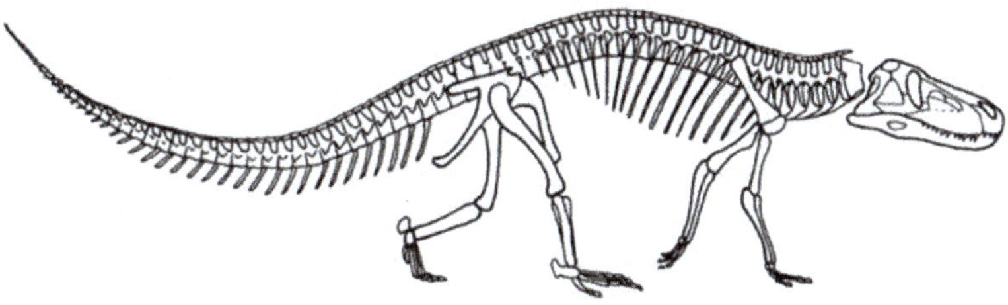

Figure 8.2. *Saurosuchus (source :* Vertebrate paleontology. *Blackwell Science, 2000, © M.J. Benton)*

Tous les Archosaures n'étaient pas carnivores ; les aetosaures, répandus un peu partout dans le monde, se nourrissaient de végétaux, comme *Stagonolepis*, représentant écossais de cette lignée, dont le corps était recouvert par une cuirasse qui devait le protéger des prédateurs.

Le second groupe d'Archosaures rassemble pour l'essentiel les dinosaures, terrestres, que nous allons retrouver bientôt, et les ptérosaures, évoluant dans les airs, sur lesquels nous allons également revenir.

8.3. Les synapsides

Les fossiles de synapsides de loin les plus nombreux au début du Trias sont ceux de *Lystrosaurus*, un herbivore de 1 à 2 m de longueur rescapé de l'extinction Permien-Trias. Sa surabondance par rapport aux autres reptiles était telle qu'il faut y voir une anomalie, un déséquilibre peut-être dû aux effets de la loterie de l'extinction Permien-Trias qui tira un bon numéro pour ces animaux dont certains caractères, qu'il n'est guère possible de deviner, facilitèrent la survie alors que d'autres reptiles étaient largement décimés ou carrément anéantis. Peut-être grâce à cette absence de compétition avec d'autres espèces, *Lystrosaurus* finit par atteindre une taille respectable, jusqu'à 3 ou 4 m, avec un poids pouvant dépasser une tonne.

Parmi les autres groupes rescapés on trouve, mais en beaucoup moins grande quantité, les carnivores cynodontes, comme *Thrinaxodon*, dont la morphologie est assez semblable à celle d'un chien (en particulier la dentition, « cynodonte » signifiant « à dents de chien »). La présence de petits canaux dans la région du museau suggère que des nerfs débouchaient au contact d'une moustache de poils, ce qui laisse augurer d'une fourrure ayant déjà remplacé les écailles des ancêtres sur l'ensemble du corps, et donc probablement d'un animal à sang chaud. On est donc vraiment à la transition entre reptiles et mammifères. Cette idée est confortée par de nombreux changements au niveau du crâne. C'est en particulier le cas de la dentition : elle se répartit en incisives, canines, prémolaires et molaires, dont nous avons reçu l'héritage, et la mâchoire inférieure se réduit de plus en plus jusqu'à un seul os, le dentaire. Les cynodontes se diversifient pendant le Trias, donnant de nombreuses espèces tant herbivores que carnivores. À la fin du Trias, il devient de plus en plus difficile de distinguer reptiles mammaliens et mammifères véritables ; parmi les traits les plus caractéristiques, les fenêtres temporales ont fusionné avec les orbites oculaires, l'os dentaire est devenu le constituant unique de la mâchoire inférieure et les membres ont quitté leur position latérale caractéristique des reptiles pour se redresser et se placer sous le corps.

Mais la mutation la plus spectaculaire va se produire au niveau de l'articulation des mâchoires, puisque sa transformation va déboucher sur un nouvel appareil auditif chez les mammifères. Tout d'abord, comme nous l'avons vu, la mâchoire inférieure va se simplifier, des reptiles aux mammifères en passant par les reptiles mammaliens, en évoluant de six à un seul os, le dentaire. Dans un premier temps, donc, le dentaire grandit de plus en plus, reléguant les autres os à la portion congrue à l'arrière, l'articulation continuant à se faire entre le petit os articulaire, à l'extrémité arrière supérieure de la mâchoire, et l'os carré, à l'extrémité arrière inférieure du crâne (comme c'est encore le cas chez les reptiles). Ensuite, l'os dentaire, en continuant sa croissance, finit par s'appuyer sur le squamosal, autre os crânien, et par former avec lui une deuxième articulation. Devenue inutile, l'articulation primitive évolue. Les os qui la constituent diminuent de taille et migrent vers l'intérieur, certains se transformant en une machine à transmettre les sons.

Les reptiles avaient, et ont toujours, un appareil auditif rudimentaire, l'oreille moyenne ne comprenant qu'un seul os, le stapes (du latin *stapia*, étrier) ou columelle, l'os carré, en contact avec lui, participant sans doute à la transmission des vibrations sonores vers l'oreille interne. L'évolution vers les mammifères a développé l'avantage que constituait certainement un appareil auditif plus performant, en sélectionnant la transformation de l'os carré de la mâchoire supérieure en enclume (ou *incus*) et de l'os articulaire de la mâchoire inférieure en marteau (ou *malleus*). Comme on vient de le voir pour l'os carré, ces deux os assuraient probablement déjà une aide à la transmission des sons par leur vibration, cette deuxième fonction ne demandant qu'à s'accroître et même à devenir unique lorsque leur rôle dans le mécanisme des mâchoires disparaissait. Associés au stapes préexistant chez les reptiles, ils vont constituer la chaîne des osselets de l'oreille moyenne des mammifères. La géométrie et le mode de jonction de ces os permettent une amplification considérable des vibrations de l'air captées par l'oreille externe et transmises jusqu'à l'oreille interne, donnant aux mammifères une potentialité d'audition très supérieure à celle des reptiles. Un autre os, l'angulaire, va maintenant envelopper la cavité de l'oreille moyenne, prenant le nom d'os tympanique.

Cet exemple de la transformation d'organes d'une fonction à une autre est particulièrement intéressant, illustrant de façon très claire et bien documentée un mécanisme essentiel de l'évolution que nous avons déjà rencontré : l'exaptation. En effet, nous possédons, avec tous les fossiles à notre disposition, la séquence complète de cette transformation. On voit bien en particulier comment une deuxième articulation de la mâchoire se met en place chez les cynodontes qui précèdent les mammifères, permettant ce transfert de fonction des os de la mâchoire vers l'organe de l'ouïe. Un de ces cynodontes a même été appelé *Diarthrognathus*, ce qui signifie très exactement « mâchoire à double articulation ». Et, plus que cela, il est possible de suivre ce changement de forme et de destination des os concernés dans le développement des embryons de mammifères. Cela a été fait pour la première fois dès 1837 par l'Allemand Reichert, ce qui montre au passage que le principe énoncé par Haeckel, « l'ontogenèse récapitule la phylogenèse », correspond bien souvent à la réalité.

On croit généralement que la nature évolue, en créant des êtres de plus en plus perfectionnés, par simple amélioration graduelle de certaines parties du corps, sans modification du schéma général. Certes, ce type d'évolution existe bel et bien, et les exemples foisonnent. Mais un tel processus ne peut que rarement engendrer les changements profonds qui, seuls, peuvent faire évoluer le monde vivant vers des formes plus variées. Un des moteurs de l'évolution se trouve ainsi dans ce que Darwin aurait pu appeler, s'il avait pu connaître Alexandre Dumas, le principe des Mousquetaires. Pas exactement « un pour tous, tous pour un », comme leur devise, mais « un pour deux, deux pour un » : d'une part, certains organes peuvent remplir deux fonctions, d'autre part deux organes peuvent accomplir la même fonction. Dans l'exemple de l'évolution de l'ouïe, on voit ainsi le stapes des premiers vertébrés terrestres servir à la fois d'os de la mâchoire et de transmetteur des vibrations de l'air, puis plus tard l'articulation de la mâchoire se faire à deux endroits différents. Cette conjonction de potentialités a permis que des organes se transforment pour assurer une nouvelle fonction en abandonnant leur destination initiale, sans que cette première fonction ne se trouve pour autant interrompue, relayée qu'elle était par un autre organe.

8.4. Les euryapsides

Terminons cette énumération en disant quelques mots, avant d'y revenir plus loin, sur un dernier groupe, celui des euryapsides, extérieur aux anapsides, diapsides et synapsides. Nous avons vu que ces trois derniers se distinguent au premier abord par l'absence ou la présence d'une ou deux fenêtres temporales de chaque côté du crâne. Les euryapsides possèdent, comme les synapsides, une fenêtre unique, mais celle-ci est située en partie haute, et non moyenne, de la tempe. Il est vraisemblable que ce groupe, apparu bien après le Carbonifère contrairement aux autres, soit un descendant de diapsides qui auraient perdu sur le tard leurs fenêtres inférieures (comme les synapsides ont fini par perdre leurs fenêtres uniques, fusionnées avec les orbites). Ils seraient donc des cousins éloignés des dinosaures. Ainsi les diapsides, directement ou indirectement, auraient colonisé l'ensemble du monde terrestre, aérien et marin. En effet, les euryapsides sont tous marins, les principaux étant les plésiosaures et les ichthyosaures, impressionnants carnivores qui vécurent jusqu'à la fin du Crétacé. D'autres, les pachypleurosaures, les nothosaures et les placodontes, ne firent qu'une brève apparition puisqu'ils s'éteignirent à la fin du Trias. Voyons brièvement ces derniers groupes (nous retrouverons les premiers plus loin).

Les pachypleurosaures, prédateurs de poissons comme l'indiquent leurs dents, de petite taille (moins de 1 m), étaient véritablement conçus pour une nage efficace. Ils étaient dotés d'un corps élancé avec une petite tête, un long cou, une longue queue servant à leur propulsion et de véritables pagaies à la place des membres. Les nothosaures, plus grands (jusqu'à 4 m), avaient une morphologie assez voisine, bien que peut-être plus proches parents des plésiosaures. Les fossiles de pachypleurosaures et de nothosaures n'ont été trouvés qu'au Trias moyen, surtout dans des sédiments d'Europe centrale.

Les placodontes, également nombreux en Europe centrale, avaient en revanche un aspect très différent. Ils avaient manifestement moins évolué vers une adaptation à la vie marine et ressemblaient beaucoup plus à des reptiles terrestres. Leur système dentaire les montre plus aptes à briser des coquilles de mollusques qu'à se nourrir de poissons. Ils devaient probablement vivre au bord des côtes, un peu comme nos phoques et otaries (qui sont, eux, des mammifères, mais également revenus dans le milieu marin après un passage de leurs ancêtres sur la terre ferme).

Chapitre 9

Hégémonie des « lézards terribles »

Nous allons maintenant suivre la naissance et l'expansion extraordinaire des dinosaures qui vont occuper sur des temps immenses la quasi-totalité des terres émergées. La fin du chapitre sera consacrée à leurs descendants encore présents, les oiseaux. Puis, dans le chapitre 10, nous retrouverons leurs cousins plus ou moins proches qui ont peuplé aux mêmes époques les mers et les airs avant de disparaître comme eux, ainsi que leurs parents un peu plus éloignés qui ont partagé leurs territoires avant de continuer leur aventure jusqu'à nos jours. Enfin, nous essaierons de comprendre comment cette lignée a brutalement disparu après avoir régné sur le monde durant des dizaines de millions d'années.

Les dinosaures fascinent les enfants, mais aussi les adultes. Et cela bien avant le film *Jurassic Park*. Ce sont en effet des animaux énormes (du moins ceux que l'on représente le plus), laids et même souvent monstrueux selon nos critères, à la peau lisse ou écailleuse, véhiculant les mêmes fantasmes à la fois de fascination et de répulsion qu'éveillent dans nos têtes les reptiles modernes, et dont le corps est souvent couvert de protubérances étranges et la tête pourvue de cornes ou de crêtes qui ne le sont pas moins. Si certains sont de paisibles végétariens, on se représente les autres comme des carnivores terrifiants, avec leur gueule énorme tapissée de dents aiguisées comme des poignards, courant sur leurs deux pattes arrière aux cuisses épaisses, terminées par trois longs doigts, en projetant vers l'avant, en guise de membres supérieurs, des moignons difformes terminés par des griffes aussi aiguisées que leurs dents. Et en plus, ils ont disparu brutalement, tous ensemble, tout d'un coup, dans un énorme cataclysme qui aurait été causé par une météorite aussi monstrueuse que ceux qu'elle anéantissait (nous reviendrons sur cette hypothèse, controversée, lorsque nous parlerons de leur extinction). Oui, il s'agit bien d'une lignée extraordinaire qui a dominé le monde terrestre durant 170 Ma, s'étendant sur la terre entière de l'équateur aux pôles, essaimant des espèces de toutes tailles et formes en un si grand nombre que l'on continue toujours à en découvrir à un rythme soutenu.

9.1. À la découverte des dinosaures

Les premiers fossiles de dinosaures connus datent du début du Trias supérieur (– 230 Ma). Mais ce groupe particulier de reptiles est probablement un peu plus ancien. Cela leur fait un parcours remarquablement long, depuis – 235 Ma environ jusqu'à – 65 Ma, époque à laquelle ils disparurent dans le cataclysme de la fin du Crétacé. À côté de ces 170 Ma, le groupe de primates ayant expérimenté la station érigée n'est vieux que de quelques millions d'années. Cette immense durée a permis l'émergence d'un nombre extraordinaire de familles, genres et espèces, qui ont cohabité ou se sont succédé, occupant toutes les niches écologiques disponibles sur terre. On en est actuellement à un bon millier d'espèces, et l'on en trouve plusieurs nouvelles chaque année ! Les mammifères, dont nous parlerons ensuite, apparurent parallèlement. Ils vécurent une existence modeste à l'ombre de ces concurrents qui leur laissèrent bien peu de place jusqu'à ce qu'ils leur abandonnent le terrain par leur disparition brutale.

La première description écrite et dessinée d'un os date de 1676. Si l'échantillon a été perdu, il en reste heureusement la description et le dessin, publiés dans un livre d'histoire naturelle, qui ont permis de l'identifier : il s'agissait de la partie inférieure d'un fémur du carnivore *Megalosaurus*. Le professeur d'Oxford qui l'avait découvert l'attribua à un géant, en se référant probablement à la Bible (nous étions au XVIIe siècle) : « Or il y avait des géants sur la Terre en ce temps-là » (Genèse, VI-4). C'est au siècle suivant que se multiplièrent les découvertes d'os ou de squelettes entiers souvent impressionnants par leur taille, en premier lieu en Angleterre, en France et en Allemagne. Le premier dinosaure à être nommé fut le même *Megalosaurus*, d'après un fossile riche de quelques pièces. L'honneur en incomba à un géologue et théologien du même comté d'Oxford, William Buckland. C'est ensuite Richard Owen, grand spécialiste britannique de l'anatomie comparée, qui baptisa en 1842 ces *Megalosaurus* et autres *Iguanodon* (un végétarien) « dinosaures » (du grec *deinos*, terrible, et *sauros*, lézard), postulant qu'ils devaient être rassemblés dans un groupe unique et particulier de reptiles, s'appuyant pour cela sur des caractères communs à tous ces fossiles. Il commit cependant l'erreur, bien compréhensible, d'en faire tous des quadrupèdes, en les assimilant à des sortes d'énormes rhinocéros non mammifères.

La découverte de fossiles plus complets permit de redresser *Megalosaurus*, dont les membres antérieurs étaient manifestement trop courts pour en faire un quadrupède. Le problème fut plus difficile à résoudre pour *Iguanodon*, bien que l'on disposât de pas moins d'une trentaine de squelettes plus ou moins complets trouvés en 1878 à 322 m de profondeur dans une mine de charbon en Belgique (ils sont aujourd'hui rassemblés dans un musée à Bruxelles). Aujourd'hui, on le considère plutôt comme un de ces animaux, comme il y en eut d'autres, qui pouvaient adopter les deux démarches suivant les circonstances.

Figure 9.1. *Dinosaure tel que l'on se le représentait à l'époque de Richard Owen (source : dessin d'Alexandra Johann)*

Malgré ces erreurs somme toute mineures, surtout en ce tout début de la découverte et de l'étude des dinosaures, Owen eut une intuition géniale en rassemblant ces animaux dans un même groupe, d'autant qu'il se fondait sur les trois seuls genres à sa disposition, *Megalosaurus*, *Iguanodon* et *Hylaeosaurus*, un autre végétarien. Le plus extraordinaire peut-être est qu'avec ces trois énormes animaux se trouvait rassemblé quasiment l'archétype des dinosaures tels qu'ils sont connus aujourd'hui : un carnivore bipède, un végétarien « à bec de canard » plus ou moins bipède et un lourd quadrupède à armure, autre végétarien. Ces créatures présentent certes des ressemblances, mais aussi des différences importantes. L'intuition d'Owen fut de privilégier les nombreuses ressemblances. La principale était la soudure de cinq vertèbres constituant un sacrum rigide, caractère certainement lié au redressement des membres que ne connaissaient pas les autres reptiles. La diversité morphologique des trois genres de dinosaures fit émettre à Owen l'hypothèse, elle aussi prémonitoire, que les dinosaures avaient constitué un groupe d'animaux occupant l'ensemble des sites écologiques de la Terre.

À cette époque, comme la plupart de ses confrères, Owen était créationniste (il évolua sur le tard en adoptant la théorie de l'évolution, sans aller cependant jusqu'à faire siennes les idées de Darwin sur la sélection naturelle). L'observation de ces dinosaures à la fois très différents et semblables, d'emblée adaptés à leur environnement, le conforta dans cette conviction ; la dénomination de « lézards terribles » fut pour lui une façon de marquer cette prédominance d'un groupe manifestement conçu *ex nihilo* par le Créateur pour dominer un monde auquel il était parfaitement adapté. Il est vrai que les hypothèses évolutionnistes de l'époque manquaient de base scientifique, se fondant sur la croyance d'une tendance naturelle à la complexification et au perfectionnement progressifs des organismes.

La multiplication des découvertes eut pour conséquence paradoxale de mettre en doute le postulat d'Owen d'une origine unique de tous les dinosaures. En effet, aux fossiles européens s'ajouta, avant que l'exploration ne s'étende au monde entier, la découverte d'un nombre imposant de squelettes en Amérique du Nord, principalement sous l'impulsion de deux Américains, Othniel C. Marsh et Edward D. Cope (l'inventeur de la dénomination des Archosaures). Ensuite, les recherches s'étendirent aux autres continents, Asie, Afrique, Amérique du Sud, Australie, et même Antarctique dans les dernières décennies : on peut dire que dans presque tous les endroits où ils ont été recherchés, des dinosaures ont été trouvés, parfois accompagnés d'œufs dont certains renfermaient des fœtus. Et cela continue toujours !

En définitive, les dinosaures forment-ils un groupe monophylétique (c'est-à-dire du même phylum, ou même lignée), comme le pensait Owen, ou paraphylétique (de lignées différentes) ? Dit plus simplement, ont-ils un ancêtre commun chez les reptiles, et plus précisément chez les Archosaures, ou bien faut-il chercher plus loin l'ancêtre commun, l'ensemble des dinosaures descendant alors de plusieurs embranchements d'Archosaures ? Nous venons de dire que, vu leur très grande diversité, la thèse du groupe paraphylétique a été longtemps soutenue contre les partisans de la lignée unique, et cela jusqu'à ces dernières décennies. Le problème était en définitive très semblable à celui rencontré au niveau supérieur pour les Archosaures eux-mêmes, avec également des différences fortes et troublantes entre les échantillons étudiés. La première et la plus importante se situait, comme pour les Archosaures, dans les articulations, mais ici au niveau des hanches. En effet, on avait remarqué dès la fin du XIXe siècle qu'il fallait distinguer deux ensembles de dinosaures, appelés respectivement Saurischiens et Ornithischiens, c'est-à-dire « à hanches de saurien » et « à hanches d'oiseaux » (nous allons y revenir). Disons tout de suite que, si l'on sait que les oiseaux descendent de dinosaures, paradoxalement leurs ancêtres n'étaient pas des Ornithischiens comme on pourrait le penser, mais des Saurischiens : les articulations des oiseaux ont évolué à partir de celles de leurs véritables ancêtres, dont les articulations étaient totalement reptiliennes. Ce changement s'est effectué par une extension de l'os pubien vers l'arrière, comme l'avaient fait beaucoup plus tôt les Ornithischiens, mais en empruntant une voie différente. C'est un bel exemple de convergence, peut-être due à la vélocité supérieure que ce caractère pouvait conférer.

Bien d'autres différences anatomiques apparaissent lorsque l'on examine le crâne, les membres et les autres parties des squelettes de dinosaures. Cette diversité évolutive s'explique aisément par la multiplicité des lieux de vie et l'adaptation aux conditions locales de l'environnement (climat, nourriture disponible, dangers courus, etc.). Mais des études récentes ont montré qu'à côté de ces différences anatomiques entre espèces, il existe, comme le pressentait Owen, des caractères communs ou très proches qui sont l'aboutissement de chemins évolutifs trop complexes pour s'expliquer par de simples convergences, c'est-à-dire par des évolutions indépendantes qui seraient intervenues en parallèle sous l'influence de conditions d'environnement semblables. Ces caractères partagés ne peuvent qu'être l'héritage d'un ancêtre commun, pendant que d'autres parties de l'anatomie se sont différenciées pour aboutir à des genres et espèces différents, selon un processus darwinien classique.

Essayons d'y voir clair dans cette radiation des dinosaures, en commençant par une question : pourquoi cette véritable explosion d'un groupe qui a d'abord cohabité avec bien d'autres reptiles dont il ne représentait qu'un très modeste pourcentage, avant de les supplanter ? Une première raison est certainement liée à la crise biologique majeure survenue à la fin du Trias ; même si elle n'a pas atteint le niveau des autres grandes extinctions dont nous avons déjà parlé, elle a provoqué la disparition ou une forte diminution de très nombreuses espèces terrestres et marines, libérant le terrain aux survivants les mieux adaptés aux nouvelles conditions de vie. Les dinosaures ont certainement fait partie des animaux qui se trouvaient, par le hasard de leurs caractéristiques, les mieux armés pour affronter un environnement largement bouleversé (sans qu'il soit possible de savoir aujourd'hui où se trouvaient ces avantages). Ensuite, l'acquisition d'une posture totalement redressée constituait un atout majeur, dans le *struggle for life*, par rapport à la plupart des autres reptiles. Les carnivores pouvaient faire des festins avec les pauvres reptiles mammaliens qui se déplaçaient plus difficilement, alors que les végétariens pouvaient plus aisément échapper aux prédateurs que les autres reptiles. Il s'en est peut-être fallu d'un cheveu (ou plutôt d'une écaille, ou d'un poil pour les derniers) pour que les reptiles mammaliens de l'époque, rescapés des extinctions précédentes, ne soient totalement anéantis, avec parmi eux la lignée qui conduisit plus tard aux Primates, aux Hominidés et à *Homo sapiens*… Mais d'autres causes sont possibles, dont on ne saura probablement jamais rien.

Certes, d'autres reptiles, tel *Saurosuchus*, avaient également acquis une stature érigée. Mais on peut penser que l'articulation latérale des membres des dinosaures leur conférait une démarche plus souple et plus efficace que celle, verticale, de *Saurosuchus*. Quoi qu'il en soit, constatons simplement que ce sont les dinosaures qui ont gagné, dominant largement le monde terrestre durant près de 200 Ma, et n'excluons pas l'hypothèse que c'est peut-être le simple hasard qui a assuré cette domination. Un autre phénomène a également joué dans cette expansion sans limite et sans partage, une fois leur prédominance assurée : la réunion des continents dans la Pangée et l'absence de barrières naturelles, mers ou montagnes. Cela permit aux dinosaures de se répandre sur toute la surface de la Terre, alors qu'aucune niche écologique isolée n'existait pour donner une chance de développement à d'autres genres de reptiles. Et si les crocodiles prospérèrent également, c'est que les dinosaures ne poussèrent pas l'impérialisme jusqu'à coloniser le milieu aquatique.

9.2. La crise de la fin du Trias

Disons quelques mots de cette extinction qui a déblayé le terrain pour nos dinosaures, avant de parler plus longuement de ces derniers. Vers la fin du Trias, les représentants des reptiles diapsides et synapsides sont très nombreux ; parmi eux émergent les dinosaures, en même temps que quelques mammifères commencent à pointer leur museau moustachu. Alors que les crocodiliens, les dinosaures et les ptérosaures s'accroissent rapidement, beaucoup d'autres Archosauriens et la plus grande part des reptiles mammaliens disparaissent. Le milieu marin connaît lui aussi des bouleversements profonds, avec par exemple la disparition des conodontes (après 300 Ma d'années d'existence et alors qu'ils avaient survécu à la grande crise Permien-Trias !) et de beaucoup d'espèces de bivalves, mais aussi celle des placodontes et des nothosaures, alors que les ichthyosaures survivent pour quelques temps encore.

Que s'est-il passé ? À vrai dire, on n'en sait trop rien. On a, bien entendu, évoqué la chute d'une météorite. Il existe en effet au Québec les marques d'un impact probablement daté du milieu du Norien (vers – 214 Ma), le cratère de Manicouagan, à environ 200 km au nord du fleuve Saint-Laurent. Ce cratère a un diamètre d'une centaine de kilomètres ; c'est dire l'énormité des ravages de cette catastrophe, mais c'est un peu tard pour expliquer le début de l'extinction. On peut cependant supposer qu'il l'ait amplifiée. Les fluctuations du niveau des océans ne paraissent pas non plus suffire à expliquer le phénomène, pas plus que les éruptions volcaniques de la fin du Trias, dont les épanchements sont encore visibles, surtout aux États-Unis (New-Jersey) et en Afrique du Sud (Karoo). Sans doute faut-il envisager une conjonction de tous ces événements, amplifiant un phénomène qui serait sans cela resté très limité et peut-être même invisible à nos yeux.

9.3. Un monde de dinosaures

9.3.1. *Les premiers dinosaures et leur diversification*

Voilà balayés une bonne part des concurrents des premiers dinosaures de la fin du Trias. Nous avons déjà vu que ces derniers s'étaient diversifiés de façon spectaculaire. La première différence majeure dont nous avons parlé, au niveau de l'articulation des hanches, a donné les deux branches de base des Saurischiens et des

Ornithischiens qui ont évolué chacune de leur côté tout en maintenant des similitudes, mais en introduisant d'importantes différences. Ces similitudes conduisent à se demander quel pouvait être l'ancêtre commun. Jusqu'à une époque récente, *Herrerasaurus* (du nom du fermier Victorino Herrera, qui l'a découvert il y a quelques dizaines d'années dans le nord-ouest de l'Argentine) était considéré comme le plus vieux dinosaure connu. C'était un animal gracile qui pouvait atteindre jusqu'à 5 ou 6 m de long. S'il se rapproche au plus près des dinosaures, il présente quelques petites différences au niveau des hanches et des membres postérieurs qui le situeraient plutôt en amont ou à côté. Quoi qu'il en soit, dinosaure ou proche cousin, ce n'est sans doute pas le « chaînon manquant » entre les Archosaures et les dinosaures, et des squelettes plus ou moins complets d'espèces très proches ont également été trouvés en Argentine et au Brésil.

En 1991, un autre squelette apparemment plus ancien a été découvert dans la même région. Nommé *Eoraptor* (« chasseur de l'aube »), c'était, comme *Herrerasaurus*, un carnivore à l'aspect agile et élancé, mais nettement plus petit puisque mesurant seulement 1 m de long pour 40 cm de haut. Cependant, certains détails du squelette communs à tous les dinosaures sont absents chez *Eoraptor* qui, de ce fait, ne peut pas bénéficier de cette appellation. Mais alors, peut-on faire de ce chasseur de l'aube leur ancêtre commun ? Il est difficile de l'affirmer, mais cet animal présente au moins l'avantage de nous montrer ce qu'étaient très probablement les premiers dinosaures, des carnivores bipèdes et de petite taille.

Cette quasi-impossibilité de déterminer la place exacte d'*Eoraptor* dans la lignée ayant conduit aux dinosaures et de mettre la main sur le véritable ancêtre est un problème général que l'on retrouve chez tous les fossiles de reptiles, mammifères ou autres : l'échantillon à notre disposition pour reconstituer l'histoire de leur évolution est extrêmement maigre. Certes, nous connaissons un nombre très important de squelettes de dinosaures. Mais faisons un rapide calcul très simple. Les dinosaures ont vécu pendant environ 170 Ma, soit 170 000 millénaires. Admettons, pour simplifier le calcul, que l'on ait trouvé des restes de 1 700 animaux différents. Cela fait un exemplaire pour 100 000 ans en moyenne ! Nous retrouverons le même problème lorsque nous essaierons de reconstituer la lignée humaine, avec quelques centaines de restes pour plusieurs millions d'années.

Voyons maintenant comment a pu se produire puis s'amplifier la différenciation entre Saurischiens et Ornithischiens, conduisant à des morphologies contrastées. Les Saurischiens avaient le pubis dirigé vers l'avant, contraignant leur système digestif à trouver sa place dans cette même partie avant du corps. On sait que les premiers d'entre eux étaient carnivores, certains ne devenant végétariens que plus tard. Or, la viande est beaucoup plus nourrissante que les végétaux : il n'y a qu'à voir dans la savane africaine les lions et autres fauves passer la plus grande partie de la journée à se reposer à l'ombre des arbres, alors que les herbivores dont ils se nourrissent occupent le plus clair de leur temps à brouter l'herbe des vastes plaines. Les carnivores n'ont donc pas besoin d'un appareil digestif d'un très gros volume, ce qui a permis aux premiers Saurischiens d'acquérir la stature bipède et à leurs descendants, également carnivores, de la conserver : le poids limité de leurs viscères était compensé aisément par le balancier de leur queue massive, leur permettant de rester en équilibre sur leurs pattes arrière sans se retrouver le museau par terre. *A contrario*, ceux qui adoptèrent une nourriture végétale durent développer un système digestif important qui, toujours placé vers l'avant du corps, les contraignit à s'appuyer sur leurs quatre pattes.

En revanche, les Ornithischiens avaient le pubis dirigé vers l'arrière, reculant de la même façon leur appareil digestif. Bien que consommateurs de végétaux, et en conséquence dotés d'un tube digestif volumineux, leur centre de gravité était bien situé par rapport aux pattes arrière qui portaient le poids de leur corps. Ils pouvaient ainsi conserver la stature debout héritée de leurs ancêtres, du moins tant qu'ils ne devenaient pas trop lourds.

Il est amusant de rapprocher cette affaire de tubes digestifs d'un phénomène semblable dû aux mêmes causes à une période beaucoup plus récente, et qui nous concerne directement. Nous, Hommes modernes, avons hérité d'intestins beaucoup moins longs que ceux de nos cousins chimpanzés grâce à une digestion plus rapide, ce qui a permis de mobiliser une plus grande partie de nos calories dans le fonctionnement d'un cerveau plus performant. Et cela parce que nos lointains ancêtres *Homo erectus* avaient adopté un régime omnivore.

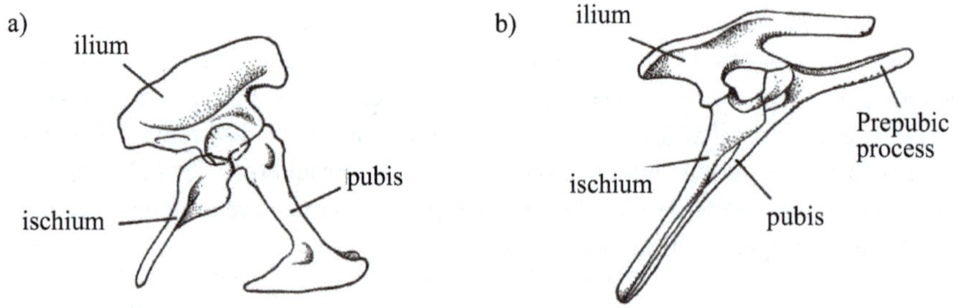

Figure 9.2. *a) Pubis de Saurischien. b) Pubis d'Ornithischien (source :* Vertebrate paleontology. *Blackwell Science, 2000, © M.J. Benton)*

9.3.2. *Les Saurischiens*

Le sous-ordre des Saurischiens comprenait donc à la fois des carnivores et des végétariens. La bifurcation s'est faite dès le Trias, les carnivores constituant les Théropodes, les végétariens les Sauropodomorphes, grands quadrupèdes au cou allongé. Les Théropodes étaient de redoutables prédateurs, propulsés par des membres postérieurs grands et puissants, avec un long cou terminé par un crâne aux fortes mâchoires généralement dotées de dents pointues, l'équilibre général étant assuré par une queue imposante. Un des principaux groupes de Théropodes, les Cératosaures, est présent dès la fin du Jurassique. Le plus ancien Cératosaure connu est *Coelophysis*. Il ne dépassait pas 3 m de long : tous ces premiers dinosaures étaient relativement petits, contrairement à beaucoup de ceux qui sont apparus plus tard. Des squelettes complets d'une même espèce de Cératosaures, rassemblés en grand nombre dans le même lieu, furent découverts en 1947 au Nouveau-Mexique. D'autres restes ont été exhumés depuis sur le même site.

Une telle accumulation, sur quelques dizaines de mètres carrés seulement, faite de jeunes et d'adultes, montre de façon indubitable que ces animaux vivaient en troupeau. Il est assez probable que les dinosaures, surtout aux périodes tardives, aient vécu selon des schémas qui se rapprochaient de ceux que nous connaissons pour les mammifères, avec des carnivores et surtout des végétariens vivant en troupeau, et d'autres plus solitaires. Il reste cependant curieux qu'autant d'animaux semblent avoir été ainsi pris simultanément par la mort. L'origine fluviale des sédiments dans lesquels ils gisaient laisse à penser qu'ils ont été surpris par la crue soudaine d'un fleuve dont ils avaient entrepris la traversée. D'autres indices montrent que beaucoup d'autres espèces de dinosaures vivaient en troupeau. On trouve en effet un peu partout des traces de pas, certaines solitaires mais d'autres multiples. On a relevé parmi ces dernières des pistes parallèles dont les empreintes du milieu étaient plus petites que celles des bords, suggérant que les adultes se plaçaient sur les côtés, regroupant les petits au centre pour les protéger des prédateurs.

Beaucoup de Cératosaures avaient le crâne surmonté de crêtes et de cornes, d'emplacements et de formes divers. Par exemple, *Ceratosaurus* était doté d'une paire de cornes au-dessus des naseaux, alors que *Dilophosaurus* possédait deux crêtes aplaties de part et d'autre du sommet du crâne. Plus tard apparurent des Cératosaures plus grands, avec des caractéristiques spécifiques au niveau des mâchoires, des dents et de la colonne vertébrale. *Megalosaurus*, trouvé en Europe de l'Ouest, en fait partie, comme *Allosaurus* d'Amérique du Nord, au crâne plus court et plus étroit surmonté d'une forte crête.

Beaucoup d'autres types de Théropodes ont existé. Certains étaient restés de petite taille, comme *Compsognathus* qui mesurait environ 1 m seulement. Un autre Théropode a fait couler beaucoup d'encre, celui dénommé *Oviraptor*, trouvé dans le désert de Gobi en Mongolie. Outre plusieurs squelettes, on a également trouvé des œufs fossilisés, les premiers œufs de dinosaure jamais découverts. Certains étaient recouverts par un des squelettes. Ce dinosaure étant doté d'une sorte de bec très recourbé, avec une mâchoire dépourvue de dents, il n'en fallut pas plus pour l'accuser de voler les œufs d'autres dinosaures pour en faire ses repas. D'où son nom d'*Oviraptor*, « voleur d'œufs ». Il fait partie des Maniraptoriens dont sont probablement issus les oiseaux. Ce nom dont on l'a affublé était parfaitement injuste. En effet, d'autres *Oviraptors* furent trouvés dans les mêmes circonstances, ce qui était en soi curieux : pourquoi la mort les aurait-elle surpris autant de fois juste alors qu'ils préparaient leur omelette ? La vérité apparut en 1993, lorsqu'une autre expédition trouva un embryon dans un des œufs recouverts par un *Oviraptor*. Et c'était un embryon de la même espèce : les *Oviraptors* surpris par la mort, peut-être dans une tempête de sable, étaient en couvaison ! À côté de ces dinosaures se trouvaient des crânes de tout petits mammifères contemporains : une preuve que les mammifères avaient émergé bien avant l'extinction des dinosaures.

Un autre Maniraptorien est devenu célèbre avec le film *Jurassic Park* : *Velociraptor*, le méchant qui poursuit les enfants, dont les restes ont été trouvés en Mongolie. L'un des squelettes était intimement mêlé à celui de sa proie, un petit Cératopsien qui avait réussi à lui prendre les membres antérieurs dans ses mâchoires. Les deux dinosaures paraissent avoir été ensevelis, chacun mordant l'autre, par une tempête de sable. Instantané spectaculaire de la vie au Crétacé ! *Velociraptor* a été considérablement agrandi pour les besoins du film : il ne mesurait pas plus de 1,8 m pour un poids de 45 kg environ. Mais sa morphologie de coureur rapide aux armes redoutables, mâchoires et griffes (rétractiles aux pattes arrière comme celles d'un félin), devait en faire un redoutable prédateur.

Une autre famille est celle des Tyrannosauridés. Ils se sont largement répandus et ont dominé l'Amérique et l'Asie au Crétacé supérieur. Le plus célèbre, *Tyrannosaurus rex*, a été trouvé en Amérique du Nord. Il atteignait 14 m (mais on a découvert depuis des membres d'autres espèces encore plus grands), avec un crâne massif doté d'une articulation supplémentaire à la mâchoire inférieure. Ce mécanisme surajouté à une mâchoire déjà impressionnante lui permettait certainement d'attaquer plus efficacement ses proies en ouvrant plus grand sa gueule. Ses membres antérieurs étaient extrêmement petits et devaient peu lui servir, sauf peut-être à agripper ses proies au moment de l'attaque. De là à suggérer, comme cela a été écrit très sérieusement, que les mâles s'en servaient pour caresser les femelles aux moments cruciaux, il y a plus qu'un grand pas. Où va se nicher l'anthropomorphisme ! Quelques Tyrannosauridés, comme *Dilophosaurus* et *Ceratosaurus* en Amérique du Nord (et aussi en Afrique pour le second), avaient développé des excroissances crâniennes en forme de crêtes ou de cornes.

Les Sauropodomorphes, contrairement aux carnivores Théropodes, étaient quadrupèdes, comme nous l'avons vu. Mais parmi eux, les Prosauropodes, de taille limitée (!) à 5 ou 6 m de long, pouvaient se dresser sur leurs pattes arrière. Ils ont constitué un stade intermédiaire avant les véritables Sauropodes aux dimensions beaucoup plus impressionnantes. Les Prosauropodes ont disparu avant la fin du Jurassique, alors que les Sauropodes ont vécu jusqu'à l'extinction générale. Les plus célèbres sont *Diplodocus* et *Brachiosaurus*, particulièrement impressionnants par leur gigantisme. *Brachiosaurus* pouvait culminer à 12 m de hauteur (le toit d'un immeuble de trois étages !), pour une longueur de 23 m.

9.3.3. *Les Ornithischiens*

Le sous-ordre des Ornithischiens est caractérisé, comme nous l'avons vu, par un pubis dirigé vers l'arrière, mais aussi par de nombreuses autres spécificités du squelette et du crâne. Un de leurs précurseurs possible est *Pisanosaurus*, trouvé dans des terrains de la fin du Trias en Argentine. La forme de ses mâchoires suggère qu'il possédait des sortes de bajoues dans lesquelles il emmagasinait peut-être une partie de sa nourriture avant de l'avaler, tel un hamster d'aujourd'hui avec les graines. Mais il précède les Ornithischiens dûment labélisés de quelque 20 Ma, ce qui rend cette ascendance problématique. Quoi qu'il en soit, il s'agit bien d'un véritable dinosaure, qu'il soit ou non déjà différencié du côté des Ornithischiens.

Comme nous l'avons vu, ce groupe était uniquement végétarien (ce terme étant préférable à celui d'herbivore, l'herbe n'existant pas encore, du moins dans la première partie de leur existence). De petits Ornithischiens datent du début du Jurassique, le squelette le plus complet étant celui de *Lesothosaurus* trouvé en Afrique du Sud. Il mesurait moins d'un mètre, avec des membres antérieurs très courts et les longues pattes arrière d'un bipède. Un groupe plus important, composé de très nombreuses espèces, est particulièrement présent au Crétacé. Il s'agit des Ornithopodes, également bipèdes. Ils avaient des articulations des mâchoires qui leur permettaient de mâcher leur nourriture par des mouvements de deux modes différents selon les espèces (on retrouve également deux modes du mouvement des mâchoires pour des cynodontes puis des mammifères herbivores, ce qui est un nouvel exemple de convergence chez des groupes totalement indépendants,). *Iguanodon* est le plus connu d'entre eux. Nous l'avons évoqué comme l'un des premiers dinosaures trouvés en Europe. Il date du début du Crétacé. Il était doté d'un crâne semblable à celui d'un cheval. Parmi d'autres particularités, il avait les os du poignet soudés entre eux, le pouce terminé par une sorte de pique constituant manifestement une arme et, plus curieux encore, les deuxième et troisième doigts de ses quatre membres finissant par de petits sabots. Il pouvait certainement marcher soit sur ses pattes arrière, équilibrant son corps par sa longue queue, soit sur ses quatre membres comme ces sabots l'attestent.

Les Hadrosaures étaient le groupe le plus diversifié des Ornithopodes, trouvés surtout en Amérique du Nord et en Asie à la fin du Crétacé. Ils avaient un museau en forme de « bec de canard », et sont souvent désignés sous ce vocable. L'avant de leurs mâchoires s'élargissait tandis que leurs orbites étaient rejetées vers l'arrière. Ces mâchoires et leurs articulations montrent qu'ils faisaient subir aux plantes dont ils se nourrissaient un véritable meulage avant de les avaler. Cela facilitait notablement leur digestion, sachant qu'une partie de leur nourriture était composée de branches de conifères (dont on a retrouvé des aiguilles et des brindilles dans certains estomacs bien conservés). Certains étaient dotés d'une curieuse excroissance osseuse au-dessus du crâne, revêtant des formes diverses comme un casque, une crête ou une sorte de tuyau communiquant avec les narines, permettant à l'air d'y circuler et provoquant probablement l'émission de sons analogues à ceux d'une trompe.

Un autre groupe d'étranges dinosaures végétariens de la fin du Crétacé était surtout caractérisé par l'épaisseur de la partie supérieure de leur crâne, d'où leur nom de Pachycéphalosaures. On a retrouvé très peu de squelettes complets, en Amérique du Nord et en Asie, mais beaucoup de ces boucliers, plus ou moins bien conservés, qui pouvaient avoir une épaisseur de 20 cm pour un crâne de seulement 60 cm de long ! Manifestement, les mâles s'en servaient pour charger, tels des béliers d'aujourd'hui.

Les Cératopsiens (c'est-à-dire « à face cornue ») forment un autre groupe d'Amérique du Nord et d'Asie au Crétacé. Massifs quadrupèdes pour la plupart, ils avaient une collerette qui protégeait leur nuque et une ou plusieurs cornes. Le célèbre *Triceratops* en avait trois. Il pouvait mesurer 8 m de long, pour une hauteur de 3 m et un poids de 6 tonnes. Même *Tyrannosaurus*, si leurs chemins se croisaient, ne devait pas s'y frotter !

Avant-dernier groupe important, les Stégosaures avaient le milieu du dos surmonté d'une rangée simple ou double de plaques osseuses, d'où leur nom. Bien qu'ils soient quadrupèdes, leurs membres antérieurs étaient nettement plus petits que les postérieurs, leur donnant une allure voûtée caractéristique. Il semble que ces plaques aient été irriguées par des vaisseaux sanguins et couvertes de peau, ce qui privilégie l'idée d'une fonction de régulation thermique plutôt que de protection, comme on l'avait tout d'abord supposé (l'un n'empêchant d'ailleurs pas l'autre). Parmi eux, *Stegosaurus* (ou « reptile à toit »), originaire d'Amérique du Nord, était un très gros animal pouvant atteindre 18 m de long pour 3,5 m de haut, avec des plaques de 50 cm. Sa queue possédait à son extrémité quatre longues épines qui devaient infliger de redoutables blessures, soit aux carnivores qui voulaient l'attaquer, soit peut-être également à des congénères dans des batailles de mâles pour la conquête des femelles ou la défense d'un territoire Au moins pour ce qui est de la défense contre les carnivores, on possède une preuve par la présence d'une blessure bien visible, manifestement causée par une telle arme, chez un tyrannosaure.

Une chose frappe particulièrement lorsque l'on regarde la reconstitution de *Stegosaurus* : la très petite taille de sa tête par comparaison au reste du corps. Certes, *Diplodocus* et d'autres dinosaures ont la même caractéristique, mais rarement à ce point. Le cerveau de ces animaux était vraiment minuscule et leurs capacités d'adaptation étaient certainement extrêmement limitées. Ce devait davantage être des machines programmées agissant par instinct, et l'on a le sentiment de se trouver en présence d'une impasse évolutive à la merci du moindre changement dans leur environnement. Il ne faut cependant pas généraliser à l'ensemble des dinosaures et en déduire qu'ils étaient tous voués à l'extinction à un moment ou à un autre : beaucoup d'espèces étaient dotées d'un cerveau nettement plus volumineux et auraient pu avoir un long avenir avec la poursuite de leur évolution si la crise de la fin du Crétacé ne s'était pas produite.

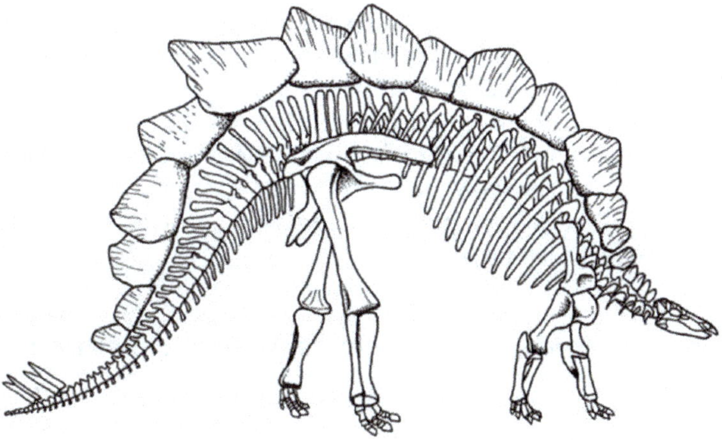

Figure 9.3. *Squelette de Stegosaurus*
(source : Vertebrate paleontology. *Blackwell Science, 2000, © M.J. Benton)*

Figure 9.4. *Animal fantastique (temple d'Angkor, XIIe siècle). Extraordinaire imitation 100 Ma d'années après ! (source : photographie de l'auteur)*

Terminons ce panorama des Ornithischiens avec les Ankylosaures qui apparaissent, comme les Stégosaures, au cours du Jurassique mais sont surtout présents au Crétacé. Ils avaient eux aussi sur le dos et les flancs des plaques d'aspects divers, parfois en forme d'épines. Leur singularité tenait surtout à la véritable massue qui terminait leur queue, formée à partir de la fusion des dernières vertèbres caudales agglomérées avec des plaques osseuses. *Tyrannosaurus* avait intérêt à rester à distance de cette arme redoutable ! *Ankylosaurus*, qui leur a donné son nom (qui signifie « lézard recourbé », ce qu'il n'était pas plus que *Stegosaurus*) a été retrouvé aussi bien en Amérique du Nord qu'en Mongolie.

9.3.4. *Les évolutions du climat et la dérive des continents à l'époque des dinosaures*

Nous avons évoqué la crise de la fin du Trias qui a donné aux dinosaures l'opportunité de conquérir des terres largement dépeuplées. Celles-ci étaient pour la plupart rassemblées dans la Pangée, ce qui permit à ces animaux de les peupler à peu près dans leur totalité. Mais, dès cette époque, un mouvement de dislocation commença à séparer les blocs nord-américain, eurasiatique, africain et sud-américain, alors qu'à l'extrême sud se détachait un ensemble qui donnera l'Antarctique, l'Australie et l'Inde (cette dernière entamant ensuite sa longue migration vers le nord jusqu'à sa rencontre avec l'Asie). Le bloc asiatique se détacha le premier de l'ensemble, les autres se séparant plus tardivement comme en témoigne la présence de fossiles du Jurassique identiques en Amérique du Nord et en Afrique, alors que des formes endémiques (c'est-à-dire spécifiques à ce continent) se développaient en Asie. La dernière séparation fut celle de l'Afrique et de l'Amérique du Sud. À ces mouvements des masses continentales s'ajoutèrent des transgressions et des régressions marines (c'est-à-dire des élévations et des baisses du niveau des mers) dues aux mouvements verticaux (élévation et baisse alternées) du plancher océanique (phénomène appelé eustatisme) qui accompagnèrent les mouvements horizontaux. Les transgressions contribuèrent à isoler l'Asie et même à la scinder en plusieurs îles. Au rythme de ces mouvements verticaux des océans, les animaux, tant terrestres qu'aquatiques, prospérèrent puis disparurent et furent ensevelis sous les dépôts de sédiments, réapparaissant aujourd'hui sur les flancs de failles naturelles, à l'occasion de l'exploitation de mines ou simplement grâce à l'érosion, en particulier dans les zones maintenant désertiques comme le désert de Gobi qui constitue la plus grande source de fossiles de dinosaures.

Au début du Trias, le climat était plutôt chaud et humide, du fait de continents situés principalement en zone intertropicale et non encore totalement réunis, facilitant les influences océaniques, avec une Terre que les caractéristiques de son orbite situaient dans une période globalement chaude, dépourvue de calottes glaciaires. Mais à la fin du Trias, qui vit apparaître les premiers dinosaures, la formation de la Pangée avait installé un climat continental, nettement plus sec. Puis, à l'inverse, le début de dislocation des continents rouvrit l'influence océanique et le climat redevint plus humide.

Au Crétacé, les continents continuèrent leur migration, avec la séparation de l'Afrique et de l'Amérique du Sud. Le climat resta stable, toujours chaud et humide, mais la flore et la faune évoluèrent considérablement. Alors que les plantes les plus répandues étaient les fougères, les prêles et les conifères, un changement majeur se produisit : l'apparition des Angiospermes, ou plantes à fleurs, dès le début du Crétacé voire avant. La reproduction plus sophistiquée de ces nouvelles plantes leur fit dominer le monde végétal, avec entre autres l'apparition de l'herbe (on va enfin pouvoir parler d'herbivores pour les animaux se nourrissant de végétaux autres que des feuilles ou des fougères !) après les plantes à fleurs et les arbres autres que les Coniférophytes déjà existants (ce dernier groupe rassemble les Pinophytes, ou conifères, et les Ginkgophytes, abondants au Jurassique mais dont le seul survivant est le ginkgo, ou arbre aux écus). En effet, contrairement aux premières plantes à graines, les angiospermes ont des organes reproducteurs femelles, les carpelles, formés par des feuilles modifiées enfermant les ovules ainsi protégés des agressions, en particulier de la sécheresse (rappelons que l'organe mâle est l'étamine). De plus, ils possèdent un mécanisme dit de « double fécondation » dont l'effet est de ne produire des réserves de nourriture contenues dans le fruit que si la fécondation a eu lieu. Ce procédé est beaucoup plus économique en énergie dépensée que celui des conifères dont le cône femelle requiert une énergie importante pour se constituer, qu'il y ait ou non fécondation ultérieure.

Le climat chaud et humide favorisa leur expansion qui contribua probablement beaucoup au changement perceptible dans la faune. Ainsi, alors que chez les Saurischiens, les Théropodes continuaient à prospérer, leurs représentants végétariens, les Sauropodomorphes, disparurent pour la plupart, à l'exception des Titanosauridés des terres du sud (comme *Argentinosaurus*, aussi grand que *Diplodocus*). Ils furent remplacés par les nouveaux dinosaures herbivores, Ornithopodes, Pachycéphalosaures, Cératopsiens et Ankylosaures. Cette apparition de nouvelles plantes s'accompagna d'une évolution et d'un développement parallèles d'insectes qui, se nourrissant du nectar de leurs fleurs, facilitèrent en retour la pollinisation et contribuèrent ainsi à leur expansion.

L'intervention d'insectes dans la reproduction d'un grand nombre d'espèces de fleurs fournit l'occasion d'évoquer un puissant mécanisme de l'évolution appelé la coévolution. Ce concept a été proposé par l'Américain Leigh Van Valen en 1972 sous le nom d'« hypothèse de la Reine Rouge ». Il s'agit évidemment d'une allusion à *Alice au Pays des Merveilles*. Dans un épisode du récit, la Reine Rouge oblige Alice à courir avec elle, seul moyen de rester immobiles dans un paysage qui s'est mis en mouvement. Van Valen a choisi cette parabole pour illustrer sa proposition, désormais admise par tous après le scepticisme initial.

Prenons un exemple simple : un prédateur et sa proie favorite. Plus le prédateur court vite, plus il pourra capturer facilement une proie. Plus la proie potentielle courra vite, mieux elle pourra échapper au prédateur. Ainsi vont se sélectionner au cours des générations des prédateurs et des proies de plus en plus rapides, ce qui va ne rien modifier en définitive dans l'équilibre entre les deux populations. « Tout change pour que rien ne change », pourrait-on dire en reprenant la phrase du prince Salina dans le film *Le Guépard.*

Un exemple très poétique illustre bien ce mécanisme : la pollinisation d'orchidées par un papillon. Plus le papillon s'enfonce dans le nectaire d'une fleur pour boire le nectar à l'aide de sa trompe, plus son corps se recouvre de pollen qui fertilisera d'autres fleurs lorsqu'il se posera sur elles. Les fleurs au nectaire profond se trouvent ainsi privilégiées et deviennent majoritaires. Cette évolution va, à son tour, favoriser les papillons à longue trompe, qui peuvent désormais atteindre la taille respectable de 25 cm.

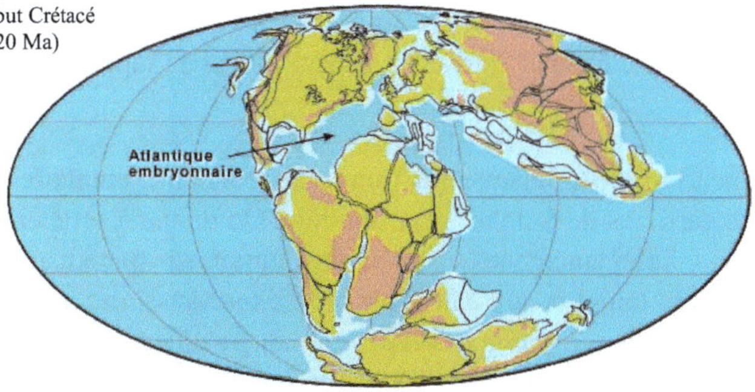

Figure 9.5. *Les terres émergées au début du Crétacé (source : Département Géologie et Génie géologique, Université Laval de Québec, © 2001 C.R. Scotese PALEOMAP Project)*

À la fin du Crétacé, alors que les continents continuaient de s'écarter les uns des autres, il se produisit une très forte transgression marine qui contribua au morcellement des terres et accentua les divergences dans l'évolution de la faune. Ce phénomène se maintint jusqu'à la fin du Crétacé, et les dinosaures continuèrent à prospérer sous des formes largement renouvelées depuis leurs lointains ancêtres du Trias. On ne voit pas pourquoi cela n'aurait pas continué ainsi, peut-être jusqu'à nos jours (encore que le fort refroidissement du climat à de nombreuses reprises ne leur aurait peut-être pas permis de survivre beaucoup plus longtemps). Pourtant, les paléontologues trouvèrent, ou plutôt ne trouvèrent plus dans les couches sédimentaires âgées de moins de 65 Ma, aucun reste de dinosaure, non plus que de beaucoup d'autres animaux terrestres et marins. Cette coupure a défini la fin de l'ère Mésozoïque et le début du Cénozoïque où les animaux terrestres dominants allaient être les mammifères. Nous allons revenir sur cette mystérieuse extinction à la fin du chapitre 10.

9.3.5. *Des dinosaures aux oiseaux*

Les premiers dinosaures étaient certainement des animaux ectothermes, c'est-à-dire que leur seule ressource pour réguler leur température était le milieu extérieur, en particulier l'exposition au Soleil, comme chez les reptiles actuels. Il est cependant raisonnable de penser que certains d'entre eux acquirent l'endothermie, c'est-à-dire la faculté de contrôler leur température en interne par le métabolisme, comme ce fut très probablement le cas pour leurs cousins les ptérosaures (nous allons le voir bientôt). Mais de là à faire de certains dinosaures les ancêtres des oiseaux, il y avait un pas qu'il était difficile de franchir, même si les plumes rappellent plus les écailles ancestrales que les poils, que les oiseaux ont conservé des pattes à l'aspect reptilien et que leur allure générale de bipèdes au corps en équilibre de part et d'autre de leurs membres postérieurs leur donne un aspect singulier rappelant la posture des Théropodes.

Tout changea en 1861, lorsque fut trouvé le premier exemplaire d'un étrange fossile dans les carrières de Solnhofen en Bavière. On donna à cette créature le nom d'*Archæopteryx* (« ailes anciennes »). Voilà qui aurait dû immédiatement apporter du souffle (pourquoi toujours de l'eau, alors qu'il existe aussi des moulins à vent) au moulin de Darwin dont *L'Origine des espèces* était paru deux ans auparavant. Mais immédiatement, chacun se situa dans son camp habituel du fixisme des espèces ou de l'évolutionnisme ; ainsi Richard Owen décréta que c'était un oiseau, alors que Thomas Huxley, fervent partisan de Darwin, y vit un intermédiaire entre reptiles et oiseaux illustrant de façon remarquable les thèses de celui-ci. Les sédiments de la carrière bavaroise ont environ 150 Ma. *Archæopteryx* ayant déjà une conformation d'oiseau, cela fait remonter l'origine des Aves très loin dans le passé, au bas mot 100 Ma avant l'extinction générale des dinosaures.

D'autres squelettes ont été trouvés depuis, montrant un animal de la taille d'un pigeon dont la forme des membres antérieurs et les plumes font pencher vers un oiseau, alors que ses dents, ses griffes à l'extrémité des doigts et les vertèbres de sa longue queue évoquent un Théropode. Ces dernières années, des fossiles de dinosaures dont le moulage de leurs corps dans les sédiments montrait qu'ils étaient recouverts de plumes ont apporté la preuve indubitable de cette filiation entre des petits Théropodes et les premiers oiseaux. La publication en 2008 par des chercheurs du CNRS de la découverte en France (Charente-Maritime) de plumes piégées dans de l'ambre datée de 100 Ma apporte la dernière preuve à ce qui n'était en 1861 qu'une supposition. On peut faire le parallèle avec des synapsides à poils dont on a également trouvé des empreintes (nous y avons déjà fait allusion et allons les retrouver plus loin) et penser que deux solutions parallèles ont été adoptées par les reptiles primitifs pour se doter d'un isolant thermique, les poils chez les synapsides et les plumes chez les diapsides. Chez ces derniers, les membres antérieurs se sont peu à peu transformés en ailes pour des raisons n'ayant tout d'abord rien à voir avec le vol (sans doute l'amélioration de la protection thermique apportée par l'apparition des plumes). Il n'est pas absurde de penser qu'ensuite les premiers *Archæopteryx*, utilisant leurs griffes pour grimper aux arbres, ont fini par s'essayer à regagner le sol en planant (rappelons-nous l'évolution semblable, extrêmement ancienne, du Diapside *Coelurosauravus*, décrite au chapitre 6).

La persistance de griffes aux ailes n'est pas le seul caractère archaïque de cet ancêtre. Il ne possédait pas de bréchet, qui est une caractéristique des vrais oiseaux. Nous avons déjà vu chez les premiers tétrapodes la transformation des ceintures pectorale et pelvienne pour améliorer la locomotion. Il en est de même chez les oiseaux : une évolution va conduire à la soudure des clavicules dont l'effet est de maintenir constant, lors du vol, l'écart entre les bases des ailes qui, autrement, auraient tendance à s'écarter. En remontant le temps et l'évolution, on a trouvé des Théropodes dont le pied avait, comme chez les oiseaux, trois doigts tournés vers l'avant et le quatrième vers l'arrière ; d'autres détails du squelette accentuent ce rapprochement, ce qui conforte l'hypothèse situant dans ce groupe la racine des oiseaux. D'autres fossiles d'espèces primitives ont été trouvés, mais ils n'apportent rien de plus sur la transition dinosaures-oiseaux.

Bien entendu, on est loin d'avoir reconstitué tout le processus qui a pu conduire d'un reptile à un oiseau, mais nous avons désormais bien plus que des idées ou des hypothèses sur de nombreux points, comme le passage de l'écaille à la plume. De même, l'examen histologique (l'histologie étant l'étude de la structure microscopique des tissus) d'os fossiles de dinosaures et d'oiseaux primitifs apporte d'autres précieux renseignements sur ces animaux, en particulier leur croissance et leur métabolisme. Il apparaît ainsi que l'endothermie des oiseaux est héritée de leurs ancêtres dinosauriens, et non un caractère acquis afin de mobiliser les ressources énergétiques importantes nécessaires au vol. Les premiers dinosaures emplumés et ailés auraient donc exploité un caractère déjà présent chez leurs ancêtres plus ou moins proches.

Autre question restée longtemps sans réponse, la croissance de l'embryon des premiers oiseaux s'est révélée très rapide, plus que celle des dinosaures, ce qui suggérait un phénomène de néoténie ayant donné à ces descendants de Théropodes une morphologie particulière, dont en particulier une petite taille (la néoténie est l'une des manières dont tout ou partie d'un organisme vivant voit son développement altéré, soit par une accélération ou un ralentissement de sa vitesse, soit par un allongement ou un raccourcissement de sa durée, soit encore par l'avancement ou le retard dans son début). Dans la néoténie, le développement est retardé, ce qui fait que l'animal concerné se trouve apte à se reproduire alors que son corps est encore à un stade juvénile. Un des exemples les plus spectaculaires et les plus connus est celui d'une salamandre du Mexique, l'axolotl, qui conserve, adulte, la morphologie d'un têtard. Il est particulièrement remarquable ici qu'au détour d'un caractère simple comme la hauteur à laquelle *Confuciusornis* pouvait regarder le vaste monde (on aura deviné, à son nom, que cet oiseau du début du Crétacé a été trouvé en Chine) en grimpant aux arbres pour regagner la terre en planant, on retrouve deux mécanismes puissants de l'évolution : l'exaptation, utilisation à une autre fin d'un caractère acquis pour un premier usage, ici l'endothermie, et la néoténie, qui donne à une espèce des caractéristiques qui ne faisaient en quelque sorte que passer, sans se fixer, chez l'embryon des ancêtres, pour disparaître avant la naissance.

Grâce à leur aptitude à voler de plus en plus perfectionnée qui leur permettait de migrer aisément loin de leur territoire d'origine sans être arrêtés par des obstacles, y compris des bras de mer, les oiseaux ont rapidement conquis tous les continents. Naturellement, ils se sont diversifiés en s'adaptant aux climats et aux nourritures qui s'offraient à eux. Cependant, leur évolution parallèle à celle des mammifères dont nous allons bientôt parler n'a pas atteint la même diversité, probablement du fait d'un plan de base ne se prêtant pas à autant de modifications. Cela n'empêche pas d'admirer l'extraordinaire adaptation de leurs très nombreuses espèces à des modes de vie aussi variés qu'enchanteurs, et l'on trouve chez eux des phénomènes de convergence étonnants. Qui aurait pu par exemple dire, avant que l'on ait pu réaliser sur eux des analyses génétiques, que les vautours de l'Ancien et du Nouveau Monde n'avaient aucune parenté proche, contrairement à ce qu'il serait naturel de penser ? En réalité, si nos vautours d'Europe sont des cousins des autres oiseaux de proie, les compagnons du croque-mort des aventures de Lucky Luke sont des proches parents des hérons.

Certains oiseaux avaient atteint des tailles gigantesques, largement au-dessus de l'autruche africaine, de l'émeu australien ou du nandou sud-américain. Ainsi, *Gastornis* (également appelé *Diatryma*) mesurait 2,50 m à l'épaule, c'est-à-dire plus que l'autruche tête comprise. C'était un redoutable carnivore au bec crochu. Ayant perdu l'usage du vol du fait de sa grande taille (on peut le voir par l'absence d'attaches pour les muscles correspondants), il attrapait ses proies grâce à ses longues et puissantes pattes. On en trouve de l'Éocène au Pliocène en Europe, Amérique du Nord et Amérique du Sud. Il a donc vécu environ 40 Ma avant de disparaître pour des raisons inconnues. La nourriture n'avait aucune raison de ne pas rester suffisamment abondante et il ne devait guère connaître de prédateurs, au moins pour les adultes. Les œufs ou les poussins auraient-ils fini par être anéantis par la multiplication des petits mammifères carnivores ? Peut-être, encore que l'on ait déjà utilisé la même piste, abandonnée aujourd'hui, pour les dinosaures. Encore un mystère à résoudre.

Si l'autruche, plus grand oiseau actuel, ne se compare pas à *Diatryma*, elle reste d'une taille respectable, surtout si on la rapproche du colibri, ou oiseau-mouche, le plus petit. Il ne pèse que quelques grammes et ce faible poids lui a permis d'acquérir un battement d'ailes extrêmement rapide (plusieurs dizaines de battements par seconde), grâce auquel il peut rester en sustentation, immobile, tel une abeille et dans le même but : pomper le nectar des fleurs à l'aide de son long bec fin.

Chapitre 10

Les cousins des eaux et des airs et la catastrophe finale

10.1. Le peuplement des mers

Nous avons suivi (chapitre 6) l'émergence des premiers reptiles et leur séparation en trois branches principales : anapsides, synapsides et diapsides. Nous avons évoqué leur destinée : les tortues seules survivantes des anapsides, les diapsides qui ont donné les dinosaures et les oiseaux, plus les serpents, les lézards et les crocodiles, et enfin les synapsides à l'origine des mammifères. Nous en avons parlé plus longuement dans le repeuplement du Trias (chapitre 8), en finissant par un groupe que nous n'avons pas encore rencontré, les euryapsides, à fenêtre temporale unique mais peut-être descendants de diapsides à deux fenêtres. Nous avons brièvement décrit les sous-groupes d'euryapsides les moins importants, pachypleurosaures, nothosaures et placodontes. Regardons maintenant leurs principaux représentants, les plésiosaures et les ichthyosaures.

Les plésiosaures apparaissent au Jurassique. Ils avaient un long cou qu'ils projetaient en avant pour capturer poissons et ammonites. Certains évoluèrent en pliosaures, plus grands, qui chassaient les gros poissons, mais aussi les plésiosaures, plus petits, et les ichthyosaures. D'autres donnèrent, à la fin du Crétacé, les élasmosaures dont le cou était démesurément allongé, avec plus de 70 vertèbres (encore une mutation spectaculaire au niveau des gènes architectes !).

Tous disparurent en même temps que les dinosaures. Les ichthyosaures (ou « lézards poissons ») étaient très différents des précédents. D'une morphologie proche de celle de nos dauphins modernes, c'étaient de véritables animaux marins. On en trouve dès le début du Trias, évoluant ensuite en atteignant, pour certains, jusqu'à 15 m de long. Ils se nourrissaient de poissons et de mollusques. Précisons que les proies des plésiosaures et ichthyosaures ne sont pas de simples supputations : on a souvent retrouvé des reliefs de repas à l'intérieur de leurs corps, ou des régurgitations bien conservées.

On a même trouvé des os d'embryons à l'intérieur d'ichtyosaures femelles : ces descendants de reptiles terrestres, eux-mêmes descendants de poissons, ont ainsi fait un retour total vers les océans, coupant tout contact avec la terre, avec des petits sortant vivants du corps de leur mère, tels des cétacés, en lieu et place de la ponte d'œufs sur les rivages comme le faisaient les reptiles. Détail également passionnant, les plus gros embryons, proches de la naissance, avaient la tête tournée vers l'avant du corps de leur mère. Ils naissaient donc en présentant la queue en premier, comme c'est également le cas pour les cétacés. Ce mode d'expulsion constitue le moyen pour le nouveau-né de remonter à la surface dès qu'il est totalement sorti du corps de sa mère. Si la tête sortait en premier, le temps nécessaire pour dégager le reste du corps pourrait entraîner sa noyade.

Figure 10.1. *Ichtyosaure (source : dessin d'Alexandra Johann)*

Leurs nageoires et leur queue ressemblaient étonnamment à celles d'un poisson. Non pas celles de leur ancêtre sarcoptérygien, piètre nageur, mais celles d'un poisson moderne actinoptérygien. Cet exemple de convergence est tellement frappant qu'il est devenu l'illustration classique de ce phénomène. Mais il ne s'agit bien que d'homologie. La forme des vertèbres de la queue en est une preuve, les dernières se recourbant vers le bas pour longer son bord inférieur au lieu de se prolonger symétriquement par rapport aux deux bords. D'autre part, les quatre nageoires latérales sont un peu moins semblables à celles d'un poisson que la nageoire dorsale et la queue. La raison en est que n'importe quoi ne peut pas donner n'importe quoi. Pour être plus clair, et comme nous l'avons déjà vu, les modifications anatomiques sont prisonnières de la morphologie de l'ancêtre. N'oublions pas, la nature ne peut que « bricoler » à partir de ce qui existe. Aussi ces nageoires sont dotées des os des membres de leurs ancêtres reptiles, les mêmes que ceux que nous avons également dans nos bras et nos jambes, apportant des contraintes qui limitaient le rapprochement avec les nageoires de poissons actinoptérygiens qui, rappelons-nous (chapitre 5), sont soutenues par de simples rayons cartilagineux ou osseux. En revanche, de telles contraintes n'existaient pas pour le développement de la nageoire dorsale, structure « molle » sans soutien particulier. Dépourvue d'os, cette dernière ne pouvait être retrouvée avec les restes fossiles, mais on en possède d'excellents moulages dans des dépôts riches en huiles organiques et en bitume des environs de Stuttgart en Allemagne. On a pu de même connaître la forme de la queue, de grandes dimensions, dont nous avons vu qu'elle était supportée par des vertèbres caudales situées le long de sa partie inférieure et non en sa partie médiane.

On a longtemps cru que les ichtyosaures avaient disparu en même temps que les plésiosaures et les dinosaures. En fait, c'est bien antérieurement que les sédiments paraissent ne plus receler de fossiles de ces extraordinaires lézards-poissons, suggérant une extinction plus ancienne. Mais alors pourquoi ? Le mystère reste entier. Restons sur cette interrogation pour remonter à la surface des océans et nous lancer dans les airs.

10.2. La première conquête des airs

Diapsides archosauriens comme les dinosaures et les crocodiliens, les ptérosaures apparaissent au Trias supérieur pour se développer au Jurassique. Les plus anciens, trouvés en Italie, avaient une envergure de 1 m, avec une longue queue caractéristique de ces premiers ptérosaures ; ils se nourrissaient de poissons, plongeant probablement comme nos mouettes pour les saisir dans leur gueule ou les attrapant dans leurs griffes comme l'aigle pêcheur.

D'autres ont ensuite été trouvés dans des terrains du Jurassique, dans des endroits aussi variés que l'Inde, les États-Unis, l'Angleterre ou l'Allemagne, au même endroit que les moulages de corps d'ichthyosaures dont nous avons parlé, ainsi qu'en Bavière sur le même site de Solnhofen qu'*Archœopteryx*. Ce dernier site est particulièrement riche, avec des centaines d'animaux représentant de nombreuses espèces. Ils étaient plutôt d'assez petite taille et conservaient la longue queue de leurs ancêtres du Trias. Les moulages autour des os ont révélé l'existence chez certaines espèces d'une poche analogue à celle des pélicans. D'autres possédaient des mâchoires qui font penser à une nourriture faite d'insectes capturés en vol (beaucoup d'insectes, libellules, guêpes et autres ont d'ailleurs été trouvés dans les mêmes sédiments).

Figure 10.2. *Ptérosaure (source : dessin d'Alexandra Johann)*

Ces premiers ptérosaures ont disparu au cours du Jurassique, après avoir donné naissance à un nouveau groupe, les ptérodactiloïdes, à la queue courte et au cou allongé. Au Crétacé, ceux-ci devinrent de plus en plus grands, en même temps qu'ils perdaient peu à peu leurs dents. L'augmentation de leur taille s'accompagna d'une diminution de leur poids par l'apparition de vertèbres et d'os des ailes creux. À la fin du Crétacé, l'envergure de certaines espèces atteignait plusieurs mètres, avec une énorme tête et un corps minuscule en proportion. Les plus grands ont été trouvés aussi bien au Texas qu'en Transylvanie (Roumanie). Les squelettes étaient très incomplets, du fait de la fragilité des os creux, mais on a pu estimer leur envergure à plus de 10 m : de véritables planeurs !

Les ptérosaures ont été les premiers vertébrés volants (sauf si l'on prend en compte l'ancien planeur Diapside *Coelurosauravus*), précédant les oiseaux et les mammifères ailés. Mais cette convergence entre animaux de souches totalement étrangères a fait appel à des constructions très différentes. Chez les ptérosaures, l'aile était une membrane tendue entre les os du bras et du poignet et ceux du quatrième doigt, très allongé, alors que chez les chauves-souris, les ailes s'étendent entre les mains, les pattes et parfois la queue chez certaines espèces, et que pour les oiseaux elles sont une simple transformation des membres antérieurs.

Dernière donnée, particulièrement intéressante : quelques moulages ayant conservé l'empreinte du corps de ptérosaures ont révélé qu'ils étaient couverts de poils. Le premier a été découvert en 1971 au Kazakhstan. Il était de petite taille, l'équivalent d'un corbeau, mais d'autres étaient encore plus petits. Ainsi, un squelette de *Pterodactylus elegans*, trouvé dans la pierre de Solnhofen, avait la taille d'un moineau. La plupart des spécialistes s'accordent pour dire que l'existence de poils (comme de plumes) est une caractéristique d'un animal endotherme. Cette endothermie paraît ici assez logique, vu l'énergie nécessaire pour voler sur de longues durées, ce qui était certainement le cas de ceux dont on pense qu'ils se nourrissaient de poissons capturés en piqué ou d'insectes gobés en vol. Cela fait remonter ce caractère très loin dans le temps, rendant plausible l'hypothèse de la même endothermie chez les dinosaures, au moins pour certaines espèces plus ou moins tardives.

Ces animaux volants ont disparu dans le même cataclysme que les dinosaures, il y a 65 Ma, abandonnant le ciel aux oiseaux en même temps que leurs cousins terrestres cédaient la place aux mammifères. Mais d'autres cousins allaient peupler durablement, jusqu'à nos jours, les eaux douces et certains rivages marins.

10.3. Les crocodiliens

Nous avons vu plus haut leur origine : ils sont l'une des trois principales branches d'Archosaures, les deux autres étant celles des dinosaures et des ptérosaures (chapitre 8). On trouve les premiers fossiles au Jurassique inférieur, voire au Trias supérieur où des formes voisines plus ou moins apparentées existaient déjà. Traditionnellement, les crocodiliens étaient répartis en trois groupes supposés successifs dans le temps, les Protosuchiens au Trias et au Jurassique inférieur, les Mesosuchiens au Jurassique et au Crétacé et les Eusuchiens à partir du Crétacé supérieur, présentant un type moderne. Ce classement était fondé sur des traits évolutifs, en particulier le recul progressif vers l'arrière du palais et des narines internes, ou choanes. Cela correspondait à la vision traditionnelle de l'évolution, avec un progrès continu vers des formes de mieux en mieux adaptées à leur type de vie, ici un mode semi-aquatique.

Reprenant le matériel fossile, on a vu que les choses n'étaient pas aussi simples. En réalité, les crocodiles, comme bien d'autres, ont connu une évolution en buisson. Si les Protosuchiens sont bien les premiers, les Mesosuchiens et les Eusuchiens forment en réalité un groupe d'espèces entre lesquelles il n'existe pas de relations en ligne droite d'ancêtres à descendants, avec l'apparition de caractères nouveaux sans filiations aussi claires qu'on le pensait antérieurement. L'origine des crocodiliens est à rechercher dans un ensemble de groupes formant le clade des Crocodylomorphes (le substantif « clade » désigne tout groupement d'espèces apparentées). Un de ces groupes va tendre vers une morphologie proche de celle des dinosaures Théropodes en s'essayant à la bipédie. Un autre va donner les Protosuchiens, dont le plus connu est *Protosuchus*, animal d'environ 1 m de long, dont les membres postérieurs étaient hauts, avec des pattes avant plus petites, souvenir d'un ancêtre également bipède.

Un autre va évoluer vers l'ensemble des Mesoeucrocodiliens ; ces derniers rassemblent les Mesosuchiens et Eusuchiens, ainsi que deux autres groupes montrant des caractères particuliers, les Sebecosuchiens et les Thalattosuchiens.

Les Sebecosuchiens étaient des prédateurs terrestres, avec un crâne étroit et relevé et des dents tranchantes adaptées à ce régime. Les Thalattosuchiens étaient beaucoup plus originaux, retournant vers la mer des origines en évoluant vers une morphologie parfaitement adaptée à ce nouveau mode d'existence. Ils avaient un museau très allongé, typique des crocodiliens se nourrissant de poissons, et des membres adaptés à la nage. Chez certains, les pattes étaient de véritables pagaies et la queue était très large, avec des mouvements ondulatoires latéraux comme chez les poissons. On trouve là une extraordinaire convergence avec les ichthyosaures, poussée même à l'extrême puisque, là aussi, les dernières vertèbres de la queue se recourbaient vers le bas pour longer son bord inférieur. De même les pattes antérieures avaient adopté la morphologie classique que l'on trouve chez tous les tétrapodes qui ont regagné le milieu marin, avec le radius et le cubitus qui deviennent des os courts et plats, forme qu'adoptent également les os carpiens, le tout formant une palette natatoire ; cela étant gouverné chaque fois par les mêmes mécanismes génétiques dans le développement de l'embryon.

On a répertorié environ 15 genres différents de crocodiliens entre le Jurassique et le Crétacé. Si beaucoup étaient devenus aquatiques, certains continuèrent à vivre sur la terre ferme, adoptant parfois des évolutions qui les rapprochaient des reptiles mammaliens, en particulier des dents différenciées. Ces dernières convergences avec les reptiles mammaliens font de l'ensemble des crocodylomorphes une lignée qui s'est essayée à des expériences très diverses dont il est fascinant de voir que nombre d'entre elles sont parallèles à ce que l'on connaît à la fois chez les dinosaures, diapsides eux aussi, et chez les reptiles mammaliens, synapsides quant à eux. Des environnements semblables ont ainsi guidé des expériences évolutives proches et ce n'est que le hasard d'autres mutations différenciées, conjuguées à d'autres pressions évolutives elles-mêmes aléatoires, qui a fait bifurquer en définitive les destinées de toutes ces créatures vers des crocodiles, des oiseaux et des mammifères.

Les Eusuchia (les « vrais crocodiles ») apparaissent à la fin du Crétacé. S'écartant de plus en plus de leurs ancêtres, ils ressemblent déjà beaucoup à leurs descendants modernes. Fossiles ou actuels, ils se divisent en trois familles. La première, les Alligatoridés, rassemble les alligators et les caïmans qui ont en commun (entre autres) une quatrième dent de la mâchoire supérieure très développée mais non visible lorsque celle-ci est fermée. La deuxième, les Crocodilidés, se distingue en particulier de la précédente par cette même quatrième dent qui, chez eux, est visible à l'extérieur lorsque la mâchoire est fermée. Ces deux familles existaient déjà à la fin du Crétacé, avec un nombre d'espèces beaucoup plus important qu'actuellement. La dernière, les Gavialidés, se caractérise surtout par un museau très allongé, avec chez les mâles une bosse à son extrémité.

Les espèces actuelles ne sont qu'au nombre de 22. Leur anatomie tant interne qu'externe est très caractéristique par rapport aux autres reptiles. Elles ont en commun en particulier un cœur à 4 cavités, ce qui suffit à les distinguer. Nous avons vu que ces reptiles peuvent marcher avec une posture semi-érigée. Mais les jeunes, pour fuir, peuvent se redresser totalement sur leurs pattes et véritablement galoper, certains pouvant même grimper aux arbres ! Cette aptitude à se redresser est probablement un héritage, perdu à l'âge adulte, de leurs lointains ancêtres terrestres, le retour des membres à une posture semi-érigée résultant d'une adaptation des articulations à la vie aquatique.

Les crocodiles sont répartis sur l'ensemble des zones intertropicales. Les gavials sont les plus spécialisés dans la vie aquatique, se nourrissant de poissons. On ne les trouve que dans le Gange. Les alligators (Floride et Chine) se sont adaptés à un climat plus froid, dont ils se protègent en dormant au fond de l'eau, limitant alors leur métabolisme afin d'économiser l'oxygène. Les crocodiles marins peuplent de nombreux rivages d'Asie ; les autres espèces vivent en eau douce sur tous les continents, en y ajoutant des îles comme l'Australie, Madagascar, Cuba. Les dents de chaque espèce sont bien adaptées à son régime alimentaire, et l'on constate que le museau est nettement plus allongé chez celles dont la nourriture est surtout composée de poissons. Une espèce d'Afrique centrale et occidentale est dotée d'un museau particulièrement court, mais avec une force de fermeture des mâchoires extrêmement grande, ce qui s'explique par sa nourriture à base de coquillages : n'ayant pas de couteaux à huîtres, ces crocodiles se débrouillent autrement, en brisant les coquilles.

10.4. Les Lépidosauriens

Avec les Lépidosauriens, nous arrivons au dernier groupe de diapsides qui ont donné, à l'époque moderne, les serpents et les lézards, plus le tuatara de Nouvelle-Zélande (déjà évoqué au chapitre 8).

Les sphénodontes, ancêtres du tuatara, sont connus depuis le Trias en Grande-Bretagne, divisés en plusieurs genres de tailles comprises entre 15 et 35 cm. Cela montre qu'ils peuplaient de nombreuses contrées avant de quasiment disparaître. Leurs différences de morphologie (certains vivaient dans l'eau, d'autres ressemblaient à des serpents, avec des membres très réduits) et leurs alimentations diverses (surtout insectivores et végétariennes) montrent des modes de vie très variés qui rendent énigmatique leur extinction presque totale.

Les lézards et les serpents ont eu un avenir plus radieux. Ils forment l'ordre des Squamates, qui partagent un certain nombre de caractères. Les sphénodontes datant du Trias et formant une branche différente de celle des lézards et des serpents, ces derniers sont au moins aussi âgés. Mais ce n'est que plus tard, au milieu du Jurassique, que l'on trouve des restes de lézards identifiés sans ambiguïté.

Lézards et serpents partagent des traits qui les distinguent nettement des sphénodontes, en particulier une grande mobilité des os du crâne, par un extraordinaire jeu de charnières. Pour les lézards, quatre points d'articulation au-dessus du crâne leur permettent d'ouvrir la gueule en conservant le parallélisme entre les deux mâchoires, en même temps qu'un des muscles renforce la pression lors de la saisie d'une proie. Le crâne des serpents possède encore plus d'articulations qui leur permettent de saisir et d'avaler des proies entières beaucoup plus larges que leur gueule.

Les Squamates sont, suivant les espèces, ovipares ou vivipares. Ils se divisent en 6 groupes. Cinq sont rassemblés sous le nom de lézards, sans relations de parenté évidentes entre eux, le sixième regroupant les serpents. Ces derniers sont certainement issus de lézards primitifs, mais les fossiles sont insuffisants pour reconstituer les lignages. Une particularité originale des Squamates est d'être dotés d'une langue fourchue (évidemment, un tel caractère n'est connu que pour les espèces actuelles) qu'ils utilisent pour sentir, en quelque sorte flairer : ils la tirent fréquemment pour ramener des particules jusqu'à un organe interne, appelé organe de Jacobson, qui joue un rôle équivalent à celui de l'odorat.

On trouve de nombreuses espèces de lézards (on en connaît près de 4 000) un peu partout. Beaucoup sont insectivores comme le lézard de muraille et le lézard vert de nos contrées, certains sont carnivores comme l'impressionnant varan de Komodo qui peut atteindre 3 m de long et n'hésite pas à s'attaquer à des porcs sauvages ou des chevreuils (les Komodo font partie des îles de la Sonde, à l'est de l'Indonésie). Citons comme autres lézards aux caractères originaux le caméléon, proche de l'iguane, bien connu pour sa faculté d'adapter son coloris à l'environnement et sa possibilité de mouvoir ses deux yeux indépendamment, et le gecko, qui peut grimper aux murs et s'agripper aux plafonds grâce à une multitude de poils extrêmement fins ; chaque poil est lui-même subdivisé en brins encore plus fins qui adhèrent aux parois par simple attraction intermoléculaire. Quant aux iguanes, ils existent en de nombreux endroits, mais les plus célèbres sont ceux des îles Galapagos, où ils se divisent en deux espèces. L'une est terrestre, avec un régime plus ou moins omnivore, se nourrissant de plantes mais aussi de placenta d'otarie ; l'autre est marine, se chauffant longuement au Soleil avant de plonger pour détacher des rochers les plantes aquatiques dont elle se nourrit.

Figure 10.3. *Caméléon (source : photographie de l'auteur)*

Il existe des lézards sans pattes, comme l'orvet. Il est souvent confondu avec un serpent, mais c'est bien un lézard. À l'inverse, il reste des vestiges de leurs anciennes pattes chez quelques serpents comme le boa, au niveau des membres postérieurs. L'adaptation du corps à cette nouvelle morphologie s'est faite en multipliant le nombre des vertèbres (entre 120 et 500). On a répertorié environ 2 500 espèces de serpents. Beaucoup sont venimeux, plantant dans leur proie leurs crochets situés à l'avant de la bouche ; les plus grands comme le *Boa constrictor* ou l'anaconda, qui mesure jusqu'à 9 m de long, étouffent leurs victimes dans leurs anneaux.

10.5. L'extinction Crétacé-Tertiaire

Et maintenant, place à un scénario de film catastrophe ! Il y a 65 millions d'années, une nouvelle étoile naissait au milieu des constellations. Grossissant de nuit en nuit, ce point lumineux finissait par dépasser le diamètre de la Lune, avant d'envahir le ciel entier et de s'écraser sur le sol dans une lumière d'apocalypse. La tempête qui s'ensuivait était épouvantable, renversant les arbres, faisant s'envoler les créatures comme des fétus de paille, soulevant sur la mer des vagues énormes qui balayaient l'intérieur des terres sur des kilomètres. Des volcans s'ouvraient, vomissant des fleuves de lave et lançant vers le ciel des gerbes de projectiles incandescents. La terre tremblait et se crevassait, ajoutant à l'épouvante qui saisissait les dinosaures et autres êtres vivants. Ceux qui survivaient voyaient, les jours suivants, le ciel s'obscurcir et le Soleil disparaître, le jour laissant la place à une lumière crépusculaire. Peu à peu, la végétation dépérissait et les grands herbivores, faute de nourriture, finissaient par se coucher pour mourir par milliers puis millions. Alors le *Velociraptor* et les autres carnivores, faute de proies à se mettre sous la dent, disparaissaient à leur tour. Ainsi finissait le monde des lézards terribles, après une domination sans partage de 170 millions d'années. Tel est le scénario proposé en 1979 par l'américain Luis Alvarez, prix Nobel de physique, et trois de ses collègues. Certes, il accumule des arguments convaincants, mais est-ce aussi simple ? Avant de nous plonger dans la controverse, regardons quelle a été l'ampleur de cette hécatombe, survenue il y a 65 Ma, qui définit la limite entre les ères Mésozoïque et Cénozoïque, d'où son nom d'extinction Crétacé-Tertiaire (le Crétacé étant la dernière période du Mésozoïque et le Tertiaire la première partie du Cénozoïque), en abrégé l'extinction KT.

Les dinosaures disparaissent des terres, les ptérosaures des cieux et les plésiosaures des mers. En revanche, lézards, serpents, crocodiliens et tortues s'en tirent assez bien, les autres reptiles un peu moins bien, et les amphibiens voient passer l'événement sans dommage. Beaucoup des premiers oiseaux disparaissent, alors que les mammifères placentaires restent peu affectés, contrairement aux marsupiaux qui subissent une véritable hécatombe. Les insectes semblent assez peu touchés. Dans l'eau, les poissons subissent peu de pertes, contrairement aux invertébrés qui connaissent des dégâts sévères : c'est de là que date la disparition des célèbres ammonites (alors que des nautiles survivent, comme l'avaient fait quelques lignées d'ammonites lors des précédentes extinctions). Plusieurs groupes de plancton sont également affectés (causant indirectement la disparition des animaux qui s'en nourrissaient), ainsi que les coraux. Chez les animaux terrestres, les petits s'en tirent beaucoup mieux que les gros. Dans la mer, ce sont plutôt les espèces vivant près de la surface qui disparaissent, et ces animaux marins sont beaucoup plus affectés que ceux qui vivent en eau douce. Au-delà de ce constat grossier, il est impossible de trouver des raisons liées aux modes de vie et à l'environnement pour expliquer la disparition de certains genres et espèces plutôt que d'autres. Tout au plus peut-on dire que les groupes d'animaux occupant de larges domaines écologiques résistent mieux globalement, ce qui paraît logique, la diversité de leurs environnements laissant plus de chance à la survie de quelques-uns.

Autre problème : sur quelle durée s'est faite cette sévère extinction ? Quelques jours, semaines ou mois, ou bien des milliers d'années ? Tous ceux qui se sont essayés à l'exercice y sont allés de leurs arguments pour privilégier une hypothèse, mais rien de convaincant n'est sorti du chapeau de qui que ce soit. C'est que l'on se heurte à deux obstacles. Tout d'abord l'imprécision des mesures de l'âge des couches géologiques renfermant les fossiles ; ensuite, comme toujours, la rareté de ceux-ci. Cela empêche d'affirmer que telle espèce a disparu à partir de telle couche sédimentaire, à tel moment précis. L'idée même de cette extinction plus ou moins brutale a été contestée, au profit d'une disparition progressive des espèces. Dans deux cas au moins, la question fut tranchée en faveur de l'extinction brutale (au moins au sens paléontologique du terme, c'est-à-dire éventuellement sur quelques centaines ou milliers d'années), alors que pendant longtemps la thèse de la disparition progressive avait prévalu. Il s'agit des dinosaures et des ammonites. Un seul moyen permettait d'en avoir le cœur net : multiplier les fouilles. C'est ce qui fut fait, et il s'avéra que, dans les deux cas, l'extinction était bien concomitante de l'impact de la météorite et ne s'était pas étalée sur tout le Crétacé.

Figure 10.4. *Rostres (os internes) de Bélemnites, mollusques contemporains des dinosaures et disparus avec eux (source : photographie de l'auteur)*

La proposition d'Alvarez, avec son côté spectaculaire de science-fiction, a conquis la faveur du public et des journalistes, mais aussi de beaucoup de spécialistes, au point de s'élever au niveau d'un dogme. Mais cela ne doit pas empêcher de rechercher d'autres causes possibles, sans exclure que plusieurs aient contribué ensemble au cataclysme, en augmentant son ampleur. Regardons tout d'abord ce qui a conduit Alvarez à formuler sa proposition, puis recherchons les indices conduisant aux hypothèses concurrentes ou complémentaires. Alvarez et ses collègues découvrirent une teneur anormalement élevée d'iridium à la base d'une couche d'argile correspondant à la limite K/T, en Italie près de Gubbio, dans les Apennins. Une même anomalie fut ensuite relevée en une centaine d'autres endroits de la planète, dont en France au Pays basque, au milieu d'une falaise devenue malheureusement inaccessible récemment à cause d'un éboulement. L'iridium est un métal très rare, très dur, résistant à la corrosion, que l'on trouve en très forte concentration dans les météorites. D'où la conclusion qu'un très gros caillou avait heurté la Terre à cette époque. Nous avons vu (chapitre 7) qu'effectivement, une météorite d'un diamètre d'environ 10 km était tombée à Chixculub dans le Yucatán (Mexique). Il est intéressant de souligner que son cratère n'a été découvert que plus de 10 ans après qu'Alvarez ait fait sa proposition, ce qui donne du poids à celle-ci, aucune météorite n'étant alors candidate pour la conforter.

Un deuxième indice est la présence, au même niveau sédimentaire, de ce que l'on appelle des spinelles nickélifères, petits cristaux qui se forment au moment de la fusion de la surface d'une météorite lorsque celle-ci entre dans l'atmosphère, par effet de la très haute température associée à une forte pression de l'oxygène de l'air. Enfin, on a trouvé des quartz présentant une déformation qui ne se produit qu'à la suite d'une très violente compression, sous l'impact d'une météorite ou sur le site d'une explosion nucléaire. Il est donc avéré qu'un énorme astéroïde a heurté la Terre à la limite Crétacé-Tertiaire. Il a certainement provoqué un cataclysme majeur, mais c'est aller un peu vite en besogne que de conclure que lui seul a suffi à causer une extinction aussi large et massive.

En effet, des phénomènes volcaniques, que nous avons déjà évoqués (chapitre 7), se sont produits à cette même limite Crétacé-Tertiaire, durant plusieurs centaines de milliers d'années. Ils ont provoqué une spectaculaire accumulation de basalte sur le continent indien mais surtout dans l'océan qui le borde, couvrant une surface totale estimée à 3 millions de km^2, sur une épaisseur atteignant par endroits plus de 2 000 m. Il est intéressant de préciser, comme illustration de la dérive des continents, que ces éruptions volcaniques se sont produites alors que l'Inde n'était pas encore collée au continent asiatique, mais formait une île, située à peu près à la latitude de l'île de la Réunion, qui remontait lentement vers l'hémisphère nord.

Les éruptions dont témoignent ces trapps du Deccan ont certainement provoqué des émissions de poussières et de gaz sur une très longue durée, perturbant considérablement le climat par occultation de la lumière du Soleil. De plus, les gaz contenaient certainement du soufre qui s'est transformé en acide sulfurique, provoquant des pluies acides qui ont participé à la mise à mal de la végétation terrestre et des animaux marins. Les avis sont partagés sur l'importance des variations d'ensoleillement et de température provoquées par les poussières en suspension. Mais on a une référence intéressante avec l'éruption qui s'est produite en Islande en 1783. Les coulées de basalte qu'elle a provoquées ont un volume de 12 km^3 seulement (3 ou 400 000 fois moins que les trapps du Deccan) ; cela a pourtant suffi à anéantir le quart de la population et les trois quarts du bétail de l'île. L'hiver suivant a été très froid et il a même été suggéré que le climat exécrable qu'a connu l'Europe entière les années suivantes, avec des étés particulièrement « pourris » empêchant les céréales de mûrir, en était également la conséquence. On peut ainsi être certain que même sans météorite la catastrophe aurait été de grande ampleur. Alors, volcanisme plus météorite ? Probablement, mais peut-être pas uniquement, car si « un malheur ne vient jamais seul », un autre proverbe dit « jamais deux sans trois ».

Nous avons effectivement vu, en recherchant les causes des autres grandes extinctions, l'influence des changements du climat indépendamment de phénomènes météoritiques ou volcaniques. Or cette même époque a connu un refroidissement important. En effet, à la limite Crétacé-Tertiaire, les océans commençaient à s'ouvrir largement, contribuant à installer un climat global moins contrasté que lorsque les continents étaient réunis en un seul bloc. Cette nouvelle disposition des terres modifiait les courants océaniques, faisant remonter vers les tropiques des eaux froides venant de l'Antarctique et provoquant un refroidissement général. De nombreux indices en témoignent, par exemple le remplacement de forêts à essences tropicales par des arbres de régions tempérées, ou la disparition privilégiée des faunes océaniques de climats chauds par rapport à celles qui vivaient dans des eaux plus froides.

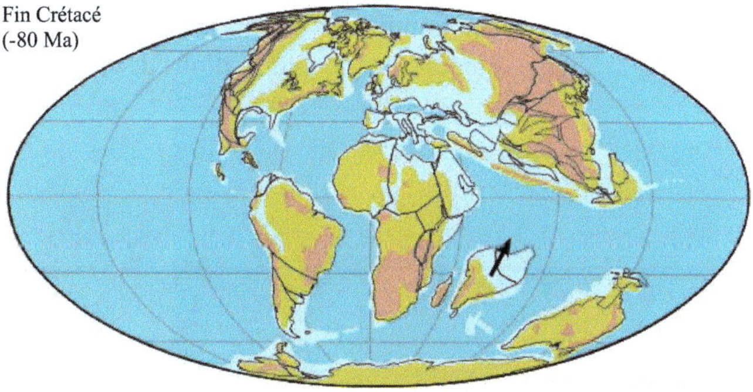

Figure 10.5. *Les terres émergées à la fin du Crétacé. Sur la droite, un peu au-dessous de l'équateur, on peut voir l'Inde, île en train de remonter vers l'Asie (flèche noire) (source : Département Géologie et Génie géologique, Université Laval de Québec, © 2001 C.R. Scotese PALEOMAP Project).*

Ainsi, en résumé, on peut douter qu'un seul phénomène suffise à expliquer l'extinction KT, comme c'était également le cas pour les autres extinctions dont nous avons déjà parlé. C'est plus probablement la conjonction des éruptions volcaniques, de la chute d'une énorme météorite et d'un refroidissement du climat qui ont déstabilisé ou anéanti des pans entiers de la faune (on y ajoute même l'éventualité d'une forte régression des océans qui aurait radicalement transformé les cadres de vie). Cela étant, pourquoi telle famille ou espèce plutôt qu'une autre, comme nous nous le sommes déjà demandé ? Il est à l'heure actuelle impossible de le dire, et il est probable que nous ne le saurons jamais. Tout au plus, comme nous l'avons vu, les groupes bénéficiant d'une grande capacité adaptative, soit parce que leurs familles étaient largement répandues dans des régions différentes, soit parce qu'ils avaient acquis par sélection un large spectre de résistance à des conditions environnementales variées, s'en sont mieux tirés globalement.

Même si l'on se concentre sur le seul cas des dinosaures, particulièrement spectaculaire, on peut faire des suppositions plus ou moins plausibles, mais rien de véritablement convaincant n'a jusqu'à présent été proposé. Peut-être ces animaux, malgré l'apparence d'une réussite attestée par la durée de leur existence et leur répartition sur presque toute la Terre, avaient-ils une fragilité due à une spécialisation trop grande. Ils étaient parfaitement adaptés à un type de climat et d'environnement resté remarquablement constant sur les 170 Ma de leur parcours, mais sans doute le changement brutal amené par la série de bouleversements que nous avons décrits ne leur a pas laissé le temps de s'adapter, en particulier dans leur nourriture (pour les herbivores) et les évolutions de température. Pour que leur extinction ait été aussi radicale, alors que les continents sur lesquels ils vivaient étaient déjà largement séparés et leurs conditions de vie diversifiées, il faut bien que quelque chose comme une impossibilité à s'adapter à des conditions de vie différentes ait joué. Mais ils vont laisser la place à de dignes successeurs que nous allons découvrir maintenant.

Chapitre 11

La colonisation du monde par les mammifères

11.1. La différenciation des premiers mammifères

Nous avons déjà entraperçu les premiers mammifères, pointant leur museau moustachu à la suite de leurs ancêtres cynodontes. C'était il y bien longtemps, à peu près en même temps que l'apparition des premiers dinosaures, il y a plus de 200 millions d'années. C'est dire que si nous avions voulu suivre l'évolution des tétrapodes de façon chronologique, il aurait fallu décrire en parallèle la radiation des dinosaures et celle des mammifères. Nous avons préféré donner la préséance aux seigneurs du Mésozoïque, mais cela ne doit pas faire perdre de vue qu'alors que certains diapsides, aux deux fenêtres temporales, se transformaient en dinosaures, en parallèle certains synapsides, à la fenêtre temporale unique, devenaient des cynodontes, encore reptiles comme les dinosaures, mais dont quelques-uns, rares rescapés de l'extinction de la fin du Trias, allaient évoluer vers ce que l'on appelle les mammifères. Rappelons brièvement ce qu'étaient les cynodontes et leur transition vers les premiers mammifères, avant de nous interroger sur ce qui caractérise sans ambiguïté ces derniers et de voir comment ils ont commencé à se diversifier, en soulignant combien l'image de mammifères successeurs voire descendants de dinosaures est trompeuse. Leurs histoires sont imbriquées mais totalement indépendantes, et non seulement les mammifères ne succèdent pas aux dinosaures, mais ils précèdent de 60 Ma l'apparition des oiseaux, eux-mêmes contemporains et descendants de dinosaures.

Maintenant, remontons jusqu'aux premiers reptiles. Rappelons-nous (chapitre 6) : ils se sont divisés, dès la fin du Carbonifère (– 300 Ma) puis au Permien, en trois groupes principaux, les anapsides, les diapsides et les synapsides. Les principaux synapsides du Permien sont les Pélycosauriens, qui se diversifient largement avant de disparaître avant la fin du Permien. Certains ont eu le temps de se transformer en thérapsides, qui s'en distinguent par plusieurs traits comme l'agrandissement de la fenêtre temporale, la différenciation dentaire, un début d'évolution de l'articulation entre le crâne et la mandibule et une transformation des articulations de l'épaule et du bassin qui améliore la locomotion. Puis une branche de thérapsides carnivores évolue profondément pour devenir les cynodontes dont nous avons parlé au chapitre 8. Leurs fosses temporales deviennent de plus en plus grandes, ils possèdent un palais secondaire osseux qui sépare totalement la fosse nasale de la cavité buccale (permettant ainsi de respirer et de mâcher en même temps, faculté perdue beaucoup plus tard par *Homo sapiens* qui a acquis la parole en compensation), l'os dentaire prend une place prépondérante dans la mâchoire inférieure et les dents sont très nettement différenciées, selon un schéma qui a perduré chez les mammifères et dont nous avons hérité. Les derniers représentants de cette lignée semblent se raréfier, si l'on en croit les fossiles mis à jour, en diminuant de taille et se spécialisant en petits animaux carnivores ou végétariens, ces derniers voyant la jonction des fosses temporales et des orbites. Il est pour le moment impossible de savoir, faute de fossiles intermédiaires suffisants, lesquels des cynodontes sont devenus des mammifères. Mais, au fait, où se trouve la frontière entre cynodontes et mammifères ?

Cette question n'est pas simple. En effet, tout le monde sait, aujourd'hui, distinguer un mammifère d'un autre vertébré. Il est couvert de poils isolants, impliquant une régulation thermique autonome, et surtout la femelle allaite ses petits grâce à des mamelles (du moins dans les deux groupes principaux, les placentaires et les marsupiaux) qui ont donné leur nom à sa classe. Mais, à part quelques traces de poils sur des moulages sédimentaires, il ne reste rien des parties molles dans les fossiles. Si, comme toujours, il n'existe pas de consensus absolu, il est généralement admis de placer dans la classe des mammifères tout vertébré dont la mâchoire inférieure et l'appareil auditif présentent les caractéristiques dont nous avons parlé précédemment (chapitre 8), avec le déplacement spectaculaire de l'articulation de cette mâchoire et la création de la chaîne des osselets de l'oreille moyenne.

On possède des crânes de cynodontes ayant presque atteint le stade de la double articulation, ainsi que des crânes de (presque) mammifères ayant encore cette double articulation, avec encore un seul osselet pour l'audition, le stapes. Ces derniers appartiennent à la famille des Morganucodontidés qui se sont répandus à peu près dans le monde entier. Des fossiles extrêmement bien conservés de *Morganucodon* permettent de le décrire avec une grande précision. De très petite taille, il ressemblait à une musaraigne ; il possédait un crâne typiquement mammifère, si ce n'était cette double articulation mandibulaire qui le fait généralement ranger prudemment dans le groupe plus large des mammaliformes, pour ne pas lui donner le nom de mammifère.

Si l'on possède bien la preuve de la transformation progressive de l'ensemble mandibule-oreille moyenne, grâce aux fossiles tant cynodontes que mammaliformes, il reste à en trouver l'explication. Il faut probablement la rechercher dans une double pression de sélection, relevant de la nutrition et de l'audition. Voyons d'abord la nutrition. Les derniers cynodontes, comme les premiers mammifères, étaient certainement des animaux endothermes, comme nous l'avons vu. Ils connaissaient une dépense énergétique importante : forte dépense calorifique due à l'endothermie conjuguée à la petite taille qui augmente, en valeur relative, la déperdition de chaleur par rapport à des animaux plus grands, d'où la nécessité de rechercher et d'absorber une nourriture abondante, ce qui accroît encore les besoins énergétiques. On peut penser que cela n'a pas été étranger à l'accroissement de l'os dentaire au détriment des autres os de la mâchoire inférieure, comme à la diversification des dents, qui amélioraient les performances du système de mastication des aliments.

Pour l'audition, il était certainement avantageux d'avoir un système auditif le plus performant possible, aussi bien pour repérer les proies que pour entendre s'approcher les prédateurs dinosauriens ou autres reptiles. Chez les reptiles en général et les cynodontes en particulier, les os de la mâchoire participaient à la transmission des sons jusqu'à l'oreille. Mais leur taille, leur forme et leur emplacement causaient beaucoup de déperdition à la fois en intensité et en gamme de fréquences. Leur miniaturisation, puis leur libération de la fonction articulaire, augmentèrent cette performance jusqu'à doter les mammifères de l'ouïe que nous leur connaissons. Tout cela s'est accompagné d'une augmentation du volume du cerveau qui logeait le centre de réception et de traitement des sons. L'étude du développement de l'embryon de la sarigue moderne, marsupial américain, montre cette évolution parallèle du cerveau et de l'appareil auditif, en accéléré, selon le principe de Haeckel déjà évoqué (« l'ontogenèse récapitule la phylogenèse »).

Un autre critère permettant de séparer cynodontes et mammifères est celui de la dentition. Aujourd'hui, seuls les mammifères ont la caractéristique de développer des dents de lait avant la dentition définitive. Incisives, canines et prémolaires poussent une première fois, puis elles tombent pour être remplacées par une seconde série, en même temps que sortent les molaires. C'était déjà le cas lors de l'émergence des premiers mammifères : dans les fossiles de jeunes, il y a toujours coïncidence entre la présence de dents de lait et les autres caractères prouvant qu'il s'agit de mammifères.

Voyons maintenant comment les mammifères se sont diversifiés. Aujourd'hui, ils se partagent en placentaires, marsupiaux et monotrèmes. Les placentaires sont de loin les plus nombreux, présents dans le monde entier. Leurs femelles portent des petits qui se nourrissent avant leur naissance grâce à un organe spécialisé attaché à la paroi de l'utérus, le placenta (rappelons que le placenta est de la même origine que les membranes des œufs amniotes des reptiles, oiseaux et mammifères monotrèmes). Chez les marsupiaux, limités aujourd'hui à l'Australie, la Tasmanie, la Nouvelle-Guinée et un peu aux Amériques, il existe également un placenta, mais sur une courte durée ; les petits naissent prématurés et terminent leur développement embryonnaire dans une poche, située sur le ventre de la mère, qu'ils gagnent en s'accrochant à sa fourrure. Enfin, les monotrèmes, limités à deux espèces vivant en Australie, en Tasmanie et en Nouvelle-Guinée, pondent des œufs, comme leurs ancêtres reptiliens.

Si les marsupiaux étaient connus depuis l'exploration des Amériques et de l'Australie, les monotrèmes durent attendre la toute fin du XVIIIe siècle pour que l'Europe les découvre. C'est en effet en 1798 que le zoologiste britannique George Shaw reçut d'un colonel australien la dépouille d'un étrange animal, une véritable chimère. Couvert de poils comme un mammifère, le corps et la queue aplatis, il avait les pieds palmés, ce qui n'était pas encore trop extraordinaire, mais surtout il était pourvu d'un bec de canard en guise de museau. Ce ne pouvait être qu'un canular, et d'un vigoureux coup de scalpel notre distingué zoologiste entreprit de détacher cet appendice superflu. Mais il dut se rendre à l'évidence : la chose tenait fermement au reste de la tête et – *my goodness* ! – faisait bien partie de l'animal. Celui-ci, étant mort, ne fut pas affecté par cette malheureuse entaille, mais il en porte la cicatrice pour l'éternité.

Cela étant, plusieurs questions se posaient : que faire de lui, où le classer ? Il fut tour à tour réputé mammifère proche des marsupiaux, forme intermédiaire entre les mammifères et les oiseaux, puis finalement affublé d'un grand point d'interrogation avant que l'on ne le classe définitivement parmi les mammifères. Il faut dire qu'il accumule les bizarreries, puisqu'en plus du « bec » et de la ponte d'œufs, il possède un appareil urogénital semblable à celui des oiseaux, un cloaque, orifice unique. De plus, la femelle n'a pas de mamelles : les petits se nourrissent en léchant le lait qui suinte de la peau du ventre de leur mère. Ce lait a une particularité : il contient une protéine antimicrobienne qui permet aux petits de boire un lait sain. Chez les autres mammifères, dont les femelles sont dotées de mamelles protégeant ce liquide, cette protéine n'existe pas (ou n'existe plus : vu la diversité des mamelles selon les espèces, on peut présumer que les premières femelles mammifères n'en possédaient pas et que le lait suintait également directement de la peau comme chez les monotrèmes actuels). Enfin, si cet animal est endotherme, la régulation de sa température n'est pas complète : plus basse que chez les autres mammifères, elle n'est pas parfaitement constante.

Mesurant environ 50 cm (queue comprise), cet étrange animal, baptisé ornithorynque, se nourrit d'écrevisses et autres crustacés aquatiques. Il vit uniquement en

Australie et en Tasmanie, dans les rivières et les étangs. Ajoutons que son « bec » n'est pas semblable à celui d'un oiseau (bien qu'ayant donné son nom à l'animal : ornithorynque signifie « museau d'oiseau ») : il est mou et doté de milliers de récepteurs, sensibles aux variations du champ électrique extérieur, qui l'aident à trouver ses proies et à éviter les obstacles. De plus, contrairement aux autres mammifères, l'ornithorynque n'a pas de dents. Mais il en a eu aux origines : les premiers monotrèmes fossiles en étaient pourvus, et l'on en trouve des vestiges chez les jeunes, disparaissant à l'âge adulte. Ajoutons pour finir que s'il est à peu près certain que les monotrèmes sont originaires de l'Australie, ils ont connu une certaine radiation hors de ce territoire, jusqu'en Amérique du Sud où l'on en a retrouvé quelques restes.

Figure 11.1. *Ornithorynque (source : photographie de l'auteur)*

L'ornithorynque a un cousin, l'échidné, qui vit sur la terre et non dans l'eau, est couvert de piquants (comme son nom le suggère) mélangés à des poils rêches et fait des fourmis et des termites sa subsistance. Il possède à la place du bec une sorte de trompe rigide, semblable à un tuyau. Découvert seulement 80 ans plus tard, il vit également en Australie et en Tasmanie, mais aussi en Nouvelle-Guinée. La régulation thermique imparfaite et l'absence de mamelles chez les monotrèmes suggèrent un détachement plus ancien de la branche commune que les autres mammifères.

La recherche vigoureuse de fossiles dans le monde entier, en particulier ces dernières années, permet maintenant d'y voir à peu près clair dans l'apparition et les premières radiations des mammifères, encore que bien des zones d'ombre subsistent.

On a pu, en premier lieu, ajouter aux placentaires, marsupiaux et monotrèmes une autre sous-classe, celle des multituberculés aujourd'hui éteints. Leur nom provient de la surface de leurs molaires, dotée de nombreux tubercules aplatis. La plupart étaient omnivores et vivaient dans les arbres, comme l'atteste l'articulation de leur cheville qui permet un retournement complet du pied vers l'arrière. Ce sont les plus anciens mammifères connus, remontant au Trias supérieur (plus de 200 Ma). Franchissant sans problème, comme les placentaires et mieux que les marsupiaux, la grande extinction KT, ils ont disparu au moment de ce que l'on appelle la « Grande Coupure », il y a 34 Ma (nous allons retrouver sans tarder cet épisode). Cela leur fait quand même une durée d'existence de plus de 150 Ma, presque autant que les dinosaures.

Les monotrèmes, marsupiaux et placentaires sont-ils apparus séparément ou bien ces trois sous-classes doivent-elles être rangées dans cet ordre qui marquerait un progrès vers des formes de plus en plus évoluées ? Nous avons déjà parlé des monotrèmes, mais qu'en est-il des marsupiaux et des placentaires ?

Ces deux branches de mammifères possèdent des caractères partagés qui les distinguent des multituberculés et des monotrèmes, en particulier au niveau des dents et des articulations des membres antérieurs, leur permettant des mouvements plus déliés. Mais elles se distinguent l'une de l'autre par plusieurs traits : d'abord le plus évident, un début de vie des petits dans une poche maternelle chez les marsupiaux (du moins pour la plupart d'entre eux, quelques-uns ne possédant qu'un simple repli de la peau, d'autres pas de poche du tout), puis la formule dentaire (nombre supérieur de dents chez les marsupiaux), divers os du crâne différents, l'encéphale moins développé chez les marsupiaux, enfin la présence chez ces derniers d'os épipubiens (prolongements osseux situés sur le bord antérieur du pubis) servant à soutenir la poche et à insérer certains muscles de la cuisse.

D'autre part, les marsupiaux femelles possèdent un double système génital, débouchant sur un double vagin auquel correspond chez le mâle un double pénis (comme chez les monotrèmes et certains reptiles). On peut voir là l'héritage d'ancêtres reptiles, disparu chez les placentaires. En effet, outre la présence de ce même caractère chez les monotrèmes et certains reptiles modernes, il est certain que les femelles d'au moins certains dinosaures possédaient un double oviducte. Une expédition explorant le désert de Gobi découvrit, en 1922, les premiers œufs de dinosaure qui provenaient d'une petite espèce végétarienne, *Protoceratops*. Rassemblés dans un nid, ils étaient accolés par deux, manifestement pondus ensemble. Ajoutons que les oiseaux actuels possèdent également deux oviductes, dont l'un est généralement atrophié.

Ce sont les os épipubiens des marsupiaux qui permirent à Cuvier, en 1805, de faire une démonstration de son immense savoir, à propos d'un fossile qui lui fut soumis après avoir été trouvé dans une carrière de gypse de Montmartre, et dans lequel il reconnut un petit marsupial, au grand étonnement des autres spécialistes. Par chance, le squelette était complet et les deux blocs qui se le partageaient avaient pu être successivement extraits et rassemblés. Cuvier se fonda d'abord sur la dentition et les os de la main du premier bloc pour faire le rapprochement avec l'opossum (ou sarigue), seul représentant moderne des marsupiaux en Amérique, des États-Unis jusqu'au nord de l'Amérique du Sud, à l'exception d'une famille de petits animaux ressemblant un peu à des rats, les cœnolestidés, qui vivent dans la cordillère des Andes. Un fossile de marsupial en Europe ? Impossible ! Devant l'incrédulité générale, Cuvier proposa d'attendre d'avoir extrait du gypse le bassin de l'animal, annonçant que l'on y trouverait des os épipubiens. Ce qui fut le cas, à l'admiration générale.

On a longtemps cru que les marsupiaux étaient apparus avant les placentaires, considérés comme plus évolués ne serait-ce que par leur mode de reproduction et le volume de leur encéphale. Il a été également proposé que les premiers étaient apparus dans les terres australes, les seconds dans les régions septentrionales. Les découvertes successives de fossiles ont quelque peu chamboulé ces schémas. Il semble maintenant que les deux sous-classes ont émergé à peu près en même temps, il y a environ 100 Ma, sans doute en Asie.

Marsupiaux et placentaires seraient donc deux patrons évolutifs issus d'un ancêtre commun, ayant chacun suivi sa destinée. À la réflexion, cela semble plus logique, ne serait-ce que par la convergence des formes de nombreux marsupiaux et placentaires qui fait plus penser à une radiation parallèle qu'à l'éclosion de caractères dérivés chez les placentaires à partir d'un ancêtre marsupial. Il est probable que les nouveau-nés de l'ancêtre commun naissaient très immatures et sans protection particulière, et que ce handicap ait été surmonté suivant deux voies différentes par les marsupiaux avec la poche et par les placentaires avec une naissance plus tardive. Mais au fait, quelle est l'origine du lait dont se nourrissent les jeunes mammifères ?

Le schéma paraît simple et a été proposé par Darwin lui-même dans *L'Origine des espèces* : les nouveau-nés, serrés contre leur mère pour les réchauffer et les protéger, avaient commencé par absorber en les léchant des sécrétions cutanées émises au niveau de son ventre, et peu à peu ce liquide était devenu de plus en plus nourrissant pour évoluer finalement en lait. Plusieurs indices plaident en faveur de cette proposition. Rappelons tout d'abord que, chez les monotrèmes, les femelles n'ont pas de mamelles et leur lait, suintant directement de la peau de leur ventre, est léché par les petits de la même façon. Ensuite, on a observé chez des reptiles mammaliens les restes fossilisés de glandes tégumentaires (c'est-à-dire liées à la peau). D'autre part, les glandes responsables de la production du lait chez tous les mammifères sont très semblables et certainement issues de glandes sudoripares de l'ancêtre commun.

Enfin, et cela Darwin ne pouvait évidemment pas le savoir, l'une des protéines constitutives du lait, l'alpha-lactalbumine, est produite par un gène, propre aux seuls mammifères, qui est la duplication de celui qui fabrique une enzyme du nom de lysozyme. Or, le lysozyme est présent chez de très nombreux vertébrés autres que les mammifères, et même dans des plantes, et l'on peut penser qu'il existait déjà chez les reptiles à l'époque d'apparition des premiers mammifères. Il a des vertus bactéricides et fongicides et on le trouve aussi bien dans les œufs des oiseaux que dans les larmes, la salive et le mucus de l'Homme. C'est d'ailleurs ainsi qu'il fut découvert par Alexander Fleming (en 1922, sept ans avant la pénicilline). Enrhumé, Fleming laissa involontairement tomber une goutte de son nez (que l'on veuille bien excuser ce détail un peu sordide) qui échoua dans une culture de bactéries, lesquelles furent *illico* trucidées et même dissoutes (le lysozyme attaque la paroi des bactéries). Or, la duplication d'un gène est un phénomène très courant dans l'évolution, et l'on imagine très bien la transformation d'une enzyme protégeant les nouveau-nés contre les infections en un véritable aliment.

Voilà donc nos mammifères femelles dotées d'un distributeur automatique de carburant pour leurs petits. Soulignons qu'il s'agit d'un véritable bouleversement qui a influencé de façon majeure la destinée des mammifères et accru leurs possibilités de diversification et de colonisation des espaces disponibles. En premier lieu, les premiers pas des nouveau-nés, puis des jeunes, étaient grandement facilités, avec une nourriture toujours disponible et parfaitement adaptée à leur développement. Ensuite, cela resserra certainement les liens entre la mère et ses petits, amorce d'une vie sociale qui s'est ensuite développée chez de nombreuses espèces. La dentition des jeunes s'est adaptée à ce nouveau mode d'alimentation. Alors que les jeunes reptiles devaient dès leur naissance se nourrir de façon indépendante, et donc être munis dès ce moment de dents en ordre de marche, les jeunes mammifères n'avaient pas un tel besoin et la pousse de leurs dents s'est transformée, avec l'apparition retardée, d'abord de celles de devant (incisives, canines et prémolaires) qui tombaient ensuite pour faire la place à la dentition définitive, puis des molaires qui s'ajoutaient aux autres. Précisons que cela n'est actuellement totalement vrai que pour les placentaires. Nous avons vu que les monotrèmes sont édentés, les amorces de dents des nouveau-nés disparaissant rapidement, alors que chez les marsupiaux les premières incisives et canines ne sont que des sortes de crochets qui permettent au jeune de s'agripper à la tétine. Les prémolaires n'apparaissent que plus tard, une seule étant remplacée alors que les autres ont une pousse unique comme les molaires.

On a retrouvé le mode de pousse des dents actuellement propre aux placentaires chez un fossile de marsupial daté de 80 Ma. À l'inverse, une mine de lignite portugaise, devenue par la suite une mine de fossiles, a livré des mammifères, datés de 150 Ma, qui ont tous un bassin avec des os épipubiens, alors que la mâchoire des individus jeunes porte également une dentition qui correspond au schéma des dents de lait des mammifères placentaires. On peut en déduire que l'existence des os épipubiens et de la dentition de lait du type placentaire était une caractéristique commune à tous les premiers mammifères. Les os épipubiens, conservés chez les marsupiaux qui en ont exploité la présence, ont disparu chez les placentaires qui n'en avaient pas l'usage. En revanche, la dentition de lait des marsupiaux s'est adaptée pour jouer la fonction de crochets à tétine chez les nouveau-nés. Cela conforte l'idée que le mode de reproduction des marsupiaux n'est pas un caractère primitif des mammifères, et que les placentaires ne sont pas les descendants de marsupiaux.

Remarquons que cette erreur initiale dans la succession entre marsupiaux et placentaires vient, encore une fois, de la notion erronée de progrès qui serait consubstantiel à l'évolution. Ce n'est pas parce que l'on estime que le mode de développement des petits est moins élaboré chez les marsupiaux qu'il faut en déduire que ces animaux sont antérieurs aux placentaires. Les mutations génétiques ont mis à la disposition des premiers mammifères deux voies différentes qui ont toutes deux amélioré les chances de survie dans l'environnement de l'époque. Tout au plus peut-on dire que celle des placentaires était plus performante (encore que cela fasse l'objet de débats). Il semble en effet que les marsupiaux n'ont pu se maintenir que dans des territoires où la concurrence avec les placentaires était faible ou inexistante, comme en Australie où ils ont montré une vitalité extraordinaire, avec des formes très diversifiées dont beaucoup ressemblent à celles que l'on rencontre chez les placentaires. C'est probablement tout un ensemble de différences qui a assuré la suprématie des seconds, notamment l'encéphale plus développé.

11.2. La radiation des mammifères jusqu'à la « Grande Coupure »

À la fin du Crétacé, les grandes branches de mammifères sont déjà présentes et prêtes à coloniser la planète. Les terres émergées ont commencé à se séparer pour former d'abord deux grands blocs, au nord la Laurasie (Eurasie et Amérique du Nord), au sud le Gondwana (Amérique du Sud, Afrique et Antarctique), séparés par la mer Tethys. L'Amérique du Nord et l'Asie sont séparées par un archipel européen qui sera alternativement relié ou non à l'Asie et à l'Amérique du Nord suivant les fluctuations du niveau des océans. De même, au sud, l'Afrique et l'Amérique du Sud se sont éloignées l'une de l'autre, séparées par l'océan Atlantique en formation ;

elles vont laisser à l'extrême sud le continent Antarctique, qui va maintenir pendant quelques temps des contacts avec l'Amérique du Sud ; l'Australie prend son autonomie, alors que l'Inde a déjà entamé sa migration vers le nord pour finalement rejoindre l'Asie. Ces mouvements des grandes masses continentales vont bien entendu influer sur la colonisation des terres par les mammifères.

Au début du Tertiaire, les dinosaures ont laissé place nette, alors qu'ils avaient jusqu'à présent maintenu le couvercle de la marmite de l'évolution au-dessus des mammifères (ce qui n'a cependant pas empêché une diversification déjà importante, mais avec des animaux restant de petite taille). Après une certaine période dont la durée est impossible à chiffrer, les pluies acides vont cesser, la poussière retomber, et le Soleil va pouvoir apporter de nouveau sa lumière et sa chaleur à la terre et aux océans ; un nouveau développement des flores et des faunes dans des niches largement vidées par la catastrophe va alors débuter. Ce recommencement va être grandement facilité par l'établissement d'un climat chaud et humide sur l'ensemble de la planète. Un des indices en est la présence d'arbres à feuilles caduques jusque près des pôles. L'absence initiale d'animaux à la dentition d'herbivores va dans le même sens, en suggérant la large prédominance des forêts denses.

Nous avons vu que les multituberculés ont eu le temps de se répandre largement avant la dislocation de la Pangée, continuant leur vie discrète jusqu'à leur disparition à la « Grande Coupure », alors que les monotrèmes, probablement apparus en Australie, vont rester dans cette région après un essai d'implantation en Amérique du Sud.

Périodes	Époques	Âges
Quaternaire	Holocène	0 à – 100 000 ans
	Pléistocène	– 0,1 à – 1,65 Ma
Néogène	Pliocène	– 1,65 à – 3,4 Ma
	Miocène	– 3,4 à – 23,5 Ma
	Oligocène	– 23,5 à – 34 Ma
Paléogène	Éocène	– 34 à – 53 Ma
	Paléocène	– 53 à – 65 Ma

Tableau 11.1. *Le Cénozoïque*

Nous allons maintenant nous focaliser sur les marsupiaux et les placentaires, en suivant tout d'abord leur expansion jusqu'à la « Grande Coupure ». Pour mieux nous repérer, voyons le découpage des époques et périodes depuis le début de l'ère Tertiaire jusqu'aux temps modernes. Ce que l'on appelait précédemment ères Tertiaire et Quaternaire a été regroupé sous le nom de Cénozoïque. Ses deux premières périodes sont le Paléogène, divisé en trois époques, le Paléocène, l'Éocène et l'Oligocène, puis le Néogène constitué du Miocène et du Pliocène. La troisième période coïncide avec l'ancienne ère Quaternaire, avec deux époques, le Pléistocène et l'Holocène réservé aux 100 000 dernières années.

Des marsupiaux anciens ont été trouvés à la fois en Amérique du Nord, en Amérique du Sud et en Europe, sans qu'il soit possible de déterminer avec certitude leur origine (Amérique du Nord ou du Sud, la première étant plus probable si leur premier ancêtre est bien apparu en Asie). Le plus vieux, trouvé au Canada et daté de – 80 Ma, n'est connu que par une partie de son crâne. Leurs descendants américains actuels sont les opossums (ou sarigues), arboricoles, et *Chironectes minimus*, appelé plus simplement loutre marsupiale, du fait de sa vie semi-aquatique, ou yapock, que l'on trouve en Amérique du Sud, en particulier en Guyane. Mais la faune marsupiale sud-américaine a été plus diverse ; citons en particulier *Thylacosmilus*, un félin dont les canines hypertrophiées et recourbées, sortant largement de sa gueule, poussaient tout au long de sa vie, étonnante convergence avec les félins « à dents de sabre », placentaires de diverses espèces trouvés sur tous les continents de l'hémisphère nord.

Les autres groupes, plus tardifs, n'ont été retrouvés qu'en Australie et en Nouvelle-Guinée. L'époque précise et le déroulement de leur diversification restent peu connus, par manque de fossiles. On peut les situer vers le début de l'Éocène. À cette époque, l'Australie s'est définitivement séparée de l'Antarctique et les marsupiaux vont y entamer une radiation très riche. Beaucoup de leurs descendants modernes ont malheureusement disparu du fait de l'Homme. Ainsi, le tigre de Tasmanie, autrement appelé loup marsupial, carnivore ayant peuplé initialement l'Australie, la Tasmanie et la Nouvelle-Guinée, a vu sa population diminuer jusqu'à son extinction dans les années 1930, sans doute victime de la concurrence du dingo, ou *canis familiaris*, descendant probable de chiens domestiques introduits par les aborigènes.

Beaucoup de ces animaux ressemblent (ou ressemblaient) à des mammifères placentaires. En revanche, les kangourous et les wallabies possèdent une morphologie très particulière ; ils forment la famille des macropodidés. Les wallabies sont plus petits que les kangourous. Une de leurs espèces, *wallabia eugenii*, ne mesure que 60 cm, plus une queue de 40 cm. Des kangourous arboricoles vivent en Nouvelle-Guinée. On y trouve aussi d'autres marsupiaux arboricoles, présents également en Australie, aux îles Salomon et jusqu'en Indonésie. Le sympathique koala, avec son allure de nounours, en fait partie. Il constitue un exemple de spécialisation extrême, se nourrissant exclusivement de feuilles d'eucalyptus dont les faibles capacités nutritives l'obligent à en manger de grandes quantités. Citons pour finir les phascolomydés, animaux au corps massif, présents en Australie et en Tasmanie, qui s'abritent dans des terriers ; parmi eux, le wombat mesure près de 1 m, pour un poids proche de 30 kg.

D'autres groupes, aujourd'hui éteints, ont également vécu sur ces terres. On en trouve des fossiles datant d'époques parfois récentes, dont certains de grande taille. Citons *Thylacoleo*, ou lion marsupial, *Diprotodon*, gros herbivore de la taille d'un éléphant, ou encore *Procopton*, kangourou géant. *Thylacoleo*, comme son ancêtre plus petit *Wakaleo*, ont suivi un chemin tortueux pour devenir des carnivores. On constate en effet que ce qui leur tient lieu de canines sont en réalité des incisives transformées : leurs ancêtres étaient des herbivores qui avaient fini par perdre leurs canines. La transformation progressive de leur régime alimentaire nécessitait la possession de dents aptes à déchirer leurs proies. N'ayant plus de canines à leur disposition, ce sont des incisives qui se dévouèrent pour jouer ce rôle, moyennant une modification de forme.

On trouve un phénomène analogue chez le panda, placentaire chinois qui s'est trouvé doté de sixièmes doigts aux pattes avant, avec lesquels il tient les pousses de bambou dont il se nourrit, par l'allongement d'un os de ses poignets et non la réapparition d'un des doigts supplémentaires d'un lointain ancêtre amphibien : un organe perdu à la suite d'une transformation évolutive ne réapparaît jamais ; la probabilité que les mutations génétiques retrouvent le chemin inverse de celui qui l'a fait disparaître est pratiquement nulle.

Pour en terminer avec les géants australiens disparus (mais ici non mammifères), on a également trouvé les ossements d'un impressionnant varan, ainsi que les restes de (prenez votre souffle !) *Montypythonoides riversleighensis*, un énorme serpent (jusqu'à 8 m de long). Son nom lui a été donné en 1985, sans doute par un admirateur des Monty Python et de leur cinéma (« *riversleighensis* » vient simplement de Riversleigh, site du nord de l'Australie d'où ont été exhumés un très grand nombre de fossiles).

Les mammifères placentaires ont envahi tous les continents, contrairement aux marsupiaux qui se sont repliés sur l'Australie (à part les quelques survivants américains). À partir de maintenant, nous allons nous centrer sur eux, d'abord dans leur ensemble, puis en focalisant sur les primates et leur branche bipède. Leur évolution et leur dispersion au Mésozoïque, à l'ombre des dinosaures, avaient été suffisamment importantes pour que leur radiation dès le début du Cénozoïque soit difficile à reconstituer avec précision : il s'est produit une colonisation à partir de foyers multiples, des migrations, des rencontres et des croisements qui forment un enchevêtrement difficile à décrypter. Essayons cependant d'en donner les grandes lignes.

Dès le début du Paléocène, la taille augmente rapidement, mais sans dépasser, au moins sur une bonne partie de cette époque, celle du renard ou du blaireau ; c'est cependant un accroissement déjà notable puisqu'il semble, d'après les fossiles connus, que les mammifères de la limite KT ne dépassaient pas la taille d'une musaraigne (animal encore plus petit que la souris). La densité de la forêt a peut-être freiné au début l'arrivée d'animaux plus grands. Mais l'accroissement de la taille n'est pas une nécessité inscrite à l'avance dans l'évolution. À partir d'un modèle moyen, il naît des descendants au hasard plus petits ou plus grands, les grands n'étant privilégiés par une descendance plus abondante que si ce caractère présente un avantage compétitif.

Certes, si les mammifères du Paléocène avaient déjà des mœurs semblables à beaucoup de ceux d'aujourd'hui, les mâles les plus costauds s'appropriaient majoritairement les femelles et l'espèce pouvait ainsi grandir peu à peu. Mais il existe d'autres caractères propres à l'espèce et à son environnement qui peuvent jouer en sens contraire. Ainsi existait-il en Sicile, jusqu'à l'époque romaine, des éléphants nains. Autre exemple, le daman, mignon petit ongulé africain (que l'on trouve également au Proche-Orient). Il ressemble à une marmotte, dont il a à peu près la corpulence ; mais ses ancêtres étaient aussi gros qu'un sanglier, sans que les raisons de cette diminution de taille soient évidentes. Cela étant, peu à peu, des espèces plus grandes de mammifères sont apparues et se sont diversifiées, avec une forêt qui ne devait pas avoir la même densité partout selon la latitude, l'altitude, la nature du terrain, le régime de pluie influencé par le relief et la position des terres par rapport aux océans.

Les premiers placentaires du Paléocène sont les descendants d'espèces de la fin du Crétacé, essentiellement des ongulés (les ongulés sont les mammifères placentaires à sabots) et de très nombreux insectivores. Ces premiers ongulés, regroupés sous le nom de Condylarthres, adoptent des formes et des modes de vie très variés, herbivores, carnivores ou omnivores, vivant dans les arbres ou à même le sol. On trouve aussi, en Amérique du Nord, les premiers primates, dits plésiadapiformes (on les considère plutôt aujourd'hui comme un groupe frère des primates, et non de véritables primates). Le plus ancien connu est *Purgatorius*, qui doit son nom à la colline du Montana où on l'a exhumé pour la première fois en 1965, qui avait été baptisée « Purgatory Hill » (« la colline du purgatoire ») par les paléontologues à cause de la pénibilité de son exploration. On n'en connaît que les mâchoires et les dents, mais leur forme suffit à identifier son régime alimentaire avec l'abandon des insectes, larves et petits reptiles pour les feuilles et les fruits, et de le classer sinon comme un primate, au moins comme très proche de cet ordre. D'autres petits mammifères sont des mangeurs de fourmis de morphologie curieusement proche de celle des édentés (simple convergence, sans parenté).

Peu à peu, des espèces plus grandes se développent, en premier lieu des herbivores à la morphologie lourde, probablement fouisseurs se nourrissant de tubercules et de racines. De nouveaux carnivores, rassemblés sous le nom de Créodontes, se divisent en plusieurs familles. Ils ne sont pas semblables à ceux d'aujourd'hui et ils ont une dentition moins spécialisée. Ils vont disparaître à l'Éocène, peut-être devenus incapables d'attraper les ongulés devenus plus rapides, ou simplement supplantés par les descendants de l'une de leurs familles, les carnivores véritables. Les premiers, les Miacoïdés, ont acquis une morphologie plus adaptée à la course rapide. Ils se diviseront plus tard en félidés et canidés. Si ces divers mammifères ont été retrouvés en Amérique du Nord, continent grand pourvoyeur de fossiles, l'Asie a livré d'autres types de mammifères placentaires comme les Pantodontes, ressemblant à des hippopotames, ou les Tillodontes aux incisives géantes, assez semblables eux aussi à des hippopotames. Les plus grands d'entre eux étaient les Coryphodons, Pantodontes de 500 kg dont les mâles étaient dotés de défenses géantes. Ils ont migré ensuite, à l'Éocène, en Amérique du Nord et en Europe. On en a retrouvé jusqu'au Canada, sur l'île septentrionale d'Ellesmere qui jouxte le nord du Groenland, très au-dessus du cercle polaire. Nous avons vu qu'il faisait chaud à cette époque ; on peut même affirmer qu'il faisait très chaud, pour retrouver sous de telles latitudes un animal manifestement incapable d'affronter le froid. Avec ces Coryphodons cohabitaient d'autres animaux, des mammifères mais aussi des crocodiles. Et les arbres qui les accompagnaient étaient à feuilles caduques. Cela est d'autant plus remarquable que la Terre était certainement déjà inclinée par rapport au plan de l'écliptique, et que par conséquent l'hiver connaissait une longue période de nuit totale. C'est même plus que remarquable, c'est énigmatique. On imagine mal, si l'on se réfère aux animaux actuels, comment ces mammifères et reptiles pouvaient passer la nuit hivernale. On peut à la rigueur supposer que les mammifères migraient vers le sud en hiver, mais *quid* des crocodiles ?

Il est vrai qu'il existe une autre possibilité, l'hibernation pratiquée par les marmottes ou les ours actuels, et l'on connaît d'autres animaux qui savent également ralentir leur métabolisme pour franchir sans dommage les périodes difficiles. Cette région a d'ailleurs connu d'autres variations importantes du climat, y compris dans les temps modernes : le nom de Groenland, c'est-à-dire « pays vert », donné à cette île par l'Islandais Erik le Rouge lorsqu'il la découvrit en 982, montre qu'elle était alors nettement moins froide qu'actuellement. Comme beaucoup des premiers mammifères, les Coryphodons disparurent au cours de l'Éocène, sans que l'on en connaissance la raison (concurrence d'autres mammifères plus récents ?). Signalons, avant d'en terminer avec le Paléocène, l'entrée en scène d'un autre groupe, les rongeurs. Originaires d'Asie, ils envahissent l'Amérique du Nord à la fin du Paléocène. Promis à un grand succès ultérieur, leur expansion fut déjà suffisamment grande et rapide sur ce continent pour être probablement la cause d'une forte diminution du nombre de multituberculés et de plésiadapiformes.

Si le Paléocène est la première partie des temps nouveaux (du grec *palaios*, ancien, et *kainos*, récent, ici pour « ère récente »), avec une première expansion et un accroissement de taille des mammifères, l'Éocène, « l'aube des temps nouveaux », est l'époque de mise en place d'une grande partie de leurs formes modernes, avec la reconquête des airs, dont avaient disparu les reptiles ptérosaures, par les mammifères chiroptères, et des mers, qui avaient perdu les ichthyosaures et les plésiosaures, par les cétacés et les siréniens. Le climat est devenu dans un premier temps encore plus chaud, ce qui est certainement un facteur important de cette diversification extraordinaire des mammifères qui n'avaient que l'embarras du choix pour leur nourriture.

Si la nourriture végétale était abondante, encore fallait-il pouvoir en profiter. Au Paléocène ont débuté des changements majeurs dans la dentition des mammifères, qui vont conduire à tous les schémas que l'on trouve chez les groupes de l'ensemble du Cénozoïque, disparus ou encore présents. Ce sont essentiellement les ongulés et les rongeurs qui vont en bénéficier en premier. À l'exception des multituberculés, les premiers mammifères avaient des molaires supérieures à trois cuspides seulement, de forme adaptée au percement de la cuticule des insectes et à leur dépeçage. L'ajout, sous diverses formes, d'un quatrième tubercule, va accroître la surface de mastication et ouvrir le champ à une diversification de la nourriture. Ce schéma va peu à peu se sophistiquer et se diversifier, conduisant à des dizaines de formes de dents adaptées aux régimes alimentaires des multiples groupes.

À cela va s'ajouter, dès la fin du Paléocène, le renforcement de ces dents par un épaississement de la couche d'émail qui les recouvre. Cela concerne les grands mammifères, à la recherche d'une nourriture plus abondante, et les rongeurs qui vont sophistiquer ce changement pour se munir d'outils particulièrement adaptés à toute une palette de nourriture, contribuant de façon majeure à faire d'eux le groupe le plus diversifié (près de la moitié des espèces aujourd'hui), formé à la fois d'herbivores et d'omnivores. Dotés de ces nouveaux atouts, profitant d'un climat favorable leur permettant de gagner des zones de haute latitude, les mammifères vont pouvoir se diversifier à la fois dans leur morphologie et dans les territoires qu'ils vont coloniser. En laissant à part l'Amérique du Sud qui va connaître un développement autonome jusqu'à sa jonction avec l'Amérique du Nord et l'Afrique où peu de restes datant de cette époque ont été découverts, on retrouve les mêmes genres à la fois en Asie, en Europe et en Amérique du Nord, sans qu'il soit généralement possible de construire une chronologie et donc un sens de migration. On voit arriver les nouveaux conquérants des airs, les Chiroptères, et ceux des mers, Cétacés et Siréniens, ainsi que les premiers vrais Primates. D'autres ordres vont se créer, mais pour disparaître rapidement, tandis que les mammifères du Paléocène vont pour la plupart être éliminés par la concurrence de formes mieux adaptées à leur environnement. Parcourons l'ensemble des ordres de mammifères, avant de revenir sur certains d'entre eux.

Les ongulés (mammifères à sabots) vont se différencier en plusieurs groupes à partir de leurs précurseurs Condylarthres. Commençons par les Périssodactyles, dont l'ancêtre est *Hyracotherium*, mieux connu sous son ancien nom d'*Eohippus*, cette appellation ayant été abandonnée parce qu'elle laissait à penser que ses descendants étaient les seuls équidés, et non tous les Périssodactyles. On l'a trouvé sur tous les continents de l'hémisphère nord. Il était plutôt petit, de l'ordre de 50 cm de haut. Doté de pattes proportionnellement plus courtes que celles du cheval, avec une tête plus allongée, il avait sous ses membres non pas des sabots mais encore des coussinets. Sa lignée va tout d'abord être très fournie, avant de se limiter plus tard à un très petit nombre de familles. Le nom de Périssodactyle vient de ce que ces animaux ont conservé un nombre impair de doigts à chaque patte. Il existe cependant quelques exceptions à cette imparité ; le tapir possède ainsi trois doigts aux pattes arrière, mais quatre aux pattes avant.

Continuons avec les Artiodactyles, pourvus d'un nombre pair de doigts ; de façon plus précise, le poids se porte de façon égale sur les doigts 3 et 4 (correspondant à nos majeur et annulaire). Chez nos animaux de ferme familiers, l'archétype du Périssodactyle est le cheval ou l'âne, qui n'ont plus qu'un sabot, celui de l'Artiodactyle la vache ou le mouton, avec deux sabots. Le premier Artiodactyle connu est *Diacodexis*, dont la morphologie devait rappeler celle d'un chevreuil. La signature de tous les Artiodactyles est un caractère qu'ils ne partagent avec aucun autre type de mammifères : un astragale à double poulie conférant à l'articulation de la cheville une grande mobilité.

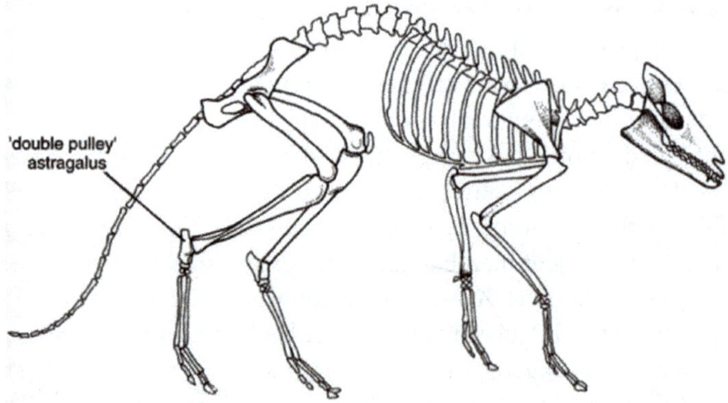

Figure 11.2. *Diacodexis (source :* Vertebrate paleontology. *Blackwell Science, 2000, © M.J. Benton)*

Les autres ongulés sont les Hyracoïdés, qui ne sont plus représentés aujourd'hui que par les damans dont nous avons déjà parlé, les Proboscidiens (dont les seuls représentants actuels sont les éléphants), plus, même si cela peut surprendre, les Cétacés (baleines, dauphins, etc.), les Siréniens (lamantin, vache de mer, etc.), et les ongulés spécifiquement sud-américains. Évidemment, personne n'a rencontré de baleine à sabots, mais on sait que ses ancêtres étaient des ongulés qui se sont peu à peu transformés en changeant complètement de vie. Pour être complet, il faut ajouter à cette liste les Tubulidentés, représentés actuellement par le seul Oryctérope, assez semblable à un fourmilier, qui vit en Afrique aux confins du Sahara.

Les rongeurs (comme la souris) et les lagomorphes (dont le lapin) ont des traits communs qui ont conduit à les regrouper dans le super-ordre des glires, auquel on rattache également les Macroscélidés représentés uniquement par les rats à trompe, petits animaux d'Afrique aux pattes arrière très développées qui leur permettent de sauter. Les rongeurs possèdent deux larges incisives tranchantes à chacune des mâchoires (les autres n'existent plus, tout comme les canines). Ils les utilisent pour ronger par un mouvement d'avant en arrière de la mâchoire inférieure, rendu possible grâce à l'existence d'une sorte de gouttière dans laquelle glisse l'articulation. Les molaires broient ensuite les aliments par le même mouvement avant-arrière. Les lagomorphes s'en distinguent par l'existence d'une deuxième paire d'incisives à la mâchoire supérieure et un mouvement des mâchoires latéral au lieu de longitudinal.

Les mammifères carnivores forment l'ordre des Ferae, regroupant les premiers d'entre eux, les Créodontes disparus au Miocène, et les carnivores que nous connaissons ou qui se sont éteints plus ou moins récemment, comme le célèbre félin à dents de sabre. N'oublions pas de citer dans les carnivores modernes les mammifères marins tels que les phoques, sans parenté proche avec les Cétacés ou les Siréniens.

Les autres ordres sont les insectivores (taupe, musaraigne, hérisson, etc.), les édentés sud-américains (tatous, fourmiliers et paresseux dont une espèce, l'aï, est une aubaine pour les cruciverbistes), plus le super-ordre des Archontes qui regroupe pêle-mêle les Primates, les Dermoptères (lémuriens volants), les Chiroptères (chauves-souris et leurs semblables) et les Scandentiens (le toupaye, petit mammifère des forêts asiatiques que l'on a d'abord rapproché des lagomorphes par ses caractères anatomiques, mais qui paraît plus proche des primates).

Si l'on connaît des fossiles marquant la transition entre des formes du Paléocène et leurs descendants de l'Éocène, il est loin d'en être toujours ainsi, en particulier pour les chauves-souris. Cela nous donne l'occasion, en clôture de ce chapitre, d'évoquer deux mécanismes de l'évolution, proposés tous deux il y a peu d'années, et dont le premier avance une explication à ce qui vient d'être dit. Nous nous sommes déjà heurtés à ce problème : on connaît des ancêtres, on trouve des descendants, mais ces derniers ont généralement des caractéristiques qui les différencient nettement de leurs prédécesseurs, comme si un saut brutal avait fait passer des premiers aux seconds sans ménager de transition.

Ainsi, tout d'un coup, voilà des animaux dotés d'ailes en état de vol, ou d'une dentition singulière, ou encore de nageoires au lieu de pattes. Parfois, on peut compléter quelque peu la transition, mais le plus souvent ce n'est pas le cas. Darwin s'en était inquiété, d'autant que cela alimentait en arguments ceux qui s'opposaient à sa théorie. Il estimait (et c'était tout à fait défendable, surtout à son époque où l'on disposait d'infiniment moins de fossiles que maintenant), que les découvertes à venir permettraient de combler de nombreux vides. Certes, cela a été parfois le cas, comme pour les Cétacés qui étaient l'un des chevaux (si l'on peut dire) de bataille des opposants de son époque, et l'étaient restés pour leurs émules créationnistes d'aujourd'hui, jusqu'à ce que des découvertes récentes ne les fassent taire, au moins sur ce sujet (nous allons en effet voir que l'on a trouvé des « chaînons manquants » permettant de combler un vide effectivement gênant).

Mais le plus souvent, quels que soient les efforts de recherche, on ne retrouvera probablement rien. En effet, apparaît là une théorie qui s'oppose au gradualisme classique. Pour Darwin et ses successeurs, et encore bon nombre de spécialistes actuels, l'évolution d'une espèce se fait par changements lents, graduels (d'où le nom de gradualisme), et cela de deux façons principales.

Soit une partie des membres de cette espèce se trouve séparée de l'autre à cause d'un obstacle naturel qui s'interpose entre les deux groupes. Généralement il s'agira d'un nombre limité d'individus, ce qui favorisera la fixation de mutations favorables. Pour peu que les conditions environnementales divergent d'un groupe à l'autre, le petit groupe devenu autonome va peu à peu se modifier, jusqu'à former une nouvelle espèce. Un cas évident est celui du lion et du tigre : voilà deux animaux qui sont restés partiellement interféconds, pouvant avoir une descendance, mais le produit de l'accouplement, le tigron, ou tiglon (avec un nom unique, quels que soient le mâle et la femelle) est stérile. Il en est de même pour le cheval et l'âne, qui peuvent engendrer des mulets (le mâle étant également appelé bardot lorsqu'il s'agit du produit d'une ânesse et d'un cheval). Nous avons ici deux cas de séparation encore incomplète des deux espèces, alors que la règle générale est l'absence totale d'interfécondité.

Soit il se produit une simple dérive progressive du patrimoine génétique de l'espèce tout entière, éventuellement pour des caractères neutres par rapport à l'environnement (c'est-à-dire n'apportant pas d'avantages par rapport aux non-mutants) qui peuvent se fixer durablement, ou surtout pour des caractères qui apportent un atout aux individus qui les acquièrent, dont la descendance se trouve alors privilégiée.

Mais ces deux types d'explication semblent ne pas fonctionner dans des cas aisément observables comme le sont de nombreux fossiles de planctons ou d'invertébrés marins, par exemple les foraminifères ou les trilobites. En effet, on les trouve dans toutes les couches géologiques, avec des séries chronologiques abondantes, sans ruptures importantes, qui permettent de suivre aisément les transformations de ces espèces.

S'appuyant sur l'observation de l'évolution des trilobites, les américains Stephen Jay Gould et Niles Eldredge lancèrent une véritable bombe dans le tranquille jardin du gradualisme en proposant, en 1972, leur théorie dite des « équilibres ponctués ». Ils avaient en effet mis en évidence que ces animaux n'évoluaient pas de façon continue, mais qu'ils connaissaient des périodes extrêmement longues sans changement, appelées stases, entrecoupées de courts intervalles de modifications importantes. Celles-ci se faisaient tout d'abord dans de petits groupes isolés, puis envahissaient l'ensemble du territoire. Les archives fossiles allaient alors en conserver des restes abondants, infiniment plus nombreux que les ancêtres et surtout que les formes intermédiaires disparues rapidement et dont on ne retrouvait pas de traces. Pour peu que l'on étende ce mécanisme à d'autres variétés animales, on comprend que la probabilité est très grande que l'on ne trouve, après une espèce d'origine, que la nouvelle espèce finale, alors que les formes intermédiaires, trop peu nombreuses, échapperont à la recherche des paléontologues. Bien entendu, cette théorie a été vigoureusement combattue, mais dans de nombreux cas, y compris pour des animaux tels que des gros vertébrés terrestres, elle paraît mieux expliquer les changements observés dans l'évolution que le gradualisme. Soulignons que la théorie des équilibres ponctués ne postule pas un saut brutal et sans intermédiaire d'une forme à une autre, mais une simple accélération de l'évolution qui, habituellement nulle ou très lente, agit en l'espace de quelques milliers de générations.

L'explication du changement brutal dans le rythme de l'évolution est parfois attribuée à un autre mécanisme, appelé hétérochronie du développement. Proposées également par Stephen J. Gould, les hétérochronies sont une accélération ou, au contraire, un ralentissement de la croissance qui donnent à l'adulte des caractéristiques juvéniles ou à l'inverse « hyperadultes » (nous y avons déjà fait allusion à propos de la petite taille des premiers oiseaux, descendants de dinosaures). Mais, hétérochronies ou pas, la connaissance récente du rôle des gènes architectes et du hasard de leurs mutations devrait probablement permettre des explications élégantes à ces phénomènes d'accélération de l'évolution.

Chapitre 12

Les mammifères après la « Grande Coupure »

Nous n'allons pas chercher à entrer dans le détail de la radiation et de l'évolution des mammifères depuis la « Grande Coupure » jusqu'à nos jours : les modifications du climat, l'érection de chaînes de montagnes (comme les Rocheuses en Amérique du Nord qui, avec l'assèchement qu'elles provoquent du côté ouest, vont contribuer à la disparition des primates de ce continent), les séparations ou jonctions de terres dues à leur dérive ou à la modification du niveau des océans, tout cela va conduire à un brassage général dans lequel il est bien difficile de trouver un fil conducteur. Il s'agit plutôt d'un écheveau qui mériterait à lui seul un ouvrage entier et dont le démêlage sortirait du cadre de ce livre. Nous allons nous contenter d'en brosser les gros traits, que nous complèterons par quelques zooms.

12.1. La « Grande Coupure » : un élagage sévère suivi d'une nouvelle expansion

La fin de l'Éocène va connaître un brutal changement de climat, avec un refroidissement important accompagné d'une diminution des précipitations, surtout sous les hautes latitudes. La raison probable en est l'ouverture de nouveaux passages maritimes entre les continents, tant au nord qu'au sud. Dans l'hémisphère nord, le Groenland devient une île, ménageant un passage vers le sud des eaux froides de l'océan Arctique, tandis qu'au sud, l'Australie se sépare du continent Antarctique. Il résulte de tout cela une modification de la circulation des eaux chaudes des tropiques et des eaux froides des hautes latitudes. Une calotte glaciaire se forme sur l'Antarctique (une des preuves en est la trace actuelle d'une érosion glaciaire datant de cette époque). Bien entendu, la végétation va se trouver bouleversée, avec la remontée des forêts de type tropical vers les basses latitudes et leur remplacement par une végétation beaucoup plus saisonnière aux essences différentes. Les animaux, et les mammifères en tout premier, vont se trouver confrontés à un refroidissement combiné avec la modification des ressources alimentaires pour les végétariens. En particulier, les fruits deviennent saisonniers, et ceux qui en faisaient l'essentiel de leur alimentation vont disparaître pour la plupart, les survivants ne devant leur salut que dans un repli vers les zones tropicales.

L'explication proposée pour ce refroidissement général n'est peut-être pas la seule. En effet, nous avons vu (chapitre 7) que l'orbite de la Terre subit des fluctuations qui peuvent modifier sensiblement son ensoleillement, à la fois global et régional. Il est fort possible que, il y a 34 Ma, les caractéristiques de cette orbite l'aient fait entrer dans la configuration d'un climat plus froid et plus contrasté entre les saisons.

Quoi qu'il en soit des causes de ce changement de climat, on assiste, grâce à l'examen des fossiles qui en témoignent, à une sévère hécatombe : nos mammifères, largement répandus depuis le Paléocène puis l'Éocène, subissent des dégâts importants, avec des diminutions et même des extinctions de groupes entiers. Vont ainsi disparaître les « presque » primates plésiadapiformes, les premiers vrais carnivores (les Miacoïdés) et presque tous les Condylarthres carnivores, les Condylarthres herbivores et la plupart des autres herbivores anciens. Les équidés, répandus dans tout l'hémisphère nord, disparaissent complètement de l'Europe et de l'Asie. Mais, comme toujours, ces disparitions vont laisser la place à de nouveaux animaux. Les nouveaux carnivores vont d'abord être plutôt de petite taille ; parmi eux on voit apparaître les premiers ursidés. Chez les herbivores, les ongulés artiodactyles commencent à prendre le pas sur les périssodactyles.

Le refroidissement du climat va avoir également des conséquences indirectes en Europe. En effet, il va se former une calotte glaciaire antarctique qui va immobiliser une partie des eaux océaniques, abaissant le niveau des mers et faisant émerger des ponts entre l'île européenne et le continent asiatique. Beaucoup d'espèces endémiques de l'Europe ne vont pas supporter la concurrence des envahisseurs asiatiques, mieux adaptés à des climats plus froids, comme par exemple les tapirs indigènes, à la morphologie proche de celle des rhinocéros, qui vont laisser la place à de véritables rhinocéros.

La brutalité du changement de climat et le profond renouvellement de la faune qui en a été la conséquence ont fait appeler cette période charnière d'il y a 34 Ma la « Grande Coupure ». Elle constitue la séparation entre l'Éocène et l'Oligocène. Cette nouvelle époque voit le climat continuer à se refroidir, tout en restant suffisamment humide pour que se maintiennent des forêts jusqu'aux hautes latitudes.

Bien entendu, la faune mammifère va encore évoluer avec l'apparition de formes de plus en plus proches de celles qui nous sont familières, mais sans bouleversements majeurs.

Il n'en sera pas de même au Miocène où va d'abord se produire un réchauffement du climat, puis un net refroidissement, accompagnés tous deux d'une forte diminution des chutes de pluie. C'est que les continents ont continué à bouger : l'Afrique s'est rapprochée de l'Eurasie et forme un pont qui isole la Méditerranée, coupant sa communication avec l'océan Indien ; l'Antarctique s'est séparé de l'Amérique du Sud, avec la création d'un courant froid circumpolaire. De nouvelles chaînes de montagnes s'élèvent, Rocheuses en Amérique du Nord, Andes en Amérique du Sud, Himalaya en Asie. Tout cela va modifier la circulation des courants océaniques et des vents, et se répercuter sur les faunes terrestres et aquatiques. Le plancton, alimenté par la remontée d'eaux profondes à des latitudes plus tempérées, va proliférer et grossir la chaîne alimentaire, favorisant le développement des premiers mammifères marins qui vont trouver une nourriture abondante. Sur terre, les habitats ouverts vont s'accroître, se couvrant d'herbes, source d'alimentation riche et permanente. Les mammifères qui s'en nourrissent vont développer une dentition adaptée à ces plantes qui, contenant beaucoup de silice, sont très abrasives.

La communication nouvelle entre l'Eurasie et l'Afrique va provoquer des échanges de faune entre ces deux continents. On situe ainsi à cette époque la pénétration des Proboscidiens et des Hominoïdes africains (les premiers grands singes) en Eurasie, alors qu'un courant inverse conduit en Afrique des félins, des rhinocéros, les premières girafes, et bien d'autres. À la fin du Miocène, outre les nombreux échanges de faune entre les continents (sans oublier le passage du détroit de Béring asséché entre l'Asie et l'Amérique du Nord), le refroidissement général va être la cause de migration vers les tropiques d'animaux habitués aux températures élevées, mais aussi d'extinctions lorsque ces déplacements vers les basses latitudes n'étaient pas possibles, en particulier en Amérique du Nord où il n'existait plus de zones chaudes. Nous sommes maintenant arrivés aux confins des temps modernes, avec le Pliocène, court intermède constituant la fin du Tertiaire avant l'entrée dans le Quaternaire, moins de 2 millions d'années avant notre époque.

Un climat plus froid et plus sec va s'installer au début du Quaternaire et se maintenir jusqu'à nos jours, avec des alternances rapides d'époques glaciaires et interglaciaires, ces dernières, y compris celle que nous vivons, restant plus froides et moins humides que le Pliocène. Parmi les causes probables de ce refroidissement, on peut faire entrer la jonction entre les deux Amériques, il y a 2 500 000 années environ, la fermeture de la communication entre les océans Atlantique et Pacifique par l'isthme de Panama modifiant profondément les courants océaniques, mais aussi atmosphériques.

On connaît bien la succession des périodes glaciaires et interglaciaires du Quaternaire grâce aux nombreux indices tant géologiques que biologiques qu'elles ont laissés. On peut observer deux phénomènes principaux. Le premier est une plongée moyenne de la température : nous sommes véritablement, depuis 2 Ma d'années environ, dans une période glaciaire (*ice house* pour les anglo-saxons), la première depuis 250 Ma. En effet, après une longue période (près de 200 Ma !) de Terre chaude (ou *hot house*), suivie d'un pic brutal et bref de refroidissement-réchauffement à la fin du Crétacé, la température a commencé à diminuer régulièrement pour se stabiliser (provisoirement ?) autour d'une moyenne basse. Le deuxième est l'oscillation rapide de la température autour de cette moyenne, expliquée pour l'essentiel par les cycles de Milankovitch que nous avons examinés au chapitre 7.

Le refroidissement moyen et l'assèchement du climat vont donner à la planète un aspect qui la fait ressembler à ce qu'elle est aujourd'hui avec tous ses étages de végétation de plus en plus pauvre en approchant des pôles, des régions plus ou moins désertiques et d'autres couvertes de forêts ou de savane riche en herbes. Dans les périodes les plus froides, les deux pôles vont se couvrir d'une banquise qui, dans l'hémisphère nord, va pouvoir gagner des latitudes très éloignées des pôles, alors que dans l'hémisphère sud, le courant circumpolaire va isoler l'Antarctique et protéger des froids extrêmes les latitudes plus basses. Ces grandes tendances s'accompagnent de modifications régionales parfois spectaculaires. C'est ainsi que la Méditerranée, coupée du grand large à l'est, va s'assécher de nombreuses fois à la fin du Miocène, ce phénomène s'expliquant surtout par des mouvements tectoniques qui coupent puis rétablissent sa communication avec l'océan Atlantique.

Nous avons cité la fermeture de l'isthme de Panama comme facteur du refroidissement. Ce phénomène a contribué à modifier la forme et la répartition générale de la vie du fait de ce changement de climat, mais il a eu également des effets directs et spectaculaires sur la faune américaine. En effet, une fois la Pangée disloquée, l'Amérique du Sud s'était trouvée séparée des continents du nord d'où étaient arrivés les premiers mammifères marsupiaux et placentaires et avait ainsi développé une faune totalement endémique (aux contacts près avec l'Antarctique et l'Australie). Le pont jeté entre les deux Amériques va provoquer des migrations dont les conséquences vont être à la fois des disparitions dues à des concurrents mieux adaptés, mais aussi des implantations nouvelles durables dans les deux sens. Les carnivores sud-américains autochtones étaient des marsupiaux, dont *Thilacosmilus* aux « dents de sabre », alors que leur garde-manger contenait des herbivores placentaires, les litopternes et les notongulés. Les litopternes s'étaient séparés en deux groupes, l'un donnant des formes rappelant les camélidés, l'autre des animaux à la morphologie chevaline. Cette dernière lignée avait même suivi une évolution rappelant celle des chevaux, avec un représentant ultime, *Thoatherium*, n'ayant plus, lui aussi, qu'un seul doigt, les autres étant même encore plus atrophiés. Les notongulés comprenaient toute une gamme étagée de la taille de nos petits rongeurs à celle du rhinocéros. Signalons également, dans les carnivores, des oiseaux géants, les phororhacidés.

Les échanges ont été relativement égaux, mais il y eut beaucoup plus de migrants survivants au sud qu'au nord. Il ne subsiste en Amérique du Nord que l'opossum marsupial, le tatou avec sa carapace de tuiles et le porc-épic, alors qu'ont survécu au sud les tapirs (dont des cousins vivent en Asie), des camélidés (lamas, vigognes, guanacos, proches parents plus ou moins interféconds) et des félins (pumas et jaguars). L'explication la plus convaincante de cette dissymétrie est que les espèces sudistes avaient vécu dans des conditions écologiques plus faciles que celles du nord où le climat était en moyenne plus rude ; subissant une moindre pression évolutive, elles se trouvèrent moins bien armées pour affronter à la fois ce nouvel environnement et cette concurrence. Cela rejoint l'idée que l'évolution ne s'accélère que lorsque le milieu le rend nécessaire pour la survie de l'espèce ; des conditions de vie inchangées laissent se noyer dans la masse des mutations génétiques qui, au contraire, émergent si elles sont bénéfiques dans d'autres conditions d'existence. C'est ainsi que le tapir, resté dans sa forêt à manger des feuilles, a peu évolué alors que les autres Périssodactyles modernes, équidés et rhinocéros, sont très différents de leurs ancêtres. Signalons pour finir la migration au sud d'un Proboscidien, le fameux mastodonte, disparu depuis comme tous ses parents, sauf les éléphants modernes d'Afrique et d'Asie.

12.2. Quelques « zooms » sur l'évolution des mammifères

Nous avons terminé notre rapide revue de l'origine et de la diversification des mammifères. Avant de clore ce chapitre, focalisons-nous sur quelques lignées ou espèces pour donner un peu de chair à ce survol, ce qui nous permettra également d'illustrer quelques mécanismes de l'évolution.

Commençons par les équidés, magnifique illustration des erreurs d'interprétation d'une évolution examinée trop sommairement, avant de parler d'*Indricotherium*, Périssodactyle géant, de la girafe, autre géant, quoique nettement moins grand, et enfin des ancêtres des baleines.

Nous avons vu à propos de la faune de Burgess (chapitre 3) que la thèse simpliste d'une évolution conduite par le progrès a longtemps prévalu. On sait maintenant au moins une chose essentielle : il est parfaitement vain de vouloir établir une hiérarchie entre les êtres vivants, chaque tentative n'étant que le résultat d'une vision anthropomorphique loin de toute objectivité. La seule chose qui compte dans la vie d'une espèce est sa faculté à survivre dans un environnement donné. Les mutations aléatoires de son génome sont autant de possibilités qui lui sont offertes pour s'adapter à des changements dans cet environnement. Les résultats que nous constatons dans l'évolution des espèces ne sont que la conjonction de hasards et de contraintes, comme le hasard des mutations et celui des changements de l'environnement climatique, géologique, faunique et floral, plus la contrainte de l'état initial de l'espèce qui fait que certains changements sont possibles et d'autres non.

Le cheval et ses formes ancestrales ont pendant longtemps illustré la vue réductrice d'une évolution orientée vers un progrès hypothétique. Des représentations nombreuses des changements supposés continus du cheval depuis son lointain ancêtre *Hyracotherium* ont été publiées dès la fin du XIXe siècle, montrant la transformation progressive du crâne, des dents et des pattes. Pour ces dernières, on nous fait imaginer un petit animal galopant dans les prairies, pourchassé par les carnivores, qui ne doit son salut qu'à une vélocité de plus en plus grande liée à la formation progressive de membres permettant une course de plus en plus rapide. De même, au cours du temps, les dents s'adaptent de mieux en mieux à une alimentation devenue herbivore. Regardons cela de plus près, à la lumière des nombreux fossiles maintenant connus à travers le monde et en se débarrassant des préjugés.

On savait déjà que la famille des équidés comprenait plusieurs branches, mais que certaines avaient disparu, car, pensait-on, inadaptées, aberrantes, en quelque sorte des erreurs de conception. On voit en effet tout d'abord *Hyracotherium*, petit animal forestier de l'Éocène nord-américain qui se nourrissait de feuilles. Il n'avait pas de sabots sous ses pattes dont tous les doigts touchaient le sol et ses molaires avaient une couronne basse, avec des crêtes peu marquées. Ses successeurs vivent dans des milieux plus ouverts et connaissent une évolution générale vers des formes plus grandes, avec des pattes à trois doigts dont un seul touche le sol et se termine par un sabot, et des molaires plus hautes aux crêtes plus grandes à croissance continue pour compenser leur usure. Ils se nourrissent encore de feuilles ; certains vont passer en Asie, puis en Europe (on a retrouvé des restes de l'un d'entre eux, *Anchitherium*, en France), mais ils vont s'éteindre vers le milieu du Miocène. Les formes américaines vont disparaître à peu près en même temps. Manifestement, l'évolution des climats et des paysages du Miocène, maintenant largement ouverts et dominés par des prairies, signe le déclin et l'extinction de ces espèces dans un environnement devenu trop défavorable. Ainsi aurait pu finir l'histoire du cheval, il y a une dizaine de millions d'années.

Mais le passage de la forêt à la prairie avait été suffisamment lent pour que certains de nos chevaux essayent une autre nourriture : l'herbe, ce que de nombreux autres végétariens avaient également fait. Cela va conduire à une forte spécialisation des molaires qui vont devoir maintenant broyer une nourriture riche en silice et donc très abrasive. Mais la récompense est là, avec un garde-manger rempli abondamment et de façon permanente. Un important foisonnement d'espèces va en résulter. L'une d'elles, *Hipparion*, va passer en Asie, puis en Europe, et même y cohabiter avec l'une de celles qui l'avaient précédée. On en trouve les restes jusqu'au Pliocène-Pléistocène, époque à laquelle un nouvel arrivant va lui succéder.

Notre buisson foisonnant américain des premiers herbivores va, curieusement, se réduire brutalement ; toutes les branches sont élaguées, sauf une qui va donner les équidés modernes qui vont prospérer en Amérique du Nord, avant d'y disparaître pour des raisons inconnues, mais aussi passer à leur tour le détroit de Béring pour tenter une aventure asiatique qui va assurer la survie de la lignée des équidés. *Equus* représente l'ultime évolution de cette lignée, de grande taille, aux jambes fines terminées par un doigt unique à sabot, les autres étant réduits à des vestiges, et à la dentition parfaitement adaptée à sa nourriture.

Telle qu'elle vient d'être parcourue, cette histoire des équidés laisse l'impression d'une progression continue, à part quelques branches aberrantes, du petit *Hyracotherium* au cheval de l'hippodrome de Vincennes. Il n'en est rien. Pour peu que l'on creuse un peu dans le passé, on trouve une histoire autrement plus complexe. En effet, les fossiles des successeurs d'*Hyracotherium* montrent une cohabitation sur plusieurs millions d'années de nombreuses espèces présentant des différences apparues brutalement, et non une évolution en continu des caractères d'une même lignée. On voit même apparaître et vivre sur une longue durée des formes plus petites que leurs ancêtres, ce qui conforte cette théorie du hasard : si les petites espèces trouvent un espace pour vivre, elles peuvent prolonger leur existence aussi longtemps que d'autres. Il en est ainsi du nain fossile le plus récent, au nom parlant de *Nannippus*, qui va cohabiter au moins 5 Ma avec les autres espèces plus grandes avant de disparaître avec elles (à l'exception évidemment d'*Equus*).

Que sont devenus les pionniers *Equus* passés en Asie ? Si l'on décrit souvent le cheval comme une « réussite » évolutive, on ne peut pas dire que cette réussite, même en y incluant les autres Périssodactyles, puisse être mesurée à l'aune du nombre de leurs espèces : moins de 20 au total. Outre le cheval, l'âne, l'onagre africain, l'hémione asiatique et trois espèces de zèbres existent encore ; une quatrième espèce, le couagga, qui n'avait des rayures que sur le devant du corps, s'est éteinte il y une centaine d'années en Afrique du Sud, victime d'une chasse excessive. Par comparaison, les Artiodactyles montrent une fantastique diversité sur tous les continents.

Au fait, pourquoi les zèbres ont-ils des rayures et sont-ils les seuls à en avoir parmi les espèces chevalines ? Une hypothèse qui paraît *a priori* farfelue a été proposée par l'allemand Josef Reichholf, avec des arguments assez convaincants.

On connaît la redoutable mouche tsé-tsé qui transmet le trypanosome de la maladie du sommeil à l'Homme ; une autre variété de ce parasite, tout aussi mortelle, fait subir le même sort aux équidés et aux bovidés. Il se trouve que les zèbres, bien que vivant dans des zones qui en sont infestées, connaissent une faible mortalité due à cette maladie, ce qui n'est pas le cas pour les autres équidés amenés par l'Homme dans les régions chaudes et humides fréquentées par l'insecte. Il en est de même pour les bovidés autochtones par rapport aux allogènes. Il est probable que les antilopes et autres Artiodactyles africains possèdent des moyens de lutter contre la maladie, avec en particulier une rate qui purifie en permanence leur sang. Mais il est plausible que leur immunité relative réside aussi dans leur statut de ruminants dont le tube digestif est beaucoup plus performant que celui des équidés. Cela leur permet, à la différence des zèbres qui doivent paître de longues heures par petites quantités, de pouvoir avaler plus rapidement une nourriture abondante qu'ils vont ensuite ruminer tranquillement à l'ombre.

Revenons maintenant à la mouche tsé-tsé. Elle est dotée d'yeux à facettes dont une des propriétés est de repérer aisément une ombre foncée en mouvement se détachant sur un fond plus clair, alors qu'une surface présentant des rayures régulières alternativement claires et foncées est mal distinguée. Rapprochons les yeux des mouches, les estomacs des mammifères de la savane et les rayures des zèbres, et nous voyons apparaître l'idée d'une pression de sélection qui a dessiné des raies sur le pelage de nos équidés. Si l'on peut postuler que les Artiodactyles ruminants, vieux hôtes de l'Afrique, ont eu le temps de s'adapter à cet insecte indésirable, supportant mieux les piqûres et en subissant moins grâce à la durée limitée de leurs séjours au Soleil durant lesquels ils sont facilement repérables, il n'en est pas de même des chevaux, Périssodactyles venus d'une Amérique au climat tempéré qui ne connaissait pas ce suceur de sang.

Heureusement pour nos zèbres, les équidés, dans leur ensemble, paraissent avoir, inscrite dans leur génome, une tendance à orner leur pelage de rayures, tel notre Aliboron et sa croix sur le dos. Par exemple les hybrides d'espèces différentes, même lorsqu'aucun des parents n'est un zèbre, sont très souvent fortement rayés. Il n'est donc pas étonnant que certains équidés aient pu commencer à développer quelques rayures sur leur pelage. Il en serait résulté pour eux un avantage décisif : moins agressés par la mouche tsé-tsé qui avait plus de mal à les repérer, ils auraient mieux survécu et c'est ainsi que, peu à peu, les troupeaux de zèbres auraient acquis des rayures de plus en plus efficaces comme camouflage anti-insectes. Cette proposition est confortée par l'aspect du défunt couagga qui avait la double caractéristique d'être très peu rayé et, troublante coïncidence, de vivre sous des latitudes qui ne connaissaient pas la mouche tsé-tsé. Alors, comme disent nos amis italiens, *se non è vero, è bene trovato...*

Restons encore chez les Périssodactyles. Nous avons vu qu'il s'en est fallu de très peu qu'ils n'appartiennent plus qu'au domaine de la paléontologie, vu le très faible nombre de lignées rescapées. L'une des disparitions les plus spectaculaires est celle d'*Indricotherium*. Il semble avoir voulu faire inscrire son nom dans le livre des records en tentant d'effacer celui des grands dinosaures, ce qui l'a sans doute perdu. Il est mieux connu sous le nom de *Baluchitherium*. Le Baluchistan (ou Baloutchistan) est une vaste région désertique à cheval sur l'Iran et le Pakistan. C'est là qu'a été trouvé pour la première fois celui qui est le plus grand mammifère terrestre de tous les temps (présent également en Chine, en Mongolie et jusqu'en Bulgarie). Il a été découvert en 1910 par le paléontologue britannique Forster Cooper. Il mesurait 6 m au garrot pour 8 m de long et devait peser à peu près 20 tonnes (trois à quatre gros éléphants). Ce n'était finalement pas beaucoup moins que le dinosaure *Brachiosaurus* qui s'élevait à 12 m au-dessus du sol avec une longueur de 23 m, mais cela avec un immense cou et une longue queue pour assurer l'équilibre.

Figure 12.1. *Baluchitherium (source : dessin d'Alexandra Johann)*

Il a vécu environ 10 Ma, sur tout l'Oligocène, dans une contrée riante et verte aux pieds de l'Himalaya. L'érection de ce monstrueux massif résultait de la collision de l'Inde avec l'Asie, qui terminait ainsi sa spectaculaire dérive depuis l'hémisphère sud. Il a disparu, victime de l'assèchement du climat consécutif à la rencontre de l'Afrique et de l'Eurasie. Les forêts denses qui lui fournissaient une nourriture abondante de feuillage (il lui en fallait certainement près d'une tonne par jour) disparurent, et lui avec elles. Ainsi, une première collision de continents avait créé son berceau, une seconde causait son extinction. C'était, comme bien d'autres, un animal trop spécialisé, à la merci de tout changement un tant soit peu important de son environnement.

D'*Indricotherium* à *Giraffa camelopardalis*, il n'y a que la longueur d'un cou. La girafe, ongulé artiodactyle, est actuellement le plus grand mammifère terrestre (mais largement battue dans les océans par la baleine bleue : 25 m et 150 tonnes). Pouvant atteindre la tonne, elle fait culminer son museau jusqu'à 4 m de hauteur. Elle se nourrit de feuilles, branchettes, épineux, fruits, avec une prédilection pour l'acacia. Il lui en faut 60 kg par jour, nécessitant de passer 12 heures sur 24 à manger (pensons à notre *Baluchitherium*, 20 fois plus gros), avec un complément de plus de 30 litres d'eau pour faire passer tout cela. Cet animal constitue une magnifique illustration des thèses opposées de Darwin (la sélection *a posteriori*, par la compétition, de caractères favorables apparus dans une lignée) et de Lamarck (la transmission génétique directe à la génération suivante des caractères acquis par la précédente). Pour Darwin, la prédominance et une plus importante descendance des girafes qui naissaient avec un plus long cou et de plus grandes pattes, grâce à leur possibilité d'atteindre les feuilles des grands arbres accessibles à elles seules. Chez Lamarck, la proposition qu'à force d'étirer leur cou et leurs pattes, ces parties de leur corps s'allongeaient, caractère qui était transmis à leur descendance.

Si l'on compare la morphologie de *Baluchitherium* et celle de *Giraffa camelopardalis*, on relève une différence majeure. Le baluchithère, à part un cou relativement long, reste proportionné comme un mammifère classique. On conçoit alors très bien une augmentation progressive de sa taille, comme cela s'est produit chez bien d'autres animaux, et l'on peut faire le rapprochement avec, par exemple, son cousin le rhinocéros. Chez la girafe, il s'agit de tout autre chose. Certes, les pattes avant et arrière sont grandes, mais elles restent à peu près de la même taille. La hauteur à laquelle se situe la tête est surtout due à une hypertrophie du cou, causée non par l'augmentation du nombre de vertèbres, mais par un accroissement considérable de leur longueur. Une telle évolution est donc de nature différente et beaucoup moins facile à expliquer.

Profitons de cette singularité pour retrouver quelques instants les gènes architectes déjà évoqués à plusieurs reprises. Chez les reptiles ou les oiseaux, le nombre de vertèbres cervicales varie beaucoup selon les espèces. En revanche, chez tous les mammifères (à part quelques très rares exceptions), il est exactement de sept. Voilà sans conteste un gage de la stabilité des gènes architectes de cette classe d'animaux dans le pilotage de leur structure.

Figure 12.2. *Girafe et son petit (source : photographie de l'auteur)*

Quittons maintenant les terres asiatiques et africaines pour rejoindre les océans. La controverse entre les thèses de Lamarck et de Darwin à propos de la girafe n'était rien à côté du véritable crêpage de chignon particulièrement sévère dont les baleines et autres Cétacés ont été le champ clos entre évolutionnistes et créationnistes jusqu'à ces toutes dernières années. Ces derniers proclamaient ainsi :

> « Vous avez déjà du mal à nous expliquer comment certains organes sont apparus à partir de rien ; nous aimerions savoir par exemple à quoi auraient pu servir les demi-ailes de demi-oiseaux, transition nécessaire, si l'on vous écoute, entre un ancêtre non ailé et le volatile capable de s'élever dans les airs. Vous répondez que l'aile aurait pu avoir un premier usage, régulation thermique, protection des petits ou autre, avant d'offrir l'opportunité du vol. Nous voulons bien, mais essayez donc de nous expliquer comment un hippopotame a pu devenir une baleine : un mammifère terrestre à pattes serait devenu, d'un coup de baguette magique, un animal aquatique au corps profilé pour la nage, doté de nageoires et d'une queue empruntées à un poisson. »

Les évolutionnistes avaient beau jeu de répondre qu'il avait certainement existé des formes intermédiaires correspondant à un animal aux mœurs aquatiques qui avait peu à peu acquis une morphologie lui permettant d'évoluer aisément dans l'eau. L'ennui était que l'on n'avait jamais trouvé ces hypothétiques formes intermédiaires.

Darwin lui-même s'était essayé à suggérer que les baleines descendaient d'animaux terrestres. Prenant l'exemple d'une variété d'ours qui passait une grande partie de son temps à nager dans l'eau, gueule ouverte pour attraper des insectes comme les baleines à fanons absorbent le plancton, il dit ne pas voir de difficulté à imaginer un tel animal se transformer peu à peu, par sélection naturelle, en un autre à la morphologie de mieux en mieux adaptée à ce mode de vie.

Bien évidemment, cette suggestion, même énoncée avec prudence, subit la risée générale et il ne la défendit qu'avec mollesse. En définitive, chacune des parties resta campée sur ses positions, jusqu'à ce qu'une rafale de découvertes révèle une magnifique série évolutive, du mammifère terrestre au Cétacé. C'est dans des sédiments déposés du temps de la vaste mer Tethys qu'ont été trouvés en quelques années toute une série d'ossements décrivant admirablement les transformations progressives ayant conduit d'un petit ongulé terrestre aux baleines. Cela commença en 1977 et 1979, au Pakistan, avec la découverte de morceaux de bassin puis d'un crâne dans des terrains d'environ 50 Ma, que leurs formes rattachaient sans le moindre doute aux baleines. Mais le système auditif visible sur le crâne était encore celui d'un mammifère terrestre. En effet, les Cétacés ont acquis une audition adaptée au milieu aquatique. Les vibrations sonores ne sont plus transmises à l'oreille moyenne par le conduit auditif externe et le tympan, mais par un os, caractère acquis parallèlement par les crocodiles chez lesquels les vibrations du sol causées par les animaux qui viennent s'abreuver sont transmises par la mâchoire inférieure posée dessus. De plus, les baleines modernes ont de larges sinus qui concourent à maintenir la pression sanguine lorsqu'elles sont en plongée. *Pakicetus* (« le cétacé du Pakistan »), comme l'ont nommé ses inventeurs, ne possédait pas ces caractères adaptatifs. Son crâne reposait dans des sédiments fluviaux et non marins, mais tout près de l'embouchure du fleuve, ce qui conforte son statut de forme intermédiaire, encore rattachée au milieu terrestre.

C'est en Égypte qu'un autre chaînon fut découvert, *Basilosaurus*. Alors que le nom de son prédécesseur est clair, celui de *Basilosaurus* évoque un dinosaure. C'est que des restes du même animal avaient été exhumés au début du XIXe siècle et attribués à un reptile auquel ce nom de « roi lézard » fut donné. À partir de fragments de nombreux individus, on tenait un animal pratiquement complet, de quelques millions d'années plus jeune que *Pakicetus*. Ses membres avaient la structure de pattes de mammifère terrestre, mais ils étaient minuscules par rapport à son corps et ne pouvaient manifestement pas le soutenir hors de l'eau. C'était donc un animal totalement marin.

Pour prouver que les baleines sont bien les descendantes de mammifères terrestres, *Basilosaurus* présentait l'inconvénient d'être déjà totalement aquatique. Qu'à cela ne tienne, un retour au Pakistan a permis de mettre la main sur un squelette autrement passionnant, celui d'un animal qui méritait bien le nom qui lui a été donné, *Ambulocetus natans*, en quelque sorte le cétacé crapahuteur nageur. Non pas qu'il faisait des biathlons, mais la forme et la longueur de ses membres lui permettaient de façon indubitable de se mouvoir sur terre et dans les eaux. De plus, l'étude de sa colonne vertébrale a montré qu'elle autorisait des mouvements d'ondulation verticaux, comme en ont les mammifères terrestres dans leur course et les semi-aquatiques comme la loutre dans leur nage. Et les dernières vertèbres avaient une finesse caractérisant une simple queue. Ce mode de locomotion par ondulations verticales explique de façon limpide pourquoi les cétacés ont acquis une nageoire caudale horizontale, alors qu'elle est verticale chez les poissons. Les deux sont parfaitement efficaces, mais chacune est l'héritage de l'anatomie et du mode de déplacement des ancêtres. D'autres espèces intermédiaires ont été trouvées depuis, montrant en particulier l'évolution du système d'audition et vidant définitivement la mauvaise querelle faite à l'explication évolutionniste.

Figure 12.3. *Ambulocetus natans (source : dessin d'Alexandra Johann)*

Nous venons d'évoquer quelques destins évolutifs de mammifères. Nous allons maintenant nous consacrer à une branche, celle des primates à laquelle nous appartenons, dont les particularités originelles lui ont ouvert un champ d'évolution particulièrement remarquable par son ampleur.

Chapitre 13

Des arbres au sol : le riche buisson des primates

Alors qu'*Homo sapiens* s'interroge depuis des dizaines de milliers d'années sur son existence et sa destinée, comme en témoignent les peintures, gravures, sculptures et sépultures qu'il nous a laissées, il a fallu attendre les dernières décennies pour que soit prouvé et admis (encore que beaucoup en doutent encore ou même le nient farouchement) que l'espèce humaine a pour ancêtres des petits mammifères arboricoles au museau pointu et que les grands singes sont ses très proches parents. Nous allons dans ce chapitre parcourir la riche diversification de ces ancêtres qui vont former l'ordre vaste et touffu des primates auquel nous appartenons. Les chapitres suivants resserreront le champ sur la branche dont un des rameaux terminaux est *Homo sapiens*, branche qui s'est révélée elle aussi particulièrement touffue, avant de se limiter au final à un seul rameau, le nôtre.

13.1. La radiation des primates

Nous avons déjà rencontré, parmi les premiers mammifères placentaires, de petits animaux arboricoles que leurs dents adaptées à un régime végétarien avaient fait considérer jusqu'à récemment comme les premiers primates, dits plésiadapiformes (« ceux qui précèdent les adapiformes »). Les adapiformes, eux-mêmes très anciens (nous allons les retrouver un peu plus loin), ont été ainsi nommés par référence au premier d'entre eux dont une partie du crâne a été trouvée dans les carrières de gypse de Montmartre. En effet, Cuvier le rangea, en 1822, parmi ce qu'il appelait les pachydermes, qui pour lui regroupaient beaucoup plus d'espèces que dans l'acception actuelle, en particulier les ruminants et les chevaux. D'où le nom étrange qu'il lui donna : *Adapis parisiensis*, c'est-à-dire le descendant parisien d'Apis, dieu égyptien à tête de taureau. Il eut en cette occasion moins d'intuition que pour le marsupial provenant des mêmes carrières, qu'il avait quelques années auparavant correctement identifié. Connus surtout en Amérique du Nord, mais aussi en Europe, les plésiadapiformes se sont multipliés à la faveur du climat particulièrement chaud du Paléocène puis de l'Éocène, avant de disparaître pour la plupart à la « Grande Coupure ».

Les premiers véritables primates (ou euprimates) sont connus depuis le début de l'Éocène en Amérique du Nord et en Europe. Ils possédaient déjà tous les caractères qui identifient les représentants de cet ordre, en particulier un pouce opposable aux autres doigts et des ongles à la place des griffes, ainsi que des yeux placés sur l'avant de la face, leur donnant une vision stéréoscopique permettant d'apprécier les distances. Cette amélioration de la vision, au détriment du sens de l'odorat dont la place s'est alors trouvée réduite dans le cerveau, devait effectivement être un avantage pour se repérer dans l'enchevêtrement des branches d'arbres (même si d'autres animaux arboricoles comme l'écureuil s'en passent fort bien).

Figure 13.1. *Écureuil (source : photographie de l'auteur)*

Les primates actuels partagent un autre caractère, mais n'étant pas inscrit dans le squelette ou la dentition, il est impossible de savoir à quel moment il est apparu. Il montre que la gourmandise est un vilain défaut, justement puni : à force de se gaver de fruits qui leur procuraient, entre autres, leur ration quotidienne de vitamine C, ils ont fini par perdre la faculté de la synthétiser, contrairement aux autres mammifères. D'où le scorbut qu'ont connu les marins des derniers siècles lorsqu'ils accomplissaient un long voyage, avant de trouver le remède qui consistait à embarquer une provision suffisante de légumes, fruits ou pommes de terre aptes à remédier à la carence de cette vitamine.

Bien que très anciens, les premiers primates connus se répartissaient déjà en plusieurs groupes largement répandus sur la planète, sans que l'on n'ait pu jusqu'à présent découvrir le moindre de leurs ancêtres. On retient classiquement dans ce foisonnement de découvertes aussi bien américaines qu'africaines, asiatiques ou européennes, principalement les Adapidés et les Notharctidés, rassemblés en adapiformes, et les Omomyidés ; cette déjà grande diversification fait remonter l'origine des primates à la fin du Crétacé au minimum, comme pour les plésiadapiformes. C'est donc très tôt, avant la disparition des dinosaures, que des mammifères ont abandonné le régime insectivore et la vie au sol pour grimper dans les arbres, se nourrir de feuilles et de fruits et se diversifier rapidement en plésiadapiformes et premiers véritables primates. Mais les seconds comme les premiers ont disparu pour la plupart au moment de la « Grande Coupure » ou peu après.

Les Notharctidés, connus depuis l'Éocène inférieur, peuplaient à la fois l'Amérique du Nord et l'Europe. Ils ont été supplantés en Europe par les Adapidés. Quelques adapiformes africains ont également été trouvés, avec peut-être parmi eux l'ancêtre des lémuriformes dont ils possèdent déjà certaines caractéristiques. Un noyau d'Adapidés, seul rescapé de la « Grande Coupure », a vécu jusqu'au Miocène en Asie où il a disparu à son tour. Quant aux Omomyidés, couvrant également l'Éocène avant de s'éteindre, ils ont occupé les mêmes sites que les adapiformes, mais leurs grandes orbites révèlent chez eux une vie nocturne, et la forme de leurs molaires indique une nourriture plus variée, avec un menu ajoutant les insectes aux végétaux, comme le font les tarsiers généralement considérés aujourd'hui comme leurs proches parents.

L'origine exacte et les liens de parenté des groupes actuels ou éteints rassemblés sur la figure 13.2 présentent de nombreuses zones d'ombre et l'on est plus prudent aujourd'hui que l'on ne l'était hier, lorsque l'on faisait par exemple la distinction entre prosimiens (lémuriens et lorisoïdes), supposés être les ancêtres, et simiens (ou singes véritables) présumés descendants des premiers. Toujours cette manie de vouloir faire de ceux qui paraissent plus « primitifs » les ancêtres des plus « évolués ».

Dans les groupes actuels, tous enracinés loin dans le passé, on distingue maintenant d'une part les lémuriformes auxquels on continue aussi de donner le nom de prosimiens (regroupant les lémuriens et les lorisoïdes), d'autre part les simiiformes, que l'on appelle plus communément les singes (divisés en deux groupes, les Platyrhiniens et les Catarhiniens), plus les tarsiiformes qui ne sont plus représentés que par le tarsier. Comme nous l'avons dit, les relations entre ces groupes vivants ou éteints sont mal connues. On aurait d'un côté les adapiformes (éteints) et les lémuriformes, constituant l'ensemble des Strepsirhiniens, et de l'autre les omomyiformes (éteints) et les simiiformes, formant le groupe des Haplorhiniens. Quant aux tarsiers, ils se promènent entre les deux ensembles, au gré des découvertes de fossiles et des interprétations qui en sont faites. On les considère aujourd'hui plutôt comme proches des omomyiformes, avec de nombreux caractères partagés avec les singes dont ils seraient plus près que des lémuriens, contrairement à ce que suggère spontanément leur morphologie.

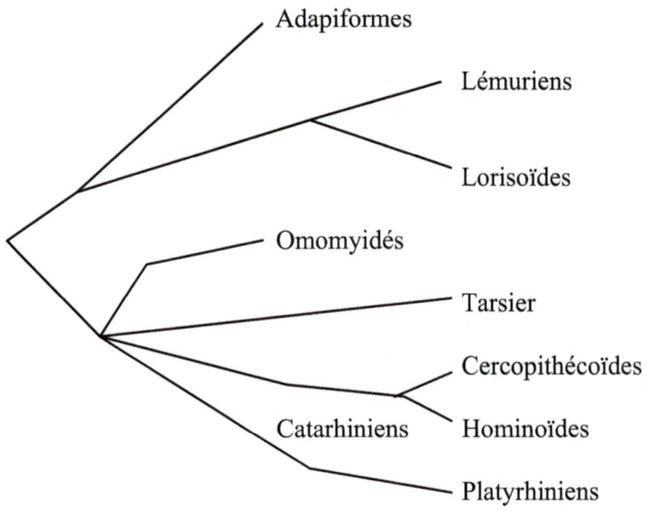

Figure 13.2. *L'arbre des primates*

Les lémuriens sont actuellement cantonnés à Madagascar où ils sont les seuls représentants des primates. On peut penser que c'est cet isolement qui leur a permis de survivre, alors que la concurrence des singes les aurait très certainement fait disparaître, moins armés qu'ils auraient été dans une compétition pour les mêmes niches écologiques. Les lorisoïdes, second groupe de prosimiens, vivent en Asie et en Afrique continentale. Deux espèces voisines d'Afrique occidentale ont acquis une forme très particulière des doigts, avec un index atrophié et un quatrième doigt plus long que le troisième, formant avec le pouce une pince assurant une bonne prise sur les branches.

Les prosimiens se distinguent des singes par quelques caractères dont le plus visible est la persistance d'une « truffe », ou rhinarium, alors que les simiens ont acquis un nez recouvert de peau. Les autres concernent le crâne, la dentition et la morphologie des membres postérieurs. Le crâne des singes est proportionnellement plus développé, de forme haute et courte. Cela correspond à la fois au développement des sens de la vue et de l'ouïe au détriment de l'odorat, et à des capacités adaptatives supérieures.

Nous avons vu que l'on a longtemps attribué un caractère archaïque aux particularités des prosimiens par rapport aux simiens, faisant des seconds les descendants des premiers. La multiplication des découvertes de fossiles a fait abandonner cette vision. En effet, comme dans d'autres exemples que nous avons précédemment rencontrés, la réalité est tout autre : chacune des deux branches a évolué à partir d'un ancêtre commun, insectivore contemporain des dinosaures. Les nombreux caractères à l'évidence très dérivés des prosimiens, en même temps que très variés d'une espèce à l'autre, attestent d'une lignée qui s'est beaucoup transformée par rapport à ses ancêtres, et donc d'une évolution que l'on peut difficilement juger moins importante que celle qui a conduit aux singes. Tout au plus peut-on dire que, globalement, les prosimiens se sont engagés dans des voies plus spécialisées que leurs cousins simiens.

Les singes actuels sont formés de deux grands groupes, les Platyrhiniens, hôtes de l'Amérique du Sud et centrale, et les Catarhiniens qui vivent en Afrique et en Asie, plus Gibraltar, sans que l'on sache très bien s'il s'agit d'une poche de résistance européenne ou d'une importation récente depuis l'Afrique par les Hommes, peut-être les Arabes du temps de leur occupation du sud de l'Espagne. Cette séparation, et de façon plus précise le fait qu'une des deux branches se soit retrouvée en Amérique du Sud, est un des mystères de la radiation des primates. En effet, comment ces quadrupèdes des forêts tropicales ont-ils pu passer d'Afrique ou d'Asie en Amérique du Sud ? À cette époque, ce continent était une île, immense mais totalement séparée des autres terres. En admettant même que des ponts aient pu exister par intermittence entre les deux Amériques, encore aurait-il fallu que nos primates fassent le détour par le détroit de Béring pour ensuite redescendre jusqu'à l'équateur. Outre que l'on n'a trouvé aucun fossile de vrai primate en Amérique du Nord, le climat et la végétation des parties nordiques de l'Asie et de l'Amérique n'étaient guère propices à une migration par cette voie.

La seule alternative généralement proposée est un passage direct de l'Afrique à l'Amérique du Sud. Mais comment ? On a suggéré l'émergence périodique de chapelets d'îles entre les deux rives, permettant de franchir l'océan. Mais, outre que l'on n'a pas décelé au fond de l'eau les vestiges de ces îles hypothétiques, même Tarzan n'a pas réussi à faire de Chita une championne de natation. Il faut alors imaginer que des radeaux naturels faits de terre et de végétaux se soient détachés de la côte africaine (on en observe parfois), sans doute découpés et emportés par le courant des énormes fleuves au niveau de leur embouchure, et suffisamment grands pour emmener avec eux des animaux et de quoi les nourrir tout au long de la traversée (avec le problème de la boisson, mais on peut survivre en buvant de l'eau de mer). Cette proposition est quelque peu confortée par une migration semblable de rongeurs pour lesquels on ne voit pas non plus quelle autre voie ils auraient pu emprunter. N'oublions pas également que, à cette époque, les continents africain et sud-américain étaient moins éloignés que maintenant, raccourcissant la distance à parcourir par ces hypothétiques radeaux. Une autre hypothèse est proposée par le paléontologue Michel Brunet (celui dont les recherches obstinées au Tchad ont permis des découvertes passionnantes, que nous allons retrouver plus loin) : un passage par l'Antarctique dont la configuration et le climat de cette époque rendent cette proposition au moins aussi plausible que celle des radeaux.

Les plus anciennes traces des Platyrhiniens sud-américains datent de la fin de l'Oligocène, vers – 28 Ma. Ils se distinguent de leurs frères Catarhiniens par plusieurs traits dont les deux principaux sont la dentition et le museau. Les primates ont conservé pour la plupart entre 32 et 40 dents, ce dernier nombre correspondant à deux incisives, une canine, quatre prémolaires et trois molaires par demi-mâchoire ; ils sont ainsi restés, pour ce caractère comme pour beaucoup d'autres, très conservateurs par rapport aux autres mammifères, leur formule dentaire restant proche de celle des premiers placentaires insectivores qui étaient dotés de 44 dents (une incisive de plus par demi-mâchoire). Chez les autres placentaires, les dents se sont spécialisées en fonction de la nourriture et généralement, un certain nombre d'entre elles ont disparu. Les Lémuridés (une des quatre familles de lémuriens) sont les seuls à avoir conservé 40 dents ; on trouve à l'opposé l'étrange aye-aye de Madagascar, avec son doigt hypertrophié qu'il utilise pour extraire des larves des troncs d'arbres, qui n'en a que 18. Les Platyrhiniens en ont pour la plupart 36 (une prémolaire de moins par demi-mâchoire), alors que les Catarhiniens (dont l'Homme) n'en ont plus que 32 (une prémolaire encore en moins). Toutefois, quelques Platyrhiniens comme le minuscule ouistiti en ont également 32, mais à cause de la perte de la troisième molaire et non d'une prémolaire.

Curieusement, le ouistiti se singularise également par un autre caractère, la perte de ses ongles et le retour aux griffes ancestrales. De façon générale, tous les singes sud-américains sont assujettis aux arbres, contrairement à ceux des autres continents dont l'habitat est plus diversifié. Leur queue généralement préhensile leur facilite le déplacement dans cet habitat. Autre caractère spécifique, contrairement à leurs cousins africains et asiatiques, leur pouce n'est qu'imparfaitement opposable aux autres doigts et reste parallèle à eux lorsqu'ils agrippent une branche. La queue préhensile a-t-elle conduit à la perte de cette fonction, devenue moins nécessaire, ou s'agit-il plutôt d'un caractère primitif conservé, alors que les cousins africains et asiatiques évoluaient vers un pouce totalement opposable ?

Mais la différence essentielle avec les Catarhiniens, en plus de la dentition, est la forme de leur nez, avec les narines orientées vers l'extérieur et une cloison nasale plus épaisse (d'où leur nom qui signifie « nez large »). Parmi les plus connus, en plus du ouistiti, citons l'alouate, ou singe hurleur, qui émet des cris profonds et puissants, impressionnants lorsque l'on les entend au loin dans la forêt, et l'atèle, ou singe araignée, aux bras démesurés (son nom vient du grec *ateleia*, imparfait, du fait qu'il ne possède pas de pouces aux mains, sa longue queue assurant à leur place de bonnes prises des branches).

Chez les Catarhiniens, la queue, lorsqu'elle n'a pas disparu, n'est pas préhensile. Leur habitat est plus varié : forêt, savane et même désert ou montagne pour certains. Les plus étranges de ce point de vue sont les macaques du Japon, qui vivent sur l'île de Honshu. Il est particulièrement déroutant de les voir en hiver au milieu de la neige dont ils sont parfois couverts. Leurs ancêtres se sont certainement trouvés piégés dans cette contrée au climat particulièrement rigoureux pour un tel animal, au cours d'un des nombreux refroidissements de la Terre, et n'ont dû leur survie qu'à l'existence de sources d'eau chaude, formant des baignoires dans lesquelles on peut les voir se plonger, alors que le singe moyen est plutôt allergique à l'eau.

Les Catarhiniens se divisent en deux groupes : les Cercopithécoïdes et les Hominoïdes. Les premiers, autrement appelés Cynomorphes (c'est-à-dire à forme de chien), possèdent une queue, à l'inverse des seconds. Ils se sont beaucoup diversifiés au point d'être aujourd'hui représentés par près d'une centaine d'espèces réparties dans deux familles, les Cercopithécidés (macaques, cercopithèques autrement appelés guenons, mangabeys, babouins, géladas) et les Colobidés (colobes, nasique, rhinopithèques). On ne les trouve plus qu'en Afrique, sauf les macaques du Japon et de Gibraltar et les Colobidés à la fois africains et asiatiques. Les géladas se sont adaptés aux plateaux semi-désertiques d'Éthiopie ; descendants d'ancêtres de beaucoup plus grande taille, ils sont morphologiquement très semblables aux babouins. Les colobes sont restés totalement arboricoles. Se nourrissant principalement de feuilles, ils ont fini par acquérir un estomac doté de plusieurs poches, un peu comme les ruminants, leur permettant de digérer cette nourriture coriace. Ceux qui vivent dans des habitats proches des chimpanzés sont parfois les victimes de ces derniers qui se regroupent pour leur faire la chasse et s'en partager la viande. Notons qu'ils marchent en s'appuyant sur la paume de leurs mains, contrairement aux gorilles et aux chimpanzés qui prennent appui sur l'extérieur des phalanges (ce que les Anglo-Saxons appellent le « knuckle walking »). Signalons enfin une troisième famille, aujourd'hui éteinte, les Victoriapithécinés.

Les Hominoïdes, qui s'étaient divisés en de nombreuses espèces à l'époque où, au contraire, les Cercopithécoïdes restaient peu diversifiés, ne sont plus représentés que par les Hylobatidés (gibbons), qui vivent en Malaisie, dans les îles de la Sonde et quelques terres voisines, les Pongidés, dont le seul représentant actuel est l'orang-outang qui survit difficilement dans les îles de Bornéo et de Sumatra, et les Hominidés, gorilles, chimpanzés et Homme. Les gorilles vivent dans deux régions totalement séparées : les gorilles des plaines dans des forêts d'Afrique occidentale et les gorilles des montagnes dans les régions frontalières du Congo Kinshasa, de l'Ouganda et du Rouanda. Les chimpanzés sont divisés en deux sous-espèces, le chimpanzé commun et le bonobo, plus élancé et aux mœurs très différentes, ces deux populations étant séparées par le fleuve Congo au sud duquel vit le bonobo.

Nous avons vu que les relations de parenté entre les nombreux groupes de primates étaient loin d'être totalement éclaircies. Cette incertitude est aggravée par la difficulté de déterminer dans quelle région a émergé tel ou tel groupe. Si l'Europe et les Amériques sont maintenant exclues, la compétition reste entière entre l'Afrique et l'Asie. Jusqu'à ces dernières années, un consensus s'était établi autour de l'origine africaine de l'ordre des primates qui s'étaient ensuite répandus sur les autres continents. Cette hypothèse a été confortée par plusieurs découvertes récentes. D'abord, en 1991 au Maroc, celle de quelques dents ayant appartenu indubitablement à un primate nommé *Altiatlasius koulchii*, probablement un Omomyidé, encore que l'on n'en soit pas sûr. Puis le très riche gisement de fossiles du Fayoum, en Égypte, suivi de celui de Taqah au sultanat d'Oman, ont livré des restes attribués à des adapiformes de diverses espèces appartenant à plusieurs genres, signe d'une diversification importante, ainsi qu'un crâne dont la dentition suggère un rapprochement avec les ancêtres des lorisoïdes.

Mais la découverte en Asie d'une bonne trentaine de dents, en même temps qu'était exhumé le *Baluchitherium*, ont semé le trouble ; attribuées à des ancêtres de lémuriens, elles avaient une forme très particulière qui a fait rapprocher leur propriétaire d'un lémurien nain, le *Cheirogaleus*, dont la configuration dentaire est différente de celle des autres lémuriens actuels. Voilà donc des ancêtres de lémuriens ayant habité une lointaine terre asiatique il y a 30 millions d'années, alors même que l'on n'a jusqu'à présent trouvé aucun fossile de lémurien en Afrique. Le trouble est encore plus grand si l'on rapproche ces 30 Ma des 90 Ma de séparation de Madagascar et de l'Afrique continentale et des quelque 60 Ma d'origine vraisemblable des lémuriformes. Avec toutes ces données, on peut avancer l'hypothèse que l'on veut sur l'origine et la radiation de ces petites bêtes ! Seules de nouvelles découvertes de fossiles permettront peut-être d'en privilégier une.

Les choses ne sont guère plus claires lorsque l'on recherche l'origine des simiiformes. Comme pour les lémuriens, de récentes découvertes asiatiques ont semé le désarroi. Précédemment, les plus anciens restes de singes provenaient du gisement du Fayoum. D'autres découvertes, dans la péninsule arabique, s'y sont ajoutées, révélant une très grande richesse de peuplement en Afrique après la « Grande Coupure ». Certains spécimens possédaient 36 dents, caractère primitif que l'on retrouve chez les singes du Nouveau Monde. De façon générale, on constate une très grande diversité de taille et d'autres caractères, comme le nombre et la forme des dents, révélant un nombre très important d'espèces. D'où la conclusion logique d'une origine africaine des singes, et probablement de tous les primates. Mais des bouts de mâchoires portant quelques dents avaient été trouvés, bien longtemps auparavant, dans les années 1920 et 1930, en Birmanie, datés d'une époque un peu antérieure aux gisements africains, allant donc à l'encontre de l'hypothèse africaine. Depuis une cinquantaine d'années, les fossiles se sont accumulés, tant en Asie qu'en Afrique, entraînant une controverse jusqu'à aujourd'hui sans solution : les premiers singes peuvent être aussi bien asiatiques qu'africains, les fossiles trouvés de chaque côté pouvant soit être les descendants d'ancêtres restés sur place, soit des migrants passés d'un continent à l'autre. Attendons la découverte de fossiles plus anciens pour espérer y voir un peu plus clair…

13.2. Diversification et déclin des grands singes

L'Oligocène, qui suit la « Grande Coupure », connaît un refroidissement important du climat et la disparition concomitante de nombreuses espèces, dont la plupart des primates hors de l'Afrique et de l'Amérique du Sud. Malheureusement, les fossiles sont peu nombreux jusqu'au Miocène, et rien en particulier ne retrace la disparition des singes à 36 dents de l'Ancien Monde ou des lémuriens que l'on ne retrouvera qu'à Madagascar, ni les processus évolutifs qui vont conduire aux deux groupes modernes des Cercopithécoïdes et des Hominoïdes. Nous allons retrouver ces derniers dans l'est de l'Afrique, dans la célèbre Rift Valley. Cette gigantesque coupure de plus de 4 000 km de long entaille l'est de l'Afrique dans le sens nord-sud. Sa formation et son élargissement (qui continue aujourd'hui à la vitesse approximative de 1 cm par an) ont provoqué de nombreux et importants phénomènes volcaniques, avec des émissions de laves et de cendres qui se sont déposées en emprisonnant et conservant jusqu'à nous de nombreux fossiles. Les altitudes s'étagent de – 650 m pour le fond du lac Turkana à 5 895 m pour le célèbre mont Kibo du Kilimandjaro.

Cependant, ce n'est pas en Afrique de l'est que furent découverts les premiers restes d'Hominoïdes, mais en Europe. La primeur revient à *Dryopithecus fontani*, dont une mandibule fut trouvée en 1856 dans une carrière près de Saint-Gaudens, au sud de la Haute-Garonne, par le docteur Fontane (d'où *fontani*, *Dryopithecus* voulant dire « singe des chênes », arbre dont des restes fossilisés se trouvaient à proximité). Cette mandibule, que l'on a pu dater entre 13 et 14 Ma, montre une présence très ancienne en Europe (qui a duré environ 5 Ma). Depuis, d'autres ossements ont été trouvés, d'abord dans la même région, puis en Andorre et en Espagne. Les spécialistes Édouard Lartet puis Albert Gaudry hésitèrent sur son statut, le situant cependant plus près de l'Homme que des gorilles et des chimpanzés, ce qui ne manqua évidemment pas de choquer nombre de contemporains. Les fragments de membres trouvés en Espagne révèlent un Hominoïde arboricole se déplaçant par brachiation (c'est-à-dire en se suspendant par les bras, comme les gibbons actuels, encore que son poids plus important ne lui permettait probablement pas autant d'agilité). Sa dentition à l'émail mince indique une nourriture à base de fruits, ce qui le distingue des autres Hominoïdes européens connus.

La découverte suivante fut une mandibule, trouvée en 1872 par le français Paul Gervais en Toscane, dans une mine de lignite du Monte Bamboli. Il donna à ce grand singe le nom d'*Oreopithecus bambolii*. Un squelette entier, mais écrasé, a été trouvé en 1958. Alors que ses membres supérieurs révèlent un déplacement dans les arbres par brachiation, la forme des os du bassin et des vertèbres lombaires montre la pratique complémentaire d'une bipédie, la plus ancienne connue.

Les premières trouvailles asiatiques sont plus récentes, au début du XXe siècle. Mentionnons pour l'anecdote, bien que ce soit un peu plus tard, dans les années 1930, la récolte de « dents de dragon » en Chine par l'Allemand Ralph von Koenigswald. Elles étaient vendues comme médication dans les pharmacies chinoises. Il s'agissait en réalité de dents de mammifères fossiles, parmi lesquelles notre paléontologue repéra des spécimens qu'il attribua sans hésiter à des primates et dont il fit l'acquisition. Mais leur taille faisait de leur ancien propriétaire un géant, beaucoup plus grand que nos gorilles, auquel on ne pouvait pas donner un autre nom que *Gigantopithecus*.

Plus récemment, on n'a évidemment pas manqué de faire de cette énorme créature l'ancêtre du mystérieux (et jusqu'à présent aussi hypothétique que le monstre du Loch Ness) « abominable homme des neiges », autrement appelé yeti. Depuis, des recherches plus rationnelles *in situ*, dans des grottes du sud de la Chine où les apothicaires s'étaient approvisionnés, ont permis à des paléontologues chinois de trouver de nombreuses autres dents, mais aussi trois mandibules qui, malheureusement, n'éclairent pas beaucoup plus sur son arbre généalogique.

Avant la collecte pharmaceutique de von Koenigswald en Chine, des Britanniques trouvèrent de très nombreux fossiles, parmi lesquels des restes de primates. En 1910, Guy Pilgrim définit ainsi *Sivapithecus* à partir d'une molaire isolée. Beaucoup plus récemment, la découverte de faces de *Sivapithecus* au Pakistan puis en Chine a permis de le rapprocher de l'orang-outang actuel, dont il pourrait être l'ancêtre. La multiplication des découvertes au cours des années suivantes produisit une inflation du nombre d'espèces dont la dénomination mettait l'imagination des chercheurs à rude épreuve, obligeant à mobiliser le riche panthéon indien. Mais on avait oublié, comme souvent dans de telles découvertes, de prendre en compte le dimorphisme sexuel et la variabilité entre les individus. Plus ou moins rapidement, des appellations disparurent, leurs titulaires étant rangés sous une bannière commune. Restaient pour l'essentiel *Sivapithecus* et une trouvaille un peu plus récente, *Ramapithecus* découvert en Inde en 1932 (chacun formant un genre regroupant plusieurs espèces). C'est le français Louis de Bonis qui a mis de l'ordre dans le fouillis des espèces asiatiques présumées en constatant qu'aucune des deux dernières ne présentait de dimorphisme sexuel et que l'une, *Sivapithecus*, avait un crâne aux reliefs nettement plus marqués. Comparant les crânes avec ceux d'*Ouranopithecus*, Hominoïde grec à net dimorphisme sexuel, et constatant les ressemblances respectives entre les mâles grecs et le Sivapithèque asiatique d'une part, entre les femelles des premiers et le Ramapithèque d'autre part, il proposa de marier les deux espèces asiatiques pour en faire une seule. Exit donc *Ramapithecus*.

D'autres fossiles d'Hominoïdes ont été découverts en Asie, mais ils n'apportent pas de renseignements déterminants sur les diverses lignées et les liaisons entre les continents, alors que la compréhension de ces échanges intercontinentaux serait fort utile pour aider à reconstruire les lignées d'Hominoïdes depuis les premiers d'entre eux jusqu'à leurs descendants Hominidés. C'est qu'il s'est produit, il y a environ 17 ou 18 Ma, un événement considérable : la jonction entre l'Afrique et l'Asie qui va permettre des échanges de faune entre les deux continents (en même temps qu'elle va interrompre les liaisons maritimes entre la Méditerranée et l'océan Indien). Ainsi passeront d'Afrique en Asie et en Europe, parmi d'autres moins imposants, des Proboscidiens, les mastodontes, qui se diversifieront jusqu'à donner le mammouth, ultime adaptation d'un ancêtre de contrée chaude aux climats rigoureux que connaîtra l'Europe. Cette liaison euro-afro-asiatique va permettre aux primates de retourner dans des contrées desquelles ils avaient disparu du fait du refroidissement de la « Grande Coupure » (bien entendu, ce ne sont plus des Adapidés ou des Omomyidés, mais des grands singes issus des formes ancestrales révélées par les gisements du Fayoum et de Taqah).

Le premier Hominoïde connu est *Kamoyapithecus*, un Kenyan connu uniquement par une mâchoire supérieure encore dotée d'une prémolaire et des trois molaires, plus un morceau de canine isolé. Conservé bien à l'abri entre deux coulées volcaniques, il a pu être daté grâce à elles d'environ 26 Ma (à 1,5 Ma près), à la fin de l'Oligocène. On l'a regroupé avec quelques autres espèces un peu plus récentes dans la famille des Afropithécidés. Citons parmi elles *Afropithecus turkanensis*, dont la datation est incertaine, entre 15 et 20 Ma. Ses restes ont été trouvés dans divers sites du nord du Kenya. De la taille d'un chimpanzé, il devait vivre majoritairement dans les arbres, se nourrissant de fruits, dont certains à peau épaisse comme le suggère l'usure de ses dents. D'autres os fossilisés, d'aspect plus évolué, ont permis de nommer d'autres genres et espèces difficiles à dater de façon précise et à relier aux précédents.

Autrement parlante fut la découverte des premiers restes de celui qui a été affublé du nom étrange de Proconsul. Leur inventeur était un amateur éclairé qui eut le temps d'envoyer des échantillons à Londres avant de connaître, dit-on, une fin tragique sous la dent d'un crocodile, alors qu'il chassait l'hippopotame sur le lac Victoria. Proconsul ne signifiait pas que l'on datait ce quadrupède de l'Antiquité romaine, mais que l'on en avait au premier abord fait un ancêtre du chimpanzé dont un représentant, du nom de Consul, était à l'époque une célèbre attraction d'un music-hall de Londres.

Le genre Proconsul comprend plusieurs espèces de tailles diverses. Son squelette, bien connu par de nombreuses autres découvertes datées de – 20 à – 16 Ma environ, en fait un bon candidat comme ancêtre des Hominidés. Son crâne montre une face plus en retrait que celle des singes du Fayoum, avec un volume cervical nettement plus important. Ses dents suggèrent un régime frugivore. La morphologie de ses membres antérieurs et postérieurs, de longueur à peu près égale, indique une démarche non spécialisée de quadrupède (marchant sur la paume des mains, contrairement aux gorilles et chimpanzés actuels) qui avait tout loisir de se transformer, au fil de l'évolution de ses descendants, en brachiation, « knuckle walking » ou bipédie (cette dernière n'étant, à son apparition, que les quelques pas maladroits au sol d'un animal se déplaçant la plupart du temps dans les arbres, les pieds posés sur des branches et les mains accrochées à des rameaux situés au-dessus).

La nombreuse faune qui accompagnait nombre de restes de Proconsul a permis de reconstituer son habitat, forestier comme on pouvait s'y attendre, mais avec des variations selon les espèces, de la forêt dense à des habitats plus ouverts. De nombreux fossiles d'autres singes les accompagnaient ; leur variété montre une très grande diversification qui s'étendit, semble-t-il, bien au-delà du Rift est-africain puisqu'une mâchoire a même été trouvée en Namibie en 1992, dans la partie sud-ouest de l'Afrique.

Le Miocène au début duquel vécut Proconsul avait succédé aux quelque 10 millions d'années d'intermède froid de l'Oligocène. Les causes du réchauffement du Miocène inférieur sont mal connues ; elles sont certainement en corrélation avec de nouvelles modifications des courants tant marins qu'atmosphériques. Elles ont favorisé une radiation importante des Hominoïdes, mais ensuite, un nouveau refroidissement s'est produit, vers – 17 Ma, au moment où l'Afrique entrait en collision avec l'Eurasie. La calotte glaciaire antarctique, apparue au Pléistocène, s'étendait, fixant de grandes quantités d'eau et abaissant fortement de ce fait le niveau des océans. Des saisons marquées faisaient alterner chaleur et froid, humidité et sécheresse, entraînant une modification des biotopes. Les forêts s'éclaircissaient, cédant largement la place à des savanes plus ou moins boisées. Les ressources alimentaires forestières s'appauvrissaient, mais parallèlement s'ouvrait un nouveau milieu qui fit le bonheur des mammifères brouteurs, et singulièrement celui des herbivores Artiodactyles dont le nouvel estomac multipoche permettait d'optimiser l'exploitation de cette nouvelle ressource alimentaire, assurant leur suprématie sur les Périssodactyles.

Une telle transformation devait forcément influer sur le devenir des primates. Alors que certains continuaient à se nourrir de fruits et de pousses tendres, la raréfaction de ces ressources en conduisait d'autres à adopter peu à peu un régime fait d'aliments plus coriaces prélevés à la fois sur les arbres et dans le sol, feuilles, graines, racines et tubercules. Il en résultait une évolution de leurs dents dont l'émail s'épaississait et de leurs mâchoires qui devenaient plus robustes. Ce nouvel environnement profita aux Cercopithécoïdes qui allaient connaître un essor extraordinaire. À l'opposé, il n'était guère favorable aux Hominoïdes dont quelques lignées seulement purent s'adapter, conduisant à l'appauvrissement de leur groupe. Cependant, quelques troupes aventureuses prenaient pied en Asie et en Europe grâce au pont jeté entre leur berceau et ces continents.

Après la disparition de Proconsul, on connaît en Afrique *Kenyapithecus*. Ses restes, trouvés au Kenya comme son nom le suggère et anciens d'environ 12 à 15 Ma, montrent une dentition à l'émail relativement épais, en corrélation avec des mâchoires robustes et des membres de quadrupède vivant pour beaucoup sur le sol, et non dans les arbres. Il s'agit donc clairement d'un animal adapté aux nouvelles conditions climatiques dans son habitat et sa nourriture. En Asie, le premier représentant des Hominoïdes dont on est certain est *Sivapithecus*, dont nous avons déjà parlé. Quelques dents plus anciennes attribuées à d'autres espèces suggèrent une radiation assez importante de primates en Asie à partir de souches africaines, mais aucun reste ne peut être rattaché de façon suffisamment sûre à un Hominoïde plus ancien que *Sivapithecus*.

Un autre Hominoïde, *Griphopithecus*, a d'abord été identifié par quelques dents trouvées en Tchécoslovaquie, auxquelles se sont ensuite ajoutées des mâchoires et une mandibule provenant de Turquie, avec les mêmes caractères d'épaisseur de l'émail des dents et de robustesse des mâchoires. On est ici à cheval entre l'Asie et l'Europe. Nous avons déjà signalé pour celle-ci *Dryopithecus*, « le singe des chênes ». Rappelons que, contrairement aux précédents, ses dents à l'émail mince montrent une nourriture à base de fruits.

Puis un autre représentant du genre *Dryopithecus* a été trouvé en Hongrie, dans des sédiments de lignite, là où s'étendait un lac il y a 10 Ma. Le lignite a conservé de nombreuses traces de la faune et de la flore de l'époque, montrant *Dryopithecus* vivant dans une végétation de région chaude et humide, entouré de nombreux autres mammifères végétariens dont le « tigre à dents de sabre » faisait son ordinaire (sauf évidemment les mastodontes et autres rhinocéros dont il devait probablement s'écarter). Dans les arbres vivaient des pliopithèques, singes catarhiniens primitifs aux longs bras. Le premier d'entre eux, *Pliopithecus antiquus*, avait été trouvé par Édouard Lartet dans le Gers, en 1834 ; ce fut un événement extraordinaire, car il s'agissait du tout premier fossile de primate jamais découvert, ce qui ne manqua pas d'être contesté par Cuvier, toujours fermement accroché au fixisme.

Nous avons également déjà fait allusion à *Ouranopithecus*, découvert en Grèce. Les premiers fossiles de cet Hominoïde furent trouvés par hasard dans ce pays au cours de la Grande Guerre par un officier français, Camille Arambourg, au cours de travaux de terrassement de sa compagnie, mais ses recherches furent interrompues par les opérations militaires. Reprises par Louis de Bonis dans les années 1970, elles permirent d'exhumer de nombreux restes datés de 9 Ma et de créer le nouveau genre *Ouranopithecus*. Ils se trouvaient mélangés à de très nombreux ossements de mammifères et, vu la nature du site et des sédiments dans lesquels ils étaient enfouis, il était manifeste qu'il s'agissait d'animaux et d'Hominoïdes noyés ensemble par une inondation. Cela a permis de livrer tout un échantillon d'individus des deux sexes et d'âges très divers. Malheureusement, il ne s'agissait que de mâchoires et de dents isolées auxquelles s'est cependant ajoutée une face trouvée dans un autre site proche. Il est remarquable d'observer que ces restes fossiles ressemblaient beaucoup à ceux de certains Australopithèques africains, beaucoup plus récents (et que nous allons retrouver), dont on peut penser qu'ils appartenaient à une lignée différente mais vivaient dans un milieu comparable ; cela constitue une nouvelle illustration particulièrement parlante de l'influence de l'environnement sur l'évolution.

Les Hominoïdes européens disparaissent vers – 8 Ma, victimes d'un nouveau refroidissement du climat et de la baisse importante du niveau de la mer Méditerranée. Parallèlement et pour la même raison, mais sans aller jusqu'à une extinction totale qui aurait interrompu de façon radicale l'évolution vers notre espèce, ce refroidissement va conduire à une très forte diminution du nombre d'espèces d'Hominoïdes aussi bien en Afrique qu'en Asie. À l'inverse, les Cercopithécoïdes s'adaptent parfaitement au nouvel environnement, avec des dents performantes pour le broyage d'aliments durs et même pour certains, comme nous l'avons vu, l'évolution de leur estomac à la manière des ruminants. Quelques branches d'Hominoïdes vont cependant réussir à se maintenir, dont les ultimes représentants sont l'orang-outang et le gibbon en Asie, le chimpanzé et le gorille en Afrique, et enfin l'Homme moderne.

Chapitre 14

Les ancêtres et les cousins

Proconsul, dont une des espèces est notre ancêtre probable, est connu par ses restes fossilisés jusque vers – 16 Ma. On trouve ensuite *Kenyapithecus*, plus quelques restes difficiles à placer, comme la mâchoire namibienne. Ensuite, c'est le grand trou noir : pendant plusieurs millions d'années, plus aucun morceau de mandibule ou d'humérus à nous mettre sous la dent pour maintenir le fil de l'histoire, notre histoire et celle des grands singes africains. Sautons donc, bien malgré nous, quelque 10 Ma et penchons-nous sur les quelques pièces du puzzle disponibles pour les 6 à 7 derniers millions d'années, fruits de plus d'un siècle de patientes recherches. Nous commencerons par l'ordre chronologique des premières découvertes. Nous devrons ensuite l'abandonner, sauf à nous perdre dans le dédale inextricable des fossiles dont l'exhumation a régulièrement bousculé les certitudes antérieures, faisant émerger de nouvelles espèces aux filiations incertaines quasiment à chaque découverte d'une nouvelle dent ou d'un bout d'os qui étaient à peu près immanquablement attribués à ce que l'on décrétait être notre véritable ancêtre. Un peu d'ordre a pu être remis dans toutes ces pièces et nous essaierons de présenter le tableau le plus consensuel possible. Nous y ajouterons des découvertes récentes dont certaines ont eu l'effet d'un coup de pied dans cette fourmilière qui était à peu près apaisée.

Commençons donc par les premiers fossiles, sources de perplexité et de furieuses batailles chez les contemporains de ces découvertes.

14.1. Un peu de vocabulaire

Mais précisons tout d'abord les appellations données aux primates de la branche des Hominoïdes. En effet, elles ont beaucoup varié dans le temps et il n'existe toujours pas de consensus. La raison principale en est que l'on retrouve toujours, de façon récurrente, le (faux) problème de la place de notre espèce, *Homo sapiens*, dans la galerie des primates. Faut-il faire une place à part à la lignée ayant conduit à notre espèce, ou bien doit-on considérer que nous ne sommes qu'un rameau banal dans l'évolution de l'ordre des primates ? Le simple fait que l'on ait choisi cette appellation de « primates », autrement dit « premiers », montre bien qu'il a été, et qu'il reste encore pour beaucoup, difficile de nous considérer comme un rameau parmi d'autres d'un buisson foisonnant, comme il en existe tant d'autres dans l'histoire des espèces vivantes.

Nous avons vu au chapitre 13 un schéma présentant l'ensemble de l'ordre des primates (figure 13.2). Focalisons-nous maintenant sur les Hominoïdes, cathariniens sans queue, en présentant et adoptant pour la suite la classification la plus consensuelle.

Hominoïdes
/ \\
Hominoïdés Hylobatidés (gibbons)
/ \\
Hominidés Pongidés (orang-outang)
/ \\
Homininés Gorillinés (gorilles)
/ \\
Hominines Panines (chimpanzés)

Figure 14.1. *La famille des Hominoïdes*

Les noms entre parenthèses désignent les descendants survivants de chaque groupe (bien peu nombreux !). La dernière bifurcation, au niveau des Homininés, sépare les deux branches qui en sont issues : le groupe des Panines, dont les seuls représentants actuels sont les diverses sous-espèces de chimpanzés, et celui des Hominines, dont le seul survivant est *Homo sapiens*.

Cette nomenclature a au moins un avantage : ne pas mélanger notre lignée avec celle des grands singes, y compris nos proches cousins chimpanzés, et éviter ainsi de heurter des susceptibilités ou des convictions.

14.2. Les premières découvertes

Les premiers fossiles qui excitèrent la curiosité n'étaient pas des dents ou des ossements, mais ce que l'on appelait les « pierres de foudre ». Les esprits curieux qui avaient l'intuition d'objets artificiels fabriqués par des Hommes primitifs n'avançaient cette idée qu'avec la plus grande prudence car, à ces époques, on pouvait se retrouver sur le bûcher pour moins que cela. Isaac de La Peyrère, calviniste de surcroît, publia à Amsterdam, après l'avoir fait circuler plusieurs années « sous le manteau », mais prudemment sans mention de nom d'auteur, un traité sur les « Pré-Adamites », hommes qui auraient vécu, selon son interprétation de certains passages de la Bible, avant Adam et Ève. Le livre, à défaut de l'auteur, fut brûlé solennellement en 1655. Il émettait l'idée que les « pierres de foudre » étaient en réalité des outils taillés dans des pierres brutes par ces premiers Hommes. C'était la première tentative explicitement formulée d'attribuer une industrie lithique à des Hommes primitifs.

À l'inverse, d'autres découvertes amenaient à des hypothèses hasardeuses qui se voulaient plus en accord avec les croyances de l'époque. Deux en particulier méritent d'être citées pour leur côté anecdotique. En 1715, l'Anglais John Bagford, surtout connu comme « biblioclaste » parce qu'il avait la curieuse et déplorable manie d'arracher les couvertures et les plus belles pages de livres anciens pour en faire collection, rapporta que l'on avait trouvé une arme en pierre taillée près du squelette d'un éléphant. Forcément, il ne pouvait s'agir que de celle d'un soldat breton luttant contre les légions fraîchement débarquées de l'empereur romain Claude, quelques années avant que celui-ci ne finisse empoisonné par un plat de champignons vénéneux servi par son épouse Agrippine qui voulait faire monter sur le trône son fils Néron. Ces troupes étaient en effet renforcées par quelques pachydermes qui semèrent la panique dans les rangs bretons. Soulignons au passage l'exploit que dut être le transport de ces animaux d'une rive à l'autre de la Manche !

Un siècle plus tard, en 1823, après la découverte d'une défense d'un semblable pachyderme supposé lui aussi avoir débarqué avec les Romains, associée à un squelette féminin peint à l'ocre rouge et paré de bijoux d'ivoire, on soupçonna ces mêmes légionnaires d'avoir noué un coupable commerce avec des Bretonnes entre deux combats avec leurs frères ou époux. Il revint finalement à un archéologue amateur, le Français Jacques Boucher de Perthes, de défendre avec conviction et constance l'ancienneté des pierres taillées et des pachydermes. Succédant en 1825 à son père comme directeur des douanes à Abbeville, il découvrit quelques années après, dans une ancienne couche d'alluvions de la Somme, des outils en silex, à côté d'os de mammifères disparus. Il publia ses observations dans un ouvrage intitulé *Antiquités celtiques et antédiluviennes*, commençant par imaginer, comme Isaac de La Peyrère, l'existence d'une première humanité antérieure au Déluge, puis émettant l'hypothèse de l'évolution d'une espèce humaine unique. Tout d'abord peu pris au sérieux, il finit par connaître une certaine consécration en recevant la Légion d'honneur en 1863. Dans les mêmes années, un étrange squelette humain était découvert dans la vallée de Neander (nous allons le retrouver bientôt sous le nom d'Homme de Néandertal), et un certain Charles Darwin publiait *The origin of species, by means of natural selection, or the preservation of favoured races in the struggle for life.*

Les détracteurs de Darwin feignaient de croire qu'il faisait descendre l'Homme en droite ligne du chimpanzé, si ce n'était du gorille ou de l'orang-outang. Mais les scientifiques de bonne foi ne prétendaient rien de tel ; encore fallait-il trouver, sinon l'ancêtre simien, au moins un intermédiaire plus récent possédant à la fois des traits simiesques et humains, le célèbre « chaînon manquant ». C'est encore un amateur qui s'y colla, Eugène Dubois. Comme son nom ne l'indique pas, il s'agissait d'un Hollandais, professeur d'anatomie qui, séduit par les thèses de Darwin et par un livre du britannique Alfred Russel Wallace évoquant le sud-est asiatique et l'orang-outang, pensa que c'était là qu'avait vécu ce chaînon manquant.

Dubois se fit nommer médecin militaire et put ainsi se rendre dans ce qui était à l'époque les Indes néerlandaises. À Java, il trouva tout d'abord un fragment de mandibule avec une dent, puis une calotte crânienne, et enfin un fémur l'année suivante. Il pensa (à tort) que la dent avait pu appartenir à un ancêtre de l'orang-outang. Mais, si la calotte crânienne était de très petites dimensions, de capacité comparable à celle d'un crâne de singe, le fémur était d'une facture qui permettait de l'attribuer sans ambiguïté à un être ayant adopté la station debout. Pour Dubois, aucun doute : il avait trouvé l'intermédiaire entre le singe et l'Homme, qu'il appela *Pithecanthropus erectus*, « l'Homme-singe debout ». Nous étions en 1892.

Trois ans après, il présenta ses découvertes et ses déductions à un congrès international. Comme on pouvait s'y attendre, il se heurta à un large scepticisme, même s'il reçut également quelques approbations chaleureuses. Il est vrai que l'île de Java est dotée d'une géologie difficile à déchiffrer et, souvent, des éboulements ont transporté des fossiles depuis leur lieu d'origine vers des fonds datant d'une autre époque. Il était donc malaisé de situer dans le temps les trouvailles de Dubois ; et puis le crâne pouvait être celui d'un singe et rien ne permettait d'affirmer qu'il appartenait à la même espèce que le fémur. Finalement, continuant à se heurter à l'incrédulité de ses contemporains, Dubois enferma ses fossiles dans la chambre forte d'un musée de Haarlem, interdisant à quiconque d'y accéder durant plus de vingt ans. Lorsqu'il consentit à les en sortir, ce fut pour récuser à son tour sa propre thèse, attribuant ces ossements à un gibbon géant, à partir de ses propres travaux erronés, sur le rapport entre la taille des mammifères et le volume de leur boîte crânienne. Il s'agissait pourtant bien, sinon du chaînon manquant, notion maintenant périmée, d'un Homme authentique appartenant au groupe que l'on a rassemblé ensuite sous le nom de *Homo erectus*, que nous allons retrouver sur tous les continents de l'Ancien Monde.

Quelques années plus tard, en 1908, c'est en Angleterre, à Piltdown dans le Sussex, que fut découvert par un anthropologue amateur du nom de Charles Dawson un autre crâne, bien différent car d'aspect très moderne, qui allait faire couler beaucoup d'encre et de salive. Cette trouvaille fut suivie de celle d'une mandibule. Mais, au contraire du crâne, cette mâchoire inférieure avait un aspect particulièrement simien. En revanche, les deux molaires qui s'y rattachaient présentaient une usure caractéristique des êtres humains, très différente de celle des dents de singe. Malheureusement, il manquait à la mandibule l'articulation avec le crâne et la partie correspondant au menton qui sont très différentes chez l'Homme et le singe, ce qui aurait permis d'y voir plus clair dans cet intrigant mélange. Puis une canine usée de la même manière et d'autres ossements complétèrent cette collection qui allait dans le sens d'un être hybride bien étrange, mais jugé plausible à l'époque. Tout cela était cependant trop beau et le doute s'installa peu à peu. Il fallut cependant attendre l'année 1953 pour qu'enfin une étude minutieuse des ossements montre que la coloration attestant de l'ancienneté du crâne et de la mâchoire avait été obtenue artificiellement par une teinture, que les os et les dents avaient été remodelés à la lime, et que les fossiles d'animaux soi-disant découverts à proximité provenaient en réalité d'autres sites.

Il est probable que Charles Dawson, sans doute à la recherche d'une certaine gloire, était l'auteur unique de cette supercherie. Mais on a également soupçonné Teilhard de Chardin, alors jeune, qui avait participé à ces fouilles, d'avoir trempé dans cette supercherie, probablement pas dans la quête d'une renommée qui aurait été bien peu glorieuse, mais plutôt pour monter un canular et tester la crédulité des sommités de la paléontologie de l'époque.

Quoi qu'il en soit, l'intérêt de cette histoire n'est pas tant dans son déroulement et l'énigme policière qui l'accompagne (qui est le coupable ?) que dans les raisons qui ont fait son succès. C'est en effet une bonne illustration du danger permanent que présente le contexte des croyances du moment dans l'interprétation des découvertes. Aujourd'hui, la présentation d'une telle chimère n'aurait aucune chance de succès, étant donné les connaissances actuelles, qui n'étaient pas à la disposition des savants de l'époque. Tout était alors envisageable. Le terrain était d'autant plus favorable que l'on privilégiait alors la thèse de l'antériorité du développement du cerveau par rapport au reste du corps, et non l'inverse ou une simultanéité des deux (débat qui n'est d'ailleurs pas clos). Et puis cela donnait aux Britanniques un fossile humain qui pouvait faire pièce aux nombreuses découvertes faites en France d'Hommes « primitifs » dits de Néandertal et de Cro-Magnon, dont ils étaient jaloux. L'Homme de Néandertal, supposé à l'époque être l'ancêtre des Hommes modernes, devenait du coup une branche latérale, l'Homme de Piltdown, d'aspect beaucoup plus moderne, le détrônant dans cette supposée ascendance. Enfin, le concept de race faisait alors des ravages : l'Européen était présumé supérieur aux autres « races ». La découverte quelques années plus tard de « l'Homme de Pékin », au cerveau nettement plus petit que celui de l'Homme de Piltdown, allait conforter le statut de ce dernier dont la forme et le volume du crâne illustraient de façon particulièrement lumineuse cette supériorité de l'Européen sur l'Asiatique.

On ne peut que déplorer la prégnance de ces thèses qu'il faut bien appeler racistes dans des publications actuelles (il suffit pour cela de se promener quelques minutes sur Internet) ; sous couvert de contester la science de l'évolution, elles servent le racisme ordinaire à coups d'affirmations délibérément erronées et de soi-disant évidences, sans l'ombre du moindre argument un tant soit peu scientifique. Mais ce point de vue sur la hiérarchie entre les races vient de loin et avait en particulier été clairement exposé dès la fin du XIXe siècle par Haeckel, que nous avons rencontré avec des intuitions plus clairvoyantes sur le développement de l'embryon.

Un an avant la « découverte » de la chimère de Piltdown, l'Allemand Otto Schoetensack avait recueilli une mâchoire inférieure presque complète, manifestement humaine bien que très massive, trouvée par un ouvrier dans une carrière de sable située à Mauer, près de Heidelberg dans le Bade-Wurtemberg. Datée par son inventeur de plus de 600 000 ans (date plausible mais difficile à confirmer), celui-ci n'hésita pas à en faire une nouvelle espèce humaine qu'il appela *Homo heidelbergensis*.

Puis un Canadien, Davidson Black, partit après Dubois à la recherche de l'Homme primitif qui, pour lui, ne pouvait que se trouver en Chine. Nous étions en 1927. Et, comme Dubois, il décrocha la timbale ! Fouillant des grottes près d'un village proche de Pékin, aidé entre autres par le géologue suédois Gunnar Andersson, il trouva trois dents isolées qui lui suffirent à créer sans complexe l'Homme de Pékin, *Sinanthropus pekinensis*. Son intuition fut confortée par le Chinois Pei Wenzhong qui l'accompagnait lors de la découverte des premières dents et qui trouva successivement, l'année suivante, une mandibule et une calotte crânienne. D'autres fossiles exhumés quelques années plus tard confirmèrent pleinement la réalité de l'existence ancienne en Chine d'un homme primitif d'au moins 500 000 ans, d'autant que des outils et des restes de foyers plus ou moins contemporains attestaient, s'il en était besoin, son niveau intellectuel élevé. Son âge a été récemment réévalué : 800 000 ans, soit 300 000 de plus, grâce à une nouvelle méthode de datation plus précise. D'autres découvertes plus récentes ont permis de reculer encore de plus de 300 000 ans la présence d'Hominines en Chine.

Beaucoup de temps avait passé depuis la découverte de l'Homme de Néandertal en 1856, qui avait alimenté des disputes sans fin (certains mettaient même en cause son ancienneté), et l'on osait maintenant affirmer sans hésitation l'existence très ancienne d'Hommes primitifs. Mais la quête du chaînon manquant était toujours infructueuse : on ne trouvait toujours que des Hommes véritables, certes avec une capacité crânienne inférieure à celle de l'Homme moderne, mais se tenant debout, fabriquant des outils et maîtrisant le feu. Et l'origine de ces Hommes était-elle asiatique ou européenne ?

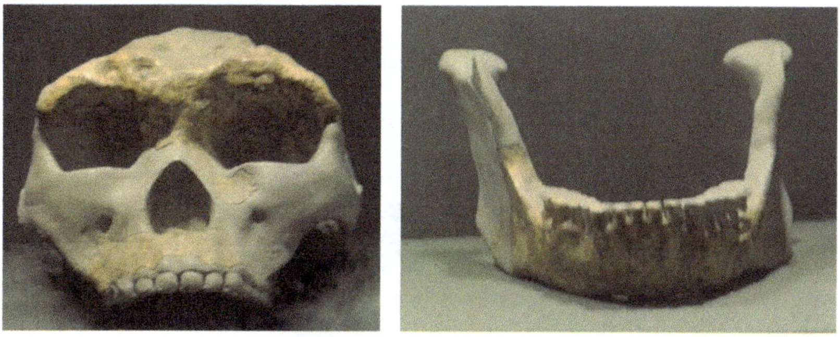

Figure 14.2. *Crâne et mandibule de Lantian (Chine centrale). Âges respectifs estimés : 1,1 Ma et 0,65 Ma (source : photographies de l'auteur, © Musée de Shangai)*

Un nouveau venu allait semer le trouble dans cette harmonie eurasiatique. L'Australien Raymond Dart, médecin et professeur d'anatomie, avait été nommé à Johannesburg en Afrique du Sud, en 1923. Il s'était lui aussi lancé aussitôt à la quête du mythique chaînon manquant, mais en restant sagement dans sa région de résidence. Et voilà que grâce à la perspicacité d'une de ses étudiantes qui entreprit des fouilles dans une carrière située à Taung, à quelque 300 km de là, il se trouva en possession d'un crâne extrêmement bien conservé. Il mit deux mois à le dégager de sa gangue (c'est la difficulté pour les fossiles d'Afrique du Sud qui se trouvent dans des sédiments extrêmement durs, contrairement à ceux d'Afrique de l'est, plus faciles à extraire). Sa capacité crânienne était faible, de l'ordre de 500 cm^3, faisant penser à un singe, mais l'anatomie du crâne l'éloignait du monde simien pour le rapprocher de l'humain. De plus, des dents de lait montraient qu'il s'agissait d'un jeune enfant, et que par conséquent l'adulte qu'il n'avait pu devenir aurait eu une capacité crânienne beaucoup plus grande. Dart donna à sa trouvaille, appelée familièrement « l'enfant de Taung », le nom scientifique d'*Australopithecus africanus*, « le singe du sud de l'Afrique ».

L'enfant de Taung se trouva ensuite doté d'une famille par Robert Broom, médecin d'origine écossaise devenu conservateur du musée du Transvaal à Sterkfontein, près de Johannesburg. Ce fut tout d'abord le crâne d'une femelle à laquelle il donna le nom de *Plesianthropus transvaalensis* (« le presque humain du Transvaal », du grec *plesios*, voisin), puis un spécimen plus massif appelé *Paranthropus* (ce qui veut dire à peu près la même chose, à partir du grec *para*, à côté de). Il les débaptisa ensuite pour leur faire rejoindre le genre *Australopithecus*. Mais la femelle reste surtout connue dans le monde des paléontologues sous le nom de Miss Ples.

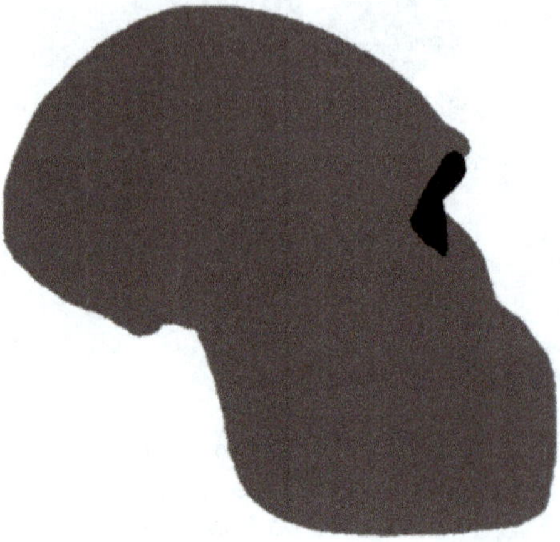

Figure 14.3. *Profil de crâne d'Australopithèque (source : dessin de l'auteur)*

Alors que certains auraient volontiers donné à *Australopithecus africanus* le statut d'ancêtre de l'Homme, on n'en avait pas fini, loin de là, avec les Australopithèques, et la famille s'est considérablement enrichie depuis. D'abord Broom continua sa récolte et, outre des crânes, trouva des membres et des morceaux de bassins attestant de la démarche verticale des Australopithèques, ainsi que de leur variété. Sans indices bien probants, il data ces restes d'au moins 2 Ma, ce qui constituait, par rapport aux fossiles asiatiques, un énorme saut en arrière qui ne fut pas jugé crédible. Mais les découvertes, cette fois en Afrique de l'est, des époux britanniques Mary et Louis Leakey, tout en enrichissant la collection des Australopithèques, confirmèrent cet ordre de grandeur, avec des fossiles aisés à dater grâce aux sédiments dans lesquels ils se trouvaient, âgés de 1,7 Ma. Il restait à donner un statut aux branches de ce buisson devenu particulièrement touffu, rassemblé sous le nom commode, mais par trop imprécis, de genre Australopithèque, qui n'était finalement pas spécifiquement un « singe du sud ». Y avait-il parmi elles celle de l'ancêtre de l'Homme, et si oui, laquelle ? Et d'où provenaient les fossiles asiatiques, qui eux aussi allaient s'accumuler grâce à de nouvelles fouilles, rejoints par des européens qui s'en rapprochaient ? La multiplication des découvertes qui ont suivi nous oblige à quitter cet intéressant et commode ordre chronologique, pour éviter de nous perdre dans le fouillis des espèces et genres créés, fusionnés ou supprimés à l'exhumation de presque chaque nouveau fossile. Nous nous devons cependant, avant de clore cette revue, de mentionner la célèbre Lucy.

Fin 1974, un membre de l'équipe dirigée par les Français Yves Coppens et Maurice Taïeb et l'Américain Donald Johanson trouva, parmi une abondante récolte accumulée depuis plusieurs mois dans l'Afar éthiopien, un véritable trésor : exactement

52 os provenant d'un même squelette. Le crâne était brisé en de nombreux morceaux, mais on peut compter sur les paléontologues pour reconstituer de tels puzzles particulièrement difficiles ; s'y ajoutaient de nombreux autres fragments, parmi lesquels les plus précieux étaient le bassin et de nombreux os des membres qui allaient permettre de se faire une idée de ses modes de déplacement. Âgée d'environ 3,2 Ma (du moins le fossile, la personne elle-même ayant autour de 20 ans), elle inaugura la découverte de l'espèce *Australopithecus afarensis*, rapidement proclamée nouveau candidat pour notre ascendance, hypothèse qui n'a maintenant plus beaucoup d'adeptes. La même année, plusieurs autres *Australopithecus afarensis* furent trouvés à Laetoli, en Tanzanie, dans des terrains de 600 000 ans plus anciens. C'est une trouvaille particulièrement émouvante qui a surtout rendu célèbre le site de Laetoli : les empreintes de pieds de trois individus, dont probablement celles d'un enfant, moulées dans de la cendre volcanique sur plusieurs mètres. Peut-être fuyaient-ils l'éruption d'un volcan, accompagnés de nombreux animaux paniqués dont les traces se sont également imprimées dans ce tapis de cendres.

14.3. Le riche buisson africain

Les fossiles rassemblés sous le nom général d'Australopithèques recouvrent une grande diversité. Bien entendu, la tentation était forte, à chaque découverte, de proclamer qu'il s'agissait d'une nouvelle espèce et que l'on tenait là notre ancêtre. Le nombre des espèces s'est ainsi accru avant d'être ramené à un nombre qui paraissait plus raisonnable. Soulignons cependant, avant de présenter le regroupement le plus consensuel actuellement, combien le concept d'espèce appliqué à des créatures souvent distantes dans le temps de centaines de milliers d'années est trompeur. Deux espèces sont deux groupes d'animaux qui vivent à la même époque et qui, ou bien sont suffisamment dissemblables pour qu'il soit estimé légitime de les distinguer, ou bien sont apparemment proches mais ne sont pas interféconds. Cela n'a en revanche pas beaucoup de sens d'appeler espèce A et espèce B deux groupes dont l'un est postérieur d'un million d'années à l'autre, ayant plutôt le statut d'ancêtre et descendant, ou plus vraisemblablement d'oncle et neveu à la mode de Bretagne avec, de surcroît, de probables formes intermédiaires entre les deux. Mais, faute d'un autre terme, gardons celui-là, en lui donnant simplement le sens de groupe anatomiquement assez différencié pour recevoir une appellation spécifique.

Avant de parcourir un échantillon d'Australopithèques permettant de se faire une bonne idée de l'ensemble regroupé sons ce nom, il est indispensable de citer *Ardipithecus ramidus*, fossile suffisamment singulier pour ne pas le ranger dans ce groupe. En effet, les quelques ossements tout d'abord découverts, datés de 4,4 Ma, ont suffi à le faire définir comme un genre différent, d'où son nom particulier.

Ses singularités faisaient même se demander s'il ne fallait pas plutôt le mettre du côté des grands singes (ancêtre ou rameau latéral sans descendance), et non de celui des humains. Sa dentition à l'émail fin (signe d'une alimentation à base de fruits et de végétaux tendres) n'était pas sans rappeler celle des chimpanzés bonobos.

Mais la publication, en 2009, de la découverte de nombreux autres morceaux de squelettes, en Éthiopie, a permis d'en savoir beaucoup plus sur cet Hominidé. Il, ou plutôt elle, s'agissant d'une femelle surnommée Ardi, possédait à la fois des caractères primitifs hérités de ses ancêtres et des caractères dérivés que l'on retrouve chez des Hominidés plus récents, en faisant un être aussi différent des grands singes que des humains. Ardi menait une vie à la fois arboricole et terrestre, se déplaçant sur les branches des arbres en utilisant ses quatre membres, mais aussi marchant debout lorsqu'elle était sur le sol. La donnée essentielle ainsi apportée était la confirmation de ce qui apparaissait de plus en plus probable : la bipédie de l'ancêtre commun aux humains et aux grands singes, et le caractère très dérivé des grands singes africains actuels (alors que l'on avait tendance jusqu'à une époque récente à tenter de déduire de la morphologie du chimpanzé des données sur les ancêtres de l'Homme).

Soulignons combien il est troublant de découvrir un bon bipède antérieur et extérieur à la lignée des australopithèques, surtout que ce n'est pas le seul : *Orrorin tugenensis* (que nous retrouverons plus loin), découvert au Kenya, était lui aussi un bon marcheur (meilleur même qu'*Ardipithecus*), alors qu'il est de 1,8 Ma plus ancien (6,2 Ma). Et tout cela alors que l'on ne connaît jusqu'à présent aucun fossile permettant de faire la transition entre les Australopithèques et *Homo erectus* (auquel il a été fait allusion à l'évocation des découvertes d'Eugène Dubois à Java) qui va leur succéder, premier véritable *Homo* doté d'une parfaire bipédie, que nous allons retrouver au chapitre suivant. À ce compte, l'ancêtre d'*Homo erectus* peut être aussi bien un proche d'*Orrorin* ou d'*Ardipithecus*, ou d'un autre qui n'a pas encore été découvert et qui ne le sera peut-être jamais, que d'un Australopithèque.

Examinons maintenant notre petite galerie. *Australopithecus anamensis* est à peine moins âgé que notre Ardi, autour de – 4 Ma. On le connaît par des fragments de crâne, quelques dents et, ce qui est particulièrement intéressant, des morceaux de membres. Il est plutôt simien par son crâne, humain par certaines caractéristiques de ses dents à émail épais, et les os des membres suggèrent une démarche bipède bien assurée et un faible usage de la brachiation.

Australopithecus bahrelghazali, qui nous rapproche des – 3 Ma, n'est connu que par un morceau de mandibule. Cela suffit cependant à lui attribuer des singularités, comme une prémolaire à trois racines et non deux comme chez les autres Australopithèques, et donc à conforter l'idée d'un grand foisonnement des espèces. Outre cette particularité, il mérite une mention toute spéciale car il n'a pas été trouvé, comme les autres Australopithèques, dans l'est ou le sud de l'Afrique, mais au nord, au Tchad. Son inventeur est le Français Michel Brunet, qui lui a donné le surnom d'Abel, sous lequel il est mieux connu, en hommage à l'un de ses confrères décédé quelques années auparavant au cours d'une autre mission. Aujourd'hui, le site de Bahr el Ghazal (« la rivière aux gazelles ») est en plein désert ; mais à l'époque d'Abel, le paysage était proche de celui des vallées d'Afrique de l'est d'où ont été extraits ses cousins. Cela étendait le territoire de l'ensemble des Australopithèques, certainement proches parents, au minimum à un croissant de plus de 6 000 km de long, du Tchad à l'Afrique du Sud.

Ensuite, on trouve *Australopithecus garhi*, un Éthiopien de 2,5 Ma qui nous a livré à la fois un crâne, une mandibule et beaucoup d'autres os. Ceux de la tête constituent une liaison intéressante entre les espèces un peu plus anciennes et celles qui vont suivre, le reste montrant des bras d'arboricole et des jambes de bon bipède.

En y ajoutant *Australopithecus africanus* et *afarensis*, que nous avons déjà cités (et quelques autres sur lesquels nous ne nous étendrons pas pour ne pas alourdir ce chapitre), nous sommes en présence d'un groupe assez hétérogène, les caractères que l'on peut appeler archaïques ou modernes ne coïncidant pas avec les âges relatifs des trouvailles. Même à l'intérieur des « espèces », on trouve certains caractères suffisamment divergents pour douter du bien-fondé du regroupement de tous les individus qui les composent, et c'est souvent après des hésitations et des allers-retours entre les classifications qu'a été constitué chacun des groupes auxquels il a été donné un nom. Nous sommes manifestement en présence d'une (petite ?) partie d'un buisson évolutif dont les lignées, fruits d'une combinaison de filiations et de bifurcations, ont été regroupées faute de mieux sous le nom d'*Australopithecus* supposé constituer un genre.

Une preuve de ces difficultés de classification s'est révélée en 2008, en même temps qu'elle ouvrait des perspectives nouvelles sur l'origine du genre *Homo*. Cette année-là, à la suite de la découverte d'une clavicule, plus de 200 ossements étaient extraits sur un site d'Afrique du Sud. Ils appartenaient à plusieurs individus de la même espèce, dont principalement ceux d'une femelle adulte et d'un jeune mâle d'environ 10 ans qui paraissaient être morts en même temps, peut-être la mère et le fils tombés dans une cavité dans laquelle ont été également trouvés, sans doute piégés de la même façon, de nombreux restes de divers animaux. Ces *Australopithecus sediba*, comme on les a appelés, ont pu être datés précisément de 1,98 Ma grâce à l'une des nombreuses inversions des pôles magnétiques qui s'est inscrite, juste à l'époque de leur mort, dans les sédiments qui leur servaient de sépulture. Ils présentaient une déroutante mosaïque de caractères anciens et modernes les rapprochant, pour certains, des grands singes, pour d'autres, d'autres espèces d'australopithèques, les derniers enfin du genre *Homo*. Par exemple un crâne petit, mais de structure proche de celle des hommes, ou certains caractères des membres rappelant ceux des chimpanzés, ou encore des mains et des doigts particulièrement agiles.

C'est ce dernier trait en particulier qui fait de *sediba* un possible ancêtre d'*Homo erectus,* sans exclure qu'il ne s'agisse au contraire que de l'une des probables nombreuses branches éteintes du buisson des Australopithèques, l'ancêtre étant à rechercher ailleurs. Il faut en effet rester prudent : pour ce qui est du crâne par exemple (le seul à avoir été trouvé), il s'agit de celui d'un jeune, n'ayant donc pas encore sa forme définitive d'adulte. La comparaison avec ceux d'autres Australopithèques dont on connaît l'évolution depuis l'enfance jusqu'à l'âge adulte suggère la possibilité d'une modification de forme qui aurait pu faire disparaître cet aspect humain du crâne du jeune *sediba*, s'il avait vécu plus longtemps. De même, comment aurait-on interprété la forme du crâne de « l'enfant de Taung », très arrondie, si l'on n'avait pas trouvé ensuite des adultes au faciès très prognathe ?

Une découverte encore plus récente intrigue tout autant. Il s'agit d'*Homo naledi*, trouvé dans la même région, au fond d'une grotte d'accès difficile, et révélé en 2015. Les ossements appartenaient à une quinzaine d'individus de tous âges. Leur datation les situe dans une fourchette entre 335 000 et 236 000 ans. *Homo naledi* représente un superbe modèle d'évolution « en mosaïque » mélangeant des caractères d'Australopithèque et d'Homme moderne. Les hypothèses sur la place à lui accorder parmi ou à côté des Australopithèques ou en amont d'*Homo erectus* sont aussi difficiles à avancer que pour *Homo sediba*.

Autant dire que l'on ne saura probablement jamais de façon certaine d'où vient *Homo erectus*.

Pour conclure sur les Australopithèques, soulignons que, malgré des différences parfois importantes, ils présentent beaucoup de ressemblances. Leur capacité crânienne est comprise entre 400 et 500 cm^3 (un peu plus que les chimpanzés actuels). L'examen de la face interne du crâne (endocrâne), qui épouse les contours du cerveau et du réseau d'alimentation sanguine, révèle une légère asymétrie des deux hémisphères et une irrigation plus importante que chez les grands singes, montrant un début d'hominisation. Le reste du squelette indique une bipédie qui reste cependant associée, à des degrés divers, à une locomotion dans les arbres.

Pour cet ensemble, à la fois proche et disparate, que nous venons de parcourir, on a ajouté au nom d'Australopithèques le qualificatif de « graciles ». Pourquoi cet adjectif supplémentaire ? Tout simplement parce que, en parallèle, les fouilles ont révélé d'autres groupes à l'aspect plus massif, appelés également Australopithèques, mais que l'on a qualifiés de « robustes » pour les distinguer. Nous avons déjà rencontré le premier crâne trouvé par Broom, en 1938. Son propriétaire avait été appelé *Paranthropus robustus* avant de rejoindre la famille des Australopithèques. D'autres s'y sont ajoutés depuis, provenant d'Afrique du Sud ou de l'est comme *Paranthropus boisei*, trouvé par les Leakey.

Les Paranthropes ne sont pas plus grands que les Australopithèques dits graciles. En revanche, leur crâne est beaucoup plus massif, et l'on préfère aujourd'hui ne pas englober les Paranthropes dans les Australopithèques, qui sont déjà suffisamment différents les uns des autres sans y ajouter une variété à grosse tête. Une raison supplémentaire est que les fossiles de *Paranthropus* sont plus récents que ceux d'*Australopithecus*. Le plus ancien a un peu plus de 2,5 Ma, le plus récent 1 Ma seulement. Les crânes des Paranthropes ne présentent pratiquement pas de front et sont surmontés par un important cimier, ou crête sagittale, excroissance qui court d'avant en arrière sur le dessus du crâne et sert de point d'attache à des muscles masticateurs puissants auxquels correspond une mandibule elle aussi particulièrement massive dans laquelle sont plantées des molaires et prémolaires énormes (les Australopithèques mâles ont également un cimier, mais beaucoup moins apparent).

Ces caractères sont beaucoup moins marqués chez les femelles, de taille nettement plus petite : le dimorphisme sexuel était particulièrement important chez ces Hominidés. Profitons de cette occasion pour indiquer que l'importance du dimorphisme sexuel est considérée comme l'indice d'une plus ou moins grande socialisation des groupes Hominoïdes. Lorsque les différences de taille et de forme du crâne sont importantes, c'est probablement la marque d'une compétition brutale entre mâles pour la possession des femelles, la victoire des plus forts assurant leur descendance de façon privilégiée et renforçant ce caractère ; en revanche, un dimorphisme moins accentué peut indiquer une moindre compétition et donc une vie sociale plus développée avec peut-être une plus ou moins grande « fidélité conjugale ».

L'aspect jugé plus primitif des Paranthropes avait fait supposer qu'ils précédaient les Australopithèques dits graciles (toujours cette idée de l'évolution à sens unique, vers des formes jugées de plus en plus sophistiquées et harmonieuses allant, pour les Hominidés, de la morphologie estimée la plus grossière vers un aspect de plus en plus affiné). En réalité, l'antériorité des Australopithèques par rapport aux Paranthropes indique au contraire que ces derniers sont une forme dérivée des premiers. Il est amusant de savoir qu'il a été tenté de mettre tout le monde d'accord en proposant de marier les Australopithèques et les Paranthropes, faisant des premiers les femelles des seconds, comme on l'avait fait, mais à juste titre, pour les asiatiques *Sivapithecus* et *Ramapithecus*. L'ennui était que ces femelles et mâles supposés ne vivaient pas aux mêmes endroits et que ces derniers avaient accompli l'exploit de survivre quelque 500 000 ans après la disparition de leurs compagnes ! Il fallut donc abandonner cette hypothèse.

Les Australopithèques avaient vécu sous un climat relativement chaud, dans des paysages mélangés de forêt et de savane. Leur dentition montre qu'ils avaient une nourriture variée, fruits et feuilles tendres prélevés dans les arbres auxquels s'ajoutaient des racines et des tubercules puisés dans le sol. Peut-être complétaient-ils ce menu avec un peu de viande, comme le font aujourd'hui les chimpanzés. Les parts respectives de chaque type de nourriture variaient selon les espèces et l'environnement. Le climat s'est refroidi à partir de – 3 Ma environ, modifiant le paysage avec une domination de plus en plus forte de la savane et la raréfaction des arbres. Ce n'est sûrement pas une coïncidence si les premiers Paranthropes connus datent de – 2,5 Ma. Le contraste entre les saisons s'accentuait, les ressources disponibles sur les arbres se faisaient plus rares, obligeant à une réorientation du régime alimentaire vers des produits tirés du sol, disponibles en toutes saisons. Il n'y avait que deux possibilités : évoluer ou disparaître.

Certaines espèces d'Australopithèques s'éteignirent, d'autres modifièrent leur alimentation, passant plus de temps sur le sol et moins dans les arbres. Le système masticateur surpuissant des Paranthropes montre ainsi un premier type de réponse évolutive ; leur nourriture était pour une très grande partie composée de végétaux coriaces dont les particules abrasives ont laissé des marques sur leurs dents. Il s'agissait surtout de racines et de tubercules qu'ils devaient déterrer grâce à des outils élémentaires, os longs d'animaux ou bâtons. L'analyse moléculaire de leurs os, dont la composition est liée au mode d'alimentation, semble indiquer qu'ils consommaient également de la viande, prélevée sans doute sur des carcasses d'herbivores abandonnées par les fauves et les vautours. Leur nouvelle vie moins arboricole, à la fois pour l'alimentation et les déplacements, remodela leur anatomie pour donner ces formes robustes, à la bipédie améliorée. D'autres espèces d'Australopithèques allaient suivre une voie différente que l'on peut caractériser essentiellement par un plus important développement du cerveau, initiant une autre aventure.

Signalons pour finir l'ajout récent de deux nouveaux Hominidés qui ont beaucoup fait parler d'eux. Il s'agit d'*Orrorin tugenensis* (dont nous avons déjà dit quelques mots), découvert au Kenya à l'aube du troisième millénaire, daté de 6,2 Ma, et de Toumaï, officiellement *Sahelanthropus tchadensis*, âgé de 7 Ma, trouvé au Tchad en juillet 2001. Bien antérieurs à nos Australopithèques, avec des caractères dérangeants vu leur ancienneté, ils sont l'enjeu de batailles entre les spécialistes. Gardons-les de côté pour y revenir lorsque nous allons aborder les processus d'hominisation, avec l'acquisition de la station debout et le grossissement du cerveau.

14.4. Les premiers Hommes

Nous avons vu que les modifications du climat africain avaient permis à la savane de se développer au détriment de la forêt, une des adaptations à ces changements faisant émerger les Paranthropes. D'autres découvertes de fossiles allaient montrer qu'une autre voie avait été empruntée par d'autres espèces pour survivre dans ce nouvel environnement. En effet, la famille Leakey (les parents et le fils) et quelques autres trouvèrent, entre 1960 et 1963, plusieurs fossiles très différents des Australopithèques et des Paranthropes dans les gorges d'Olduvai, au nord de la Tanzanie. Ces recherches étaient faites à l'endroit même où, l'année précédente, on avait trouvé *Paranthropus boisei*, dont les ossements étaient accompagnés de quelques outils (ce qui n'avait pas manqué d'intriguer : notre Paranthrope pouvait-il déjà mériter le qualificatif d'humain ?). Ces nouveaux ossements appartenaient à pas moins de sept individus, dont un enfant. On supposa alors que c'étaient eux les fabricants des outils, et non le Paranthrope. D'autres s'y sont ajoutés depuis, tant en Afrique de l'est que du sud, conduisant à créer le genre *Homo habilis* dont les fossiles s'étalent sur un million d'années, entre – 2,6 et – 1,6 Ma. Une première réalité était surprenante : les deux variétés préhumaines avaient vécu aux mêmes périodes. Les ossements de deux très jeunes enfants, appartenant aux deux groupes, avaient même été trouvés, mélangés, dans la même grotte en Afrique du Sud, sans doute capturés et dévorés par le même fauve.

Pourtant, *Homo habilis* était très différent de son contemporain. Pour l'essentiel, il s'agissait d'individus beaucoup moins massifs, mieux adaptés à la bipédie, au crâne plus gros d'un volume variant de 500 à près de 800 cm^3, nettement plus vascularisé et à l'aspect plus gracile, avec une face moins prognathe. Leurs mains leur permettaient certainement une plus grande habilité que l'on ne peut s'empêcher de rapprocher des caractéristiques du cerveau pour en faire un être capable de concevoir et fabriquer des outils.

Mais la multiplication des découvertes finit par soulever un problème. À bien les regarder, nos *Homo habilis* montraient en effet une dispersion de leur morphologie qui paraissait largement dépasser le dimorphisme sexuel et la variabilité au sein d'une espèce et même de la catégorie au-dessus, le genre. On a tout d'abord cru s'en tirer en créant, à côté d'*Homo habilis*, *Homo rudolfensis* (« l'Homme du lac Rodolphe », appelé maintenant lac Turkana), mais sans véritable consensus. La réalité était beaucoup plus complexe : on se trouvait en présence d'une variété anatomique beaucoup plus grande que ce que l'on avait pu d'abord imaginer, avec des caractères en mosaïque mélangeant comme à plaisir, par exemple, l'archaïsme d'une bipédie peu élaborée et d'une aptitude maintenue à la brachiation avec un cerveau développé, ou l'inverse, ou bien des prémolaires à trois racines chez des individus plus récents que d'autres dotés de deux racines seulement. De tout cet amoncellement on a fini par faire émerger à côté d'*Homo habilis*, en plus du contesté *Homo rudolfensis* dont on ne sait pas très bien si l'on doit en faire une espèce particulière ou l'englober dans les *Homo habilis*, un plus consensuel *Homo ergaster*, précurseur probable du chaînon suivant, *Homo erectus*. Nous allons retrouver ces deux derniers au chapitre suivant.

Revenons-en à *Homo habilis*. Ses mâchoires et sa dentition montrent une alimentation beaucoup moins spécialisée que celle de ses prédécesseurs, ajoutant aux végétaux, racines et tubercules déterrés, des œufs et de petits animaux chassés ou charognés. C'est qu'il fallait alimenter en énergie ce déjà gros cerveau fortement vascularisé (chez *Homo sapiens*, le cerveau consomme à lui seul plus de 20 % de l'énergie dépensée), et ce complément alimentaire carné devenait indispensable. De plus, l'effet direct de ces protéines et graisses était multiplié grâce à l'importante diminution de l'énergie dépensée pour la digestion (les grand singes actuels possèdent un intestin beaucoup plus long que le nôtre et consomment une énergie nettement plus importante pour digérer leur nourriture à base végétale).

Il est également certain qu'à un moment ou à un autre, nos « Hommes habiles » sont passés à un régime carné encore plus consistant. On a en effet retrouvé sur certains sites des outils côtoyant des restes d'animaux sur les os desquels on pouvait distinguer les traces de crocs des fauves qui les avaient tués et en partie dévorés avant de les abandonner. On peut ainsi présumer que la station debout, l'acuité visuelle, des facultés d'observation et certaines capacités de raisonnement acquises grâce à un cerveau plus performant ont dû par exemple permettre à ces premiers aventuriers de la savane de repérer des groupes de fauves se repaissant d'une antilope ou, mieux encore, les vols des vautours tournoyant au-dessus des carcasses. Des os longs d'animaux, des bâtons, des jets de pierres leur permettaient de disputer cette pitance aux chacals et aux hyènes, les outils de galets aménagés permettant de détacher des morceaux de viande et de briser les os longs pour en extraire la moelle particulièrement nourrissante. L'hominisation était maintenant bien en route et ne demandait qu'à progresser.

Les outils fabriqués par *Homo habilis* ont été appelés « industrie oldowaïenne », du nom du premier site sur lequel ils ont été trouvés. Ils étaient encore très rudimentaires, mais représentaient un saut décisif : aucun animal n'a pu faire plus qu'utiliser comme outils des objets bruts, sans leur apporter une véritable transformation qui les aurait rendus nettement plus aptes à remplir leur fonction. Frappant sur un galet, appelé nucléus ou noyau, avec une autre pierre, le percuteur, ces Hominines détachaient des éclats sur l'un des côtés jusqu'à obtenir une arête tranchante (outil appelé *chopper*), ou sur les deux côtés, obtenant une arête plus vive (*chopping tool*). Ils savaient également obtenir des outils un peu plus sophistiqués servant de grattoirs ou de pics.

Cette section 14.4 qui se termine est intitulée « Les premiers Hommes ». Effectivement, *Homo habilis* est le premier Hominine dont ceux qui l'ont nommé ainsi ont jugé qu'il méritait l'appellation *Homo*. Certes, on peut gloser sans fin pour déterminer ce qui distingue les premiers Hommes de leurs ancêtres ne méritant pas encore ce qualificatif. Mais il ne paraissait pas trop arbitraire de placer cette limite à la fabrication des premiers outils qui constituaient une véritable rupture dans les capacités d'abstraction : il fallait concevoir ce que l'on allait fabriquer avant de le réaliser, en mettant en relation l'usage prévu, la nature et la forme de la matière première ainsi que le moyen de la transformer dans le sens souhaité.

Certes, on a maintenant quelques doutes sur la nature des tout premiers outils comme sur ceux qui les ont fabriqués. En effet, on pense en avoir identifié, un peu différents, datant d'un peu plus longtemps (environ 3 Ma), qui auraient été l'œuvre d'Australopithèques. Cependant, la conjonction des caractéristiques anatomiques *d'Homo habilis* et de sa fabrication d'outils déjà relativement sophistiqués nous autorisera à lui conserver pour le moment cette appellation de premier *Homo*.

Mais il reste encore une question à trancher : à quelle époque s'est faite la séparation en deux branches, l'une continuant à pratiquer la mixité brachiation-bipédie, disparaissant ensuite ou évoluant en Paranthropes au régime majoritairement végétarien, et la seconde qui a abouti au genre *Homo* adoptant une nourriture moins spécialisée ? On l'a longtemps située vers – 4 à – 3 Ma, un peu avant les premiers *Homo habilis*. Mais nous avons vu la grande diversité des spécimens d'*Homo habilis*, au point qu'il a fallu envisager l'existence d'autres espèces comme *Homo rudolfensis*. Doit-on alors parler de seulement deux branches ? De plus, nous avons rencontré miss Ardi et ses 4,4 Ma, qui fait douter fortement de cette datation. Il faut donc, sans doute, se résigner à ne probablement jamais connaître l'histoire précise de ce buisson. On peut seulement supposer que l'un des cousins australopithèques, ou un préaustralopithèque, a évolué en *Homo habilis*, un autre en *Homo ergaster* précurseur d'*Homo erectus*, à moins qu'*Homo ergaster* ne soit un descendant d'une branche d'*Homo habilis*. Mais ne faut-il pas chercher encore plus loin en amont ? Car plusieurs années avant la découverte d'Ardi, fin 2000, un autre empêcheur de tourner en rond avait déjà fait peser un gros doute sur ce scénario.

En effet, *Orrorin tugenensis*, que nous avons déjà évoqué, était découvert par une équipe dirigée par la Française Brigitte Senut et le Britannique Martin Pickford dans les tout derniers mois du XXe siècle, offrant plusieurs fragments d'ossements (*Orrorin* signifie « Homme originel » dans la langue locale de Tugen, au Kenya). Ces restes appartenaient à plusieurs individus et de nouvelles fouilles ont accru le nombre de pièces du puzzle, depuis la toute première, une dent exhumée en 1974. Ils ont pu être datés de 6,2 Ma. *Orrorin* présente une mosaïque déroutante de caractères :

un fémur attestant d'une bipédie performante, une phalange dont la forme caractérise la pratique de la brachiation, des molaires de petite taille, contrairement à celles de certains Australopithèques plus récents, et un émail dentaire épais. Les restes de mammifères qui l'accompagnaient indiquent un milieu plutôt forestier, mais avec de larges ouvertures.

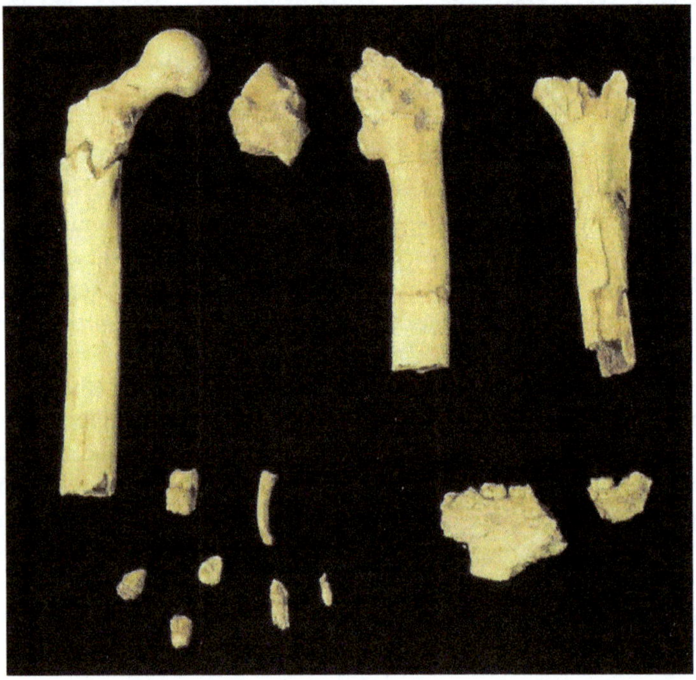

Figure 14.4. *Orrorin (en bas à droite, morceaux de mâchoires) (source :* Aux origines de l'humanité, *Fayard, 2001, © Brigitte Senut)*

Faut-il faire remonter la bifurcation dont l'une des branches conduit au genre *Homo* au moins à cette époque, en incluant éventuellement *Orrorin* (ou un cousin proche inconnu) dans ses ancêtres ? Mais, comme nous l'avons déjà dit, toutes ces évolutions, aboutissant à de magnifiques mosaïques mélangeant de diverses façons des caractères anciens et nouveaux, sont forcément apparues, au moins en grande partie, parallèlement et indépendamment dans plusieurs branches d'Hominoïdes et, répétons-le, il serait bien hasardeux de vouloir à toute force placer dans la branche conduisant au genre *Homo* n'importe quel fossile que ce soit.

Une autre découverte, de quelques mois seulement plus récente, dans la région du lac Tchad, allait également agiter les esprits, surtout que ces ossements étaient beaucoup plus difficiles à interpréter, la pièce principale, un crâne, étant très écrasée. Il s'agit de Toumaï, officiellement *Sahelanthropus tchadensis* (Toumaï signifie « espoir de vie » dans la langue locale). Repéré et sorti du sable par un membre tchadien de l'équipe de Michel Brunet (déjà découvreur d'un autre fossile tchadien, Abel, évoqué un peu plus haut), le crâne, presque complet et âgé de 7 Ma, était ensuite rejoint par des fragments de mandibule, trois dents et un fémur dont, malheureusement, la description n'a pas encore été publiée. Il présente une mosaïque de caractères qui rendent son classement difficile, tout en permettant de le placer près du dernier ancêtre commun aux Hominidés. Pour Michel Brunet, il se situe du côté des humains, alors que d'autres voient en lui un possible ancêtre du gorille. Une reconstitution de son crâne grâce à une assistance informatique pourrait donner raison à Michel Brunet. Malheureusement, il manque d'autres pièces du squelette qui permettraient d'y voir plus clair. Si c'est un chaînon du rameau préhumain, il cause un certain désordre, vu sa position géographique, bien loin du Rift est-africain, et son âge, supérieur à celui d'*Orrorin*. Mais l'existence d'un environnement arboré à l'époque à laquelle il a vécu n'interdit pas l'apparition ou la migration de préhumains aussi bien près des rives du lac Tchad que de celles de l'océan Indien.

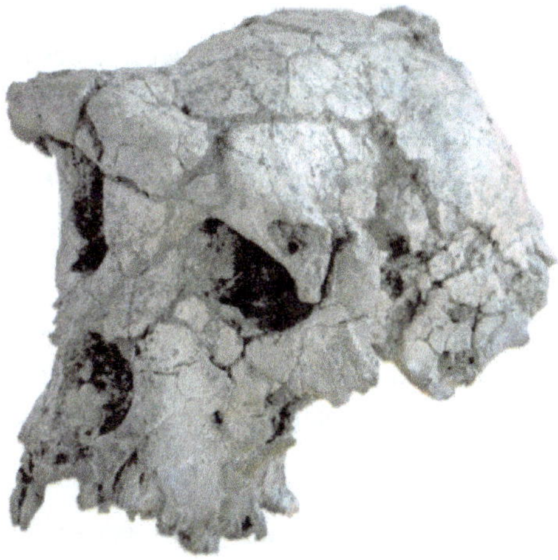

Figure 14.5. *Le magnifique crâne de Toumaï (source : Michel Brunet, © MPFT)*

On peut d'ailleurs faire remarquer que l'idée ayant longtemps fait autorité selon laquelle les Hominines ne s'étaient développés qu'à l'est de l'Afrique, était due à une vision faussée par la découverte de fossiles uniquement dans cette région. En réalité, ce sont les circonstances par lesquelles ces fossiles ont été tout d'abord enfouis dans des sédiments après la mort de leurs propriétaires, puis remontés près de la surface du fait de mouvements tectoniques, et enfin mis au jour par l'érosion, qui ont permis de les découvrir. Les restes situés dans le désert plus à l'ouest sont pour la plupart restés profondément enterrés, alors que ceux qui pourraient se trouver dans des zones de forêts risquent d'avoir totalement et définitivement disparu. En réalité, c'est une bonne partie de l'Afrique qui a dû être peuplée par le foisonnant buisson des descendants de l'ancêtre commun des Hominines, avant la migration de certains sur les autres continents, ce qui enlève ce qu'a pu avoir de choquant au premier abord l'hypothèse d'un *Toumaï* se situant du côté du rameau humain.

14.5. Bipédie et gros cerveau

Alors que nous sommes arrivés à l'aube de la véritable humanité, il est temps de nous interroger sur la façon dont la bipédie a été peu à peu acquise par nos ancêtres et leurs cousins. C'est Yves Coppens qui, le premier, a lié l'adoption de la bipédie à l'assèchement du climat africain. Depuis, son hypothèse s'est affinée grâce à une meilleure connaissance des changements climatiques. On sait maintenant que le remplacement de la forêt par la savane sur de larges territoires s'est fait plus graduellement que l'on ne l'a d'abord pensé, avec une savane restée souvent très arborée, laissant aux Hominoïdes la possibilité de vivre encore largement dans les arbres. Et cela bien au-delà de la Rift Valley où la grande richesse des découvertes de fossiles avait fait penser initialement que se trouvait là le berceau de l'humanité. Ce dogme avait d'ailleurs déjà reçu un sérieux coup de canif avec la découverte au Tchad, donc loin de l'Afrique de l'est, d'Abel (*Australopithecus bahrelghazali*) par Michel Brunet en 1995.

L'acquisition de la bipédie s'est donc faite dans des régions dotées d'une couverture forestière encore importante. Et ce n'est ainsi pas la nécessité de pouvoir survivre dans des savanes dénudées qui a conduit certains des singes encore essentiellement arboricoles à se redresser sur leurs pattes arrière : cette tendance a pris naissance dans les arbres et non sur le sol.

On peut effectivement très bien imaginer ces singes se déplaçant de branche en branche en posture redressée, suspendus avec les mains aux branches situées au-dessus d'eux et pouvant poser leurs pieds sur d'autres de niveau inférieur, et adoptant volontiers la position assise pour beaucoup de leurs occupations comme manger ou se chercher les poux. Lorsqu'ils descendaient de leur arbre, cette position redressée pouvait les aider à porter des charges, comme de la nourriture recueillie sur ou dans le sol. De ce fait, leur *foramen magnum* pouvait avoir migré progressivement vers le dessous du crâne, facilitant un port de tête en prolongement du buste (le *foramen magnum*, ou trou occipital, est l'orifice situé à l'arrière ou au-dessous de la boîte crânienne qui permet la communication entre les organes intracrâniens et le reste du corps). La descente des arbres à la conquête de la savane en était grandement facilitée, sans qu'il soit besoin d'en appeler à une pénible acquisition de la bipédie à la suite d'un difficile redressement du corps une fois au sol. On connaît d'ailleurs chez les primates des exemples de *foramen magnum* placé très au-dessous du crâne et non vers l'arrière, comme chez l'Omomyidé *Necrolemur antiquus*, trouvé dans le Quercy et décrit en 1873, ou le tarsier actuel, alors que la raison (par ailleurs inconnue, si tant est qu'il y en ait une) n'en est pas l'acquisition de la bipédie.

Il est également possible que, même sans déplacement préalable du *foramen magnum*, cette propension à privilégier la position verticale les ait amenés à garder de façon naturelle la même posture lorsque les nécessités les amenaient à quitter les arbres, la migration du trou occipital n'apparaissant que plus tard.

Ajoutons que se redresser sur ses pattes arrière n'est pas l'apanage des Hominoïdes. En est témoin une photo (figure 14.6) prise par l'auteur de ce livre qui s'est un jour trouvé quasiment nez à nez, dans une réserve du Kenya, avec un bébé vervet (un cercopithèque, et non un descendant d'Hominoïde) marchant debout derrière sa mère (et de façon suffisamment aisée pour pouvoir tourner sa tête vers cet étrange bipède à la face cachée par un objet bizarre de couleur noire muni sur le devant d'un rond brillant). Cela banalise quelque peu la propension à la bipédie !

Figure 14.6. *Jeune vervet se déplaçant sur ses pattes arrière (source : photographie de l'auteur)*

Ce qui précède montre l'impossibilité de savoir vers quelle époque la bipédie a fait ses débuts. En se rappelant l'Hominoïde *Oreopithecus bambolii*, Européen datant de plus de 8 Ma, avec sa bipédie même très imparfaite, tout est envisageable.

Vu la pratique de la bipédie que l'on observe chez les chimpanzés « classiques », et encore plus chez la variété bonobo qui vit sur la rive sud du fleuve Congo, on peut penser que la tendance à se redresser sur les pattes arrière existait déjà chez l'ancêtre commun aux Hominines et aux grands singes. Mais un ancêtre commun ayant déjà mis la bipédie dans la panoplie de ses modes de locomotion rend encore plus étonnantes les importantes différences anatomiques entre l'Homme moderne et les grands singes, singulièrement le chimpanzé alors que l'on sait que nos génomes ne diffèrent que d'environ 1 %. Diverses hypothèses ont été avancées dans le passé, mais aucune n'a résisté longtemps à son examen. L'explication la plus simple et la plus convaincante est qu'il en a été des grands singes et d'*Homo sapiens* comme de toutes les espèces actuelles apparentées mais différentes : à une époque plus ou moins lointaine, des groupes appartenant à l'espèce ancêtre se sont trouvés séparés et ont évolué chacun de leur côté, les hasards des mutations génétiques couplés à des pressions différentes de l'environnement les faisant diverger peu à peu. On a en effet parfois tendance à l'oublier : nous ne descendons pas d'un singe ressemblant au chimpanzé actuel ; celui-ci a connu un destin évolutif aussi important que le nôtre, sur une même durée se comptant en millions d'années.

Mais des mutations « classiques » au niveau de l'ADN ne peuvent pas expliquer une telle divergence, alors que les génomes n'ont qu'à peine plus de 1 % de différence. L'explication est à rechercher au niveau des gènes architectes qui ont pu muter de façon beaucoup plus rapide que l'ADN sous l'influence de l'environnement.

Mais alors, quand et dans quel ordre se sont séparés les grands singes et l'Homme dans leur évolution ? La simple anatomie ou l'observation du comportement et du mode de vie ne permettent pas de construire l'arbre sur lequel nos quatre espèces se placent. Une fois que l'on a installé l'Homme à l'extrémité (ce qui, d'ailleurs, n'est pas forcément évident), comment tracer les branches ? Une chose au moins est certaine : comme on vient de le voir, même le chimpanzé, le plus proche de nous, n'est pas notre ancêtre. Nous l'avons déjà évoqué : toutes les créatures vivantes sont, comme nous, l'aboutissement d'une évolution, et pas plus l'Homme ne « descend du singe » que les insectes ne le font des mille-pattes et les mammifères des lézards ou des crocodiles. Heureusement, les recherches récentes sur l'ADN ont permis d'y voir plus clair dans ces embranchements. Tout d'abord, l'orang-outang, probable descendant de l'asiatique *Sivapithecus*, s'est séparé le premier du rameau commun, il y a largement plus de 10 Ma. La divergence entre *Gorilla*, *Pan* et *Homo* est plus récente : d'abord le gorille, puis le chimpanzé et l'Homme. Mais on est loin d'un consensus sur les époques de ces séparations, la tendance actuelle étant de dater la divergence des rameaux humain et chimpanzé au minimum entre 7 et 8 Ma, peut-être vers 10 à 12, voire 13 Ma, sans qu'il soit pour le moment possible d'être plus précis.

Pour finir sur les grands singes africains, intéressons-nous à l'un des aspects les plus curieux de leurs particularités : le mode de locomotion. Voilà donc d'un côté les Hominines qui ont peu à peu amélioré leur bipédie, et de l'autre les gorilles et les chimpanzés qui se déplacent exclusivement ou majoritairement sur leurs quatre membres, la bipédie de l'ancêtre s'étant peu à peu en grande partie perdue. La lignée humaine avait manifestement choisi de continuer à vivre dans la savane plus ou moins arborée, l'amélioration de la bipédie en étant une des conséquences nécessaires. Pour ce qui est des grands singes actuels, il est raisonnable de penser que s'ils vivent majoritairement dans les forêts, il s'agit de l'héritage d'une option de leurs ancêtres qui avaient choisi de s'adapter aux nouvelles conditions climatiques et à l'évolution de la végétation en regagnant les zones forestières qui subsistaient ; ils auraient alors peu à peu perdu la tendance au redressement du corps en redevenant de véritables quadrupèdes, acquérant de façon dérivée leur marche étrange sur le dessus des phalanges des mains, leur important prognathisme et leur fort bourrelet sus-orbitaire.

Cette façon d'envisager l'évolution des gorilles et chimpanzés peut être contestée, mais ne voit-on pas, de façon analogue, les Paranthropes présenter des caractères que l'on a d'abord jugés archaïques avant d'en faire des formes dérivées dues à un renforcement des os aussi bien du corps que du crâne, du fait du changement du mode de vie ? Elle permettrait en tout cas de donner une explication à cette locomotion bizarre appelée « knuckle walking ». En effet, la vie de l'ancêtre commun en position largement redressée avait pu lui faire perdre peu à peu, de génération en génération, la souplesse des poignets nécessaire à la marche normale d'un quadrupède posant sur le sol les paumes de ses mains, ainsi que le faisaient ses propres ancêtres plus lointains, comme Proconsul, et que le font toujours les autres singes. D'où ce palliatif d'un appui *a priori* peu fonctionnel sur l'extérieur des phalanges.

Certes, cette explication est contestée (remarquons qu'aucune autre n'a été proposée !). En effet, il paraît *a priori* logique de penser que *Pan* et *Gorilla* ont hérité le « knuckle walking » de leur ancêtre commun. Mais ce grand-père était également celui d'*Homo*. On aurait ainsi un grand-père partiellement bipède, dont les descendants seraient devenus quadrupèdes en posant sur le sol les deuxièmes phalanges de leurs mains, et ce caractère aurait été conservé par deux rameaux et perdu par le troisième, *Homo*, qui aurait retrouvé la bipédie. Cela ne tient guère debout, c'est le cas de le dire ! Mais cette objection tombe si l'on suppose que le retour à la quadrupédie et l'apparition du « knuckle walking » se sont produits séparément dans les deux lignées. Il s'agit là d'un exemple banal de convergence, comme il en existe tant d'autres dans le monde vivant : un environnement commun oriente souvent l'évolution d'espèces sans proche parenté vers des solutions semblables d'adaptation. Et cette supposition est confortée par les différences que l'on observe dans les poignets des deux espèces : le blocage de leur articulation, nécessaire lors de l'appui au sol dans la marche, se fait de façon anatomiquement différente chez le gorille et le chimpanzé, montrant qu'il s'agit d'évolutions indépendantes.

Quoi qu'il en soit, on reste loin d'y voir totalement clair sur cette acquisition de la bipédie, et il faut espérer la découverte de fossiles à l'intérieur de l'énorme trou qui sépare actuellement Proconsul des premiers restes connus d'Hominidés. Retenons au moins que cette bipédie, quelles que soient les raisons qui ont conduit à son acquisition chez les ancêtres de l'Homme, a facilité l'augmentation du volume du cerveau. En effet, le grossissement du crâne nécessaire pour loger ces nouvelles cellules grises chères à Hercule Poirot s'imagine mal chez un animal ne vivant pas le buste droit. Tenir dans l'axe d'un corps horizontal un crâne gros et lourd devrait mobiliser un important système osseux d'ancrage pour des muscles puissants, qui contrarierait le développement et le changement de forme nécessaires pour loger un ensemble cervical plus volumineux. On a d'ailleurs mis en évidence la forte corrélation entre l'augmentation du volume du cerveau et la migration vers l'avant du trou occipital. En laissant de côté l'accroissement des lobes frontaux et pariétaux, qui procèdent d'autres transformations en grande partie plus tardives, le cerveau s'est développé par une sorte d'enroulement de sa partie postérieure vers le bas et vers l'avant grâce à une déformation parallèle du crâne qui poussait vers le dessous le *foramen magnum*. Seul un buste droit pouvait permettre une telle évolution.

Chapitre 15

Homo erectus et la première conquête du monde

15.1. Ergaster l'Africain

Homo erectus a longtemps été considéré comme le plus ancien représentant du genre *Homo*, à partir des restes trouvés dès la fin du XIXe siècle à Java puis en Chine. Mais nous avons vu émerger un Africain tout nouveau, *Homo ergaster*, dont l'espèce est créée en 1975 à partir de l'étude d'une simple mandibule découverte au Kenya.

D'autres ossements vont rapidement confirmer cette proposition, mettant à la disposition des paléontologues des squelettes de plus en plus complets s'étalant sur une période de près d'un million d'années, d'environ – 1,8 à – 0,9 Ma. En premier lieu, la boîte crânienne se différencie largement de celle des Australopithèques, mais aussi d'*Homo habilis* découvert quelques années auparavant. L'encéphale atteint 900 cm^3, accroissement considérable ; le crâne s'arrondit et s'affine et la dentition se rapproche de celle des hommes modernes, tout en restant plus développée ; elle montre un régime devenu totalement omnivore. Tout cela a d'abord suggéré une évolution progressive des Australopithèques vers *Homo habilis* puis *Homo ergaster* (encore que l'on manquait totalement de fossiles d'aspect intermédiaire).

Jusqu'à ce que, en 1984, un adolescent surnommé « Turkana boy », parce que trouvé près du lac Turkana au Kenya, nous offre son squelette presque complet, alors que jusqu'à présent rares étaient les os post-crâniens disponibles, tant chez les *Homo erectus* asiatiques que chez les premiers *Homo ergaster* africains. On avait dans un premier temps estimé son âge à 12 ans environ. Mais une nouvelle évaluation, basée sur les stries des dents permettant de suivre leur poussée, l'a ramené à 8 ans seulement : ce n'était plus un adolescent, mais un enfant. D'où une première surprise : si l'on rapportait sa taille (1m60) à celle d'un adulte, *Homo ergaster* était un géant de plus de 1m70, peut-être 1m80, soit au minimum 30 à 40 cm de plus qu'*Homo habilis*. Ensuite, les proportions de son corps étaient les mêmes que celles d'hommes modernes, avec un abandon total de la brachiation. Enfin, les os du bassin et des jambes étaient ceux d'un sprinter olympique.

Cette nouvelle espèce montrait, par sa taille et surtout sa bipédie parfaite et les proportions de son corps, un saut évolutif important qui ne pouvait pas résulter d'une évolution lente et graduelle à partir d'une des espèces d'Australopithèques ou d'*Homo habilis*. Il faut sans doute plutôt penser qu'après une longue stase de plusieurs centaines de milliers d'années pendant laquelle les caractéristiques anatomiques des divers *Homo habilis* se maintenaient dans une enveloppe pratiquement inchangée, certains d'entre eux, sous la pression de l'évolution du climat, de plus en plus froid, qui raréfiait encore les ressources végétales, adoptaient une nourriture de plus en plus carnée. Ce fut peut-être le fait d'une troupe qui avait déjà amorcé la modification de ses habitudes alimentaires en consommant plus de viande, sans contrainte particulière, par simple goût.

On peut en effet postuler que dès cette époque, à ce stade de développement psychique, pouvaient exister des différences de mœurs, on pourrait presque dire culturelles, pouvant être à l'origine de dérives évolutives. De même, actuellement, les chimpanzés ne mangent pas tous, loin de là, la même proportion de viande, et l'on peut légitimement évoquer les mêmes raisons « culturelles » pour expliquer que certains de leurs groupes soient devenus, isolément, de redoutables prédateurs. Comme nous l'avons vu, un régime carné est synonyme de réserves d'énergie grandement multipliées, ce qui a pu enclencher ce spectaculaire accroissement de la taille et l'excellente bipédie nécessaire pour aller chercher la viande là où elle se trouvait : dans la savane, et en partie sous forme vivante, car on ne pouvait plus se contenter du charognage.

Mais il ne faut pas non plus exclure qu'*Homo ergaster* soit le descendant direct d'un Australopithèque, voire d'*Orrorin* ou de l'un de ses cousins proches. On en saura plus si l'on trouve, un jour, des restes d'une forme intermédiaire.

Quelle que soit l'origine de cette espèce, on peut estimer que c'est avec *Homo ergaster* que le genre *Homo* a accompli un saut évolutif majeur, lui permettant de s'adapter aux conditions nouvelles d'environnement qui le contraignaient à évoluer dans un milieu de plus en plus découvert et à déployer des efforts considérables pour les opérations de chasse. L'autre option avait été celle des Paranthropes, les conduisant à un cul-de-sac mortel. *Homo ergaster* a progressivement perdu la plus grande partie de son pelage, développant en parallèle des glandes sudoripares qui refroidissaient son corps et fabriquant de la mélanine qui protégeait sa peau des rayons du Soleil. Le dessus de son crâne voyait au contraire s'épaissir ce pelage qui protégeait le cerveau du risque d'échauffement dû à la forte dépense énergétique à laquelle il était désormais soumis, du fait de l'accroissement de son volume et de son activité. La peau a pu ensuite s'éclaircir dans les populations qui migraient vers des latitudes sous lesquelles le rayonnement solaire était moins intense.

Précisons pour être complet qu'une partie des paléontologues ne trouvent pas utile de distinguer *Homo ergaster* et *Homo erectus* et préfèrent utiliser, dès les premiers fossiles africains, le nom d'*Homo erectus*. Quoi qu'il en soit de son appellation, maintenant l'Homme – nous pouvons l'appeler ainsi sans hésitation – était maintenant très proche de nous, à part son cerveau qui restait encore d'une relative petite taille, logé dans un crâne de forme encore primitive. Le changement de son mode de vie associé à celui de sa morphologie allait entraîner une spirale ascendante vers un être de plus en plus attentif à son environnement et aux moyens d'en tirer parti en évitant ses dangers, ayant accès à une nourriture plus riche dont la quête, en retour, stimulait son attention et sa réflexion. Il s'était certainement organisé en groupes dans lesquels la mise en commun des moyens supplantait au moins partiellement la compétition, sans doute avec un début de partage des tâches. Un indice de cette évolution sociale est l'atténuation du dimorphisme sexuel, signe que les mâles étaient moins systématiquement en compétition pour la conquête des femelles et que les deux sexes rapprochaient leurs comportements et leurs modes de vie.

Figure 15.1. *Profil du crâne d'Homo erectus (source : dessin de l'auteur)*

Parallèlement, une nouvelle forme d'outils apparaissait, que l'on a appelée l'industrie acheuléenne. Son nom est tiré du site de Saint-Acheul, situé dans le nord de la France près d'Amiens, où les premiers outils de ce type ont été découverts en 1872. Mais les plus anciens outils acheuléens africains connus ont 1,8 Ma, alors que ceux trouvés en France n'ont, pour les plus anciens, que 700 000 ans. Nous éclairerons ce mystère un peu plus loin. Ces outils étaient beaucoup plus sophistiqués que les choppers d'*Homo habilis*. Le plus emblématique d'entre eux est le biface, dont les deux côtés sont soigneusement taillés pour en faciliter la prise en mains et améliorer le tranchant de l'arête.

Le genre *Homo* entrait pleinement en scène. Ouvrons donc le rideau sur l'extraordinaire aventure qui va voir ces Hommes, avec leur nouveau bagage physique et intellectuel, conquérir l'Eurasie avant qu'une nouvelle espèce, *Homo sapiens*, ne prenne leur place en étendant son territoire jusqu'aux Amériques.

15.2. *Out of Africa*

Cet hommage à Meryl Streep nous permet d'introduire l'extraordinaire migration accomplie par notre *Homo ergaster*, que sa locomotion de parfait bipède va très vite conduire loin de ses bases africaines. On avance souvent que c'est le développement de son cerveau qui l'aurait doté de la curiosité et de l'esprit d'aventure propres à le pousser vers de nouveaux horizons. Mais n'est-ce pas lui prêter trop de notre psychisme ? Il est plus simple de penser que les nouvelles capacités d'adaptation que lui conférait ce cerveau bien alimenté par des ressources protéinées abondamment disponibles dans la savane lui permettaient d'accroître sa population dans des proportions bien plus grandes que ses prédécesseurs. Il en résultait rapidement une surpopulation qui contraignait les jeunes adultes à quitter en grand nombre le territoire où ils étaient nés, tel d'Artagnan abandonnant son misérable manoir gascon pour aller s'engager chez les mousquetaires.

En donnant à ce territoire un rayon de 25 km, ce qui donne un déplacement de 50 km que l'on supposera accompli toutes les quatre ou cinq générations, disons une fois par siècle, il suffisait de deux millénaires à *Homo ergaster* pour faire 1 000 km et quelques milliers d'années pour atteindre par exemple Dmanisi, au pied du Caucase en Géorgie, où il était présent il y a 1 800 000 ans. Au demeurant, nous avons déjà rencontré, non pas des Hominidés, mais de simples Hominoïdes, beaucoup plus anciens et primitifs, hors d'Afrique, comme *Dryopithecus fontani* il y a 13 Ma dans le Sud de la France ; on comprend mal, dès lors, que cette nouvelle migration pose tant de questions ! Rappelons également les innombrables échanges d'animaux entre continents que nous avons rencontrés tout au long de ce récit, pour lesquels personne ne songe à invoquer le psychisme et la curiosité comme éléments d'explication.

Avant l'extraordinaire découverte à Dmanisi (ou Dmanissi pour la prononciation française) de celui qui a été appelé *Homo georgicus*, à peu près personne ne suivait Yves Coppens lorsqu'il prétendait, avec une belle constance, que les *Homo* d'il y a 2 Ma avaient le bagage intellectuel et les jambes suffisamment semblables aux nôtres pour avoir la bougeotte et s'aventurer sans plus attendre loin de leurs bases africaines. Au fur et à mesure des découvertes asiatiques et européennes, le début de cette sortie d'Afrique reculait de centaines en centaines de milliers d'années, mais on restait désespérément coincé autour de 800 000 à un million d'années. *Homo georgicus* a fini par lui donner raison.

Cependant, les premiers fossiles trouvés hors d'Afrique n'étaient pas des *Homo erectus* mais des Hommes à l'évidence plus modernes, en ce sens que leur aspect, en particulier celui des os du crâne ou des mâchoires, les rapprochait d'*Homo sapiens*. Et la plupart des trouvailles se trouvaient dans des régions beaucoup plus proches de l'Afrique que les *Homo erectus* asiatiques, alors qu'une logique simple aurait plutôt fait penser à des restes d'Hommes les plus anciens près de leur Afrique d'origine, les plus récents, leurs descendants, ayant continué leur migration vers des contrées plus éloignées. D'autre part, on a trouvé en Afrique, après les premières découvertes, d'autres restes *d'Homo erectus*, mais aussi des fossiles d'aspect plus moderne, dans diverses régions. Pour essayer de s'y retrouver dans ces mélanges surprenants, commençons par faire l'inventaire de ces fossiles d'Hominines, tant africains que trouvés en dehors de ce continent, depuis 2 millions d'années.

Commençons par l'Afrique. Elle a livré son lot de restes auxquels on a tout d'abord donné le nom d'*Homo erectus*. On les trouve en Afrique de l'est et du sud jusqu'à – 100 000 ans, les plus récents ayant une boîte crânienne plus volumineuse. Ils montrent une évolution assez semblable à celle des restes européens ou asiatiques des mêmes époques, au point que l'un d'entre eux, l'Homme de Kabwe, découvert en 1921 en Zambie (qui s'appelait alors Rhodésie du Nord, d'où son autre nom d'*Homo rhodesiensis*), d'une capacité crânienne de près de 1 300 cm^3, fut pour un temps rapproché de l'*Homo neanderthalensis* européen, causant une perplexité certaine. Plus récemment, avant même que le Tchadien Abel ne montre que les pérégrinations humaines et même préhumaines étaient très anciennes, on a également trouvé des fossiles humains dans le nord-ouest du continent, en Algérie puis au Maroc sur la côte atlantique. Les premiers ont été datés de 600 000 ans environ grâce à la nombreuse faune qui accompagnait ces trois mandibules et ce morceau de crâne ; les seconds, trouvés sur plusieurs sites, ont entre 400 000 et 150 000 ans. Les crânes de ces anciens Hommes africains montrent des différences suffisamment importantes pour en faire des espèces distinctes, avec des évolutions en mosaïque mélangeant des caractères archaïques et plus modernes.

Les particularités de ces crânes de plus en plus volumineux ont finalement conduit à abandonner l'appellation *Homo erectus*. Nous verrons plus loin qu'il faut en effet prendre acte de ces transformations qui sont, disons-le tout de suite, la voie qui a conduit à *Homo neanderthalensis* d'un côté et à *Homo sapiens* de l'autre.

Voyons maintenant ce qu'il en est de l'Eurasie, en commençant par l'Europe. Le premier fossile européen est la mandibule d'*Homo heidelbergensis* (à laquelle nous avons déjà fait allusion) trouvée dans une sablière à Mauer, près de la ville d'Heidelberg en Allemagne, en 1907, âgée d'environ 6 à 700 000 ans. Les premières découvertes d'Atapuerca, dans la région de Borgos en Espagne, en 1997, sont datées d'à peu près la même époque. Ces restes, très fragmentaires, ont été attribués à une nouvelle espèce nommée *Homo antecessor*. Les ossements, appartenant à six individus (quatre enfants et deux jeunes adultes), sont tous brisés par une action volontaire, sans doute à l'aide des galets aménagés et des éclats de taille trouvés à proximité. Les os présentent des stries de découpage au silex, confirmant ce diagnostic. Il s'agit à l'évidence des restes d'actes de cannibalisme, les plus anciens connus. Cette appellation d'*Homo antecessor* vient de la volonté d'en faire l'ancêtre lointain d'*Homo sapiens*, hypothèse maintenant peu partagée.

Les ossements découverts quelques années après sur le même site, au fond d'une autre grotte, sont encore plus spectaculaires, mais bien différents sur les conclusions à en tirer. On accède à cette grotte par un étroit boyau de 400 m de long pour déboucher au-dessus d'un aven au fond duquel étaient accumulés, les uns par-dessus les autres, les squelettes complets de 32 individus âgés de 350 000 ans. Aucun reste animal ne les accompagnait, ni aucun outil, à l'exception d'un seul. Il s'agissait d'une véritable pièce de collection taillée dans un bloc de quartzite rouge prélevé à 30 km de là, un magnifique biface travaillé avec un grand soin et dont les tranchants intacts montraient qu'il n'avait jamais été utilisé. On ne peut s'empêcher de penser à une offrande. On est manifestement en présence d'une action accompagnée d'au moins une ébauche de rituel. D'autres restes ont été découverts depuis dans la même région, dont en 2008 une mâchoire accompagnée de plusieurs dents datant de 1,2 Ma (vu la taille de cet os, il appartenait probablement à une femelle).

Cet ensemble des plus anciens restes européens confirme que le peuplement de ce continent est très ancien (comme le montraient déjà les ossements de Dmanisi de 1,8 Ma précédemment évoqués), et s'est certainement accompli en plusieurs vagues à partir de l'Afrique.

On connaît de nombreux autres sites méditerranéens, tous datés de 0,8 à 1,2 Ma : au sud de l'Espagne, en Italie, en Croatie, ou encore en France au Vallonnet près de Roquebrune Cap Martin. Citons également le site de Petralona, en Grèce, avec la découverte en 1960 d'un crâne difficile à dater, probablement d'environ 700 000 ans (nous allons le retrouver plus loin). Plus récent en datation des ossements, mais antérieur en date de découverte, est le célèbre autre site français de la Caune de l'Arago à Tautavel, dans les Pyrénées-Orientales, qui montre de nombreux niveaux successifs d'occupation entre 690 000 et 100 000 ans. La première mandibule et le premier crâne, âgés de 450 000 ans, ont été trouvés en 1971 par les français Henry et Marie-Antoinette de Lumley. C'était la première fois que l'on trouvait en Europe des restes ne ressemblant pas à des Hommes de Néandertal. Marie-Antoinette de Lumley effectua des comparaisons avec les fossiles africains, javanais et chinois d'à peu près la même époque et trouva des ressemblances avec eux.

Figure 15.2. *L'Homme de Tautavel, statue devant le magnifique musée de Préhistoire de Tautavel (source : © Musée de Tautavel)*

Prudemment, elle appela les premiers Hommes de Tautavel « Antenéandertaliens », mais en donnant à cette désignation le simple sens d'antérieur à Néandertal, et non d'ancêtre. Les nouvelles et nombreuses découvertes postérieures ont suggéré de faire des Hommes de la Caune de l'Arago des *Homo erectus* européens, très probables ancêtres de l'Homme de Néandertal, donnant ainsi pleinement son sens à « Antenéandertalien » (nous verrons au chapitre 16 que la réalité est un peu plus subtile, avec des formes intermédiaires africaines précédant l'émigration vers l'Europe). On peut suivre sur ce site extrêmement riche les fluctuations du climat, avec par exemple une couche datée de 550 000 ans contenant des os de renne, signe de températures très basses à cette époque. On peut également y dater l'apparition de l'usage du feu dans cette région : aucune couche antérieure à 450 000 ans ne présente de traces de foyer, au contraire de celles qui suivent. Des ossements humains, des crânes souvent ouverts, des mandibules portant des traces de probable coupure des langues, des membres brisés, attestent d'un cannibalisme peut-être rituel. N'oublions pas enfin Terra Amata, au pied de Nice, daté de 350 000 à 400 000 ans, magnifique site transformé en musée où l'on peut voir les restes de campements de chasseurs avec des outils, des ossements et des foyers aménagés. Mais cette liste n'est pas exhaustive et il existe dans toute l'Europe de nombreux autres sites datés de 600 000 à 200 000 ans.

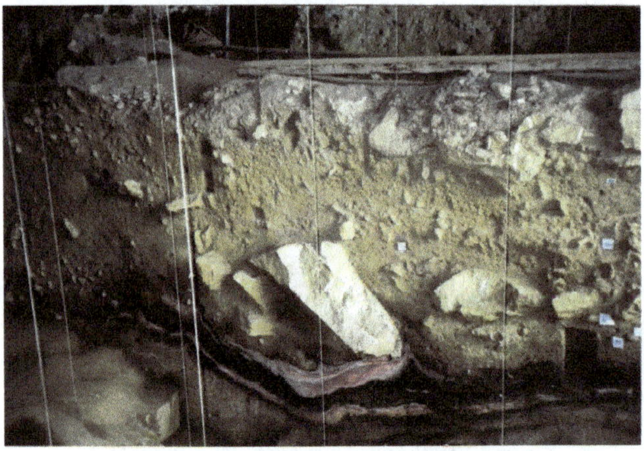

Figure 15.3. *Fouilles sur un campement de chasseurs antenéandertaliens proche des Eyzies. Les bandes rouge-orange en partie inférieure sont des couches de cendres fossilisées. La viande devait être boucanée sur place avant d'être transportée au lieu de vie du groupe (source : photographie de l'auteur).*

Ces Antenéandertaliens disposaient d'outils et d'armements plus sophistiqués que l'on avait pu le supposer avec les seuls outils en pierre précédemment connus. En effet, le site de Schöningen en Allemagne livra en 1997 trois lances en bois âgées de 400 000 ans, miraculeusement conservées. Ce n'était pas de simples bâtons sommairement affûtés, mais des instruments fabriqués avec une science réelle. Ils rejoignaient des découvertes plus anciennes faites en d'autres lieux, mais de simples fragments qui de ce fait avaient été dédaignés. Il a fallu dès lors reconsidérer le niveau psychique de ces Hommes, ce qui a donné également de l'eau au moulin de ceux qui militaient pour revaloriser le statut de l'Homme de Néandertal, leur descendant, et le sortir de l'animalité dans laquelle il était enfermé depuis sa découverte.

Disons pour finir quelques mots du site de Dmanisi qui a permis de considérablement vieillir la migration des premiers Hommes. Il est situé à la limite de l'Europe et de l'Asie, dans le prolongement d'un couloir naturel de circulation partant de la Rift Valley et se prolongeant par la vallée du Jourdain. On trouve au-delà l'Anatolie, puis le flanc sud du Caucase, chaîne montagneuse allant de la mer Noire à la Caspienne qui barre le passage vers le nord. C'est là qu'est situé Dmanisi, ancien village médiéval situé à 80 km au sud de Tbilisi (ou Tbilissi), abandonné depuis sa destruction par Tamerlan vers l'an 1400. Il est perché sur un promontoire, alors qu'à l'époque de nos aventuriers préhistoriques le site était une vallée dans laquelle une coulée de basalte avait créé un barrage derrière lequel s'était formé un lac. La vallée a été aplanie par l'érosion, sauf le promontoire protégé par la coulée datée de 1,85 Ma. Au-dessus du basalte se trouvent des cendres volcaniques de 1,81 Ma qui renfermaient les restes humains, permettant de les dater de façon précise.

Une première mandibule avait été trouvée en 1991, grâce au bienheureux hasard de fouilles intéressant le Moyen-Âge effectuées dans le sol d'une cave. Une équipe géorgienne et française a ensuite découvert de nombreux autres ossements. Il s'agissait principalement de cinq crânes et d'autant de mandibules, plus beaucoup d'os post-crâniens. Ils étaient accompagnés de squelettes de nombreux animaux, dont quelques os brisés indiquaient que les Hommes avaient prélevé des morceaux de viande sur leurs cadavres. On a également trouvé sur le site de très nombreux outils d'industrie oldowaïenne. L'Homme de Géorgie était de petite taille (au maximum 1m50), avec une capacité crânienne de seulement 650 à 700 cm^3. Les squelettes révèlent un curieux mélange de traits empruntés à *Homo habilis* et à *Homo ergaster*, ce qui a amené Marie-Antoinette de Lumley à lui donner le nom d'*Homo georgicus* pour le sortir des fourre-tout que sont les appellations *habilis*, *ergaster* ou *erectus*.

Une remarque : nous avons vu que les plus anciens *Homo erectus* africains connus sont âgés de 1,8 Ma. C'est à peu près le même âge que nos *Homo georgicus*. C'est dire que l'on trouvera un jour ou l'autre des fossiles africains approchant, voire dépassant les 2 Ma.

Après ce tour d'horizon des fossiles africains puis européens, avec *Homo georgicus* à la limite entre l'Europe et l'Asie, voyons ce qu'il en est de ce dernier continent. Nous avons déjà vu les premières découvertes de Java, puis de Chine. Beaucoup ont suivi, mais les fossiles de Java sont malheureusement difficiles à dater. On a avancé 1,7 et 1,8 Ma pour certains d'entre eux, ce qui laisse perplexe sur la rapidité de la migration qui aurait conduit des Hommes aussi loin de l'Afrique. La Chine a donné de nombreux restes humains sur le même site que les premières découvertes, près d'un village du nom de Zhoukoudian, mais la recherche fut interrompue par la guerre sino-japonaise en 1937. Les ossements s'étageaient sur une épaisseur de plus de 50 m dans des terrains compris entre – 460 000 et – 230 000 ans. Ils avaient un aspect moins robuste que ceux de Java, mais avec des crânes de conformation encore très archaïque dont le volume dépassait cependant 1 000 cm^3. C'est à partir de ces fossiles et de ceux de Java que le biologiste américain Ernst Mayr proposa en 1950 de faire entrer ces Hominidés dans le genre *Homo*. Il ouvrait ainsi la voie à leur regroupement ultérieur sous le nom d'*Homo erectus*.

Le destin de ces nombreuses calottes crâniennes, mandibules, dents et autres restes crâniens et post-crâniens de Zhoukoudian fut tragique et il est heureux que des moulages en aient été réalisés : l'avancée des troupes japonaises amena les Chinois à les confier à l'armée américaine qui les embarqua pour les États-Unis sur un de ses navires ; celui-ci fut coulé par un sous-marin ennemi, faisant se rejoindre au fond de l'océan les corps des malheureux marins et les restes des hommes de la préhistoire.

Plusieurs autres sites chinois ont fourni des fossiles dans un intervalle de temps compris approximativement entre plus de 1 Ma et 200 000 ans, auxquels il faut ajouter des découvertes d'ossements et d'outils dans d'autres pays : Vietnam, Corée, Malaisie, Inde et autres. Ainsi, cette première vague humaine venue d'Afrique a survécu dans ces régions jusqu'à une époque récente. Une seconde donnée particulièrement intéressante est la présence de feu attestée sur le site de Zhoukoudian à partir de – 450 000 ans (c'est-à-dire à peu près à la même époque que sur le site de Tautavel en France !).

Les *Homo erectus* asiatiques présentent deux différences importantes avec leurs homologues africains et européens. La première est la rareté des outils dans les sites d'Asie. Plutôt qu'une très hypothétique infériorité conceptuelle limitant leur créativité, il faut probablement y voir l'utilisation d'autres matériaux, en particulier le bambou dont les qualités se prêtaient bien à nombre des usages dévolus en Occident à l'outillage lithique. La seconde porte sur la forme des crânes. Manifestement, l'évolution a suivi des chemins différents sur les divers continents, ce qui a conduit certains spécialistes à réserver l'appellation d'*Homo erectus* à l'Asie. Il n'y a pas à s'en étonner et c'est le contraire qui serait surprenant. Il est normal qu'une espèce originelle ait ainsi dérivé au cours de centaines de milliers d'années, au hasard des mutations, vers des formes présentant des différences anatomiques suivant les régions.

Chapitre 16

L'Homme de Néandertal

16.1. Spécificité d'*Homo neanderthalensis*

L'Homme de Néandertal justifie un chapitre spécifique, ne serait-ce que du fait de l'ancienneté et de la richesse des ossements qui ont permis de l'étudier plus qu'aucun autre Homme du passé. De plus, sa découverte en Europe occidentale, à côté d'Hommes à l'aspect moderne, a alimenté des controverses sur son statut qui sont loin d'être éteintes aujourd'hui. Enfin, sa comparaison avec l'Homme moderne est un excellent exemple de l'influence des simples dérives génétiques parallèlement à la pression de l'environnement sur l'évolution des espèces.

Homo neanderthalensis est connu depuis le milieu du XIXe siècle, en particulier après la découverte d'un crâne et de divers ossements sur le site qui lui a donné son nom. Mais il s'agissait de restes très fragmentaires. Les premiers squelettes complets furent trouvés en 1886 dans la grotte du Spy d'Orneau en Belgique. S'y ajoutèrent en 1899 les nombreux ossements de Krapina, en Croatie ; ces os, souvent brisés et dispersés, firent penser à des actes de cannibalisme, ce qui n'arrangea pas la réputation de notre Homme de Néandertal. Puis, au début de l'année 1908, le suisse Otto Hauser découvrit le squelette d'un adolescent dans un abri sous roche au Moustier, près des Eyzies. Il avait manifestement été inhumé par ses proches. Hauser vendit sa trouvaille (avec le squelette d'un Homme moderne trouvé à Combe-Capelle, dans la même région) à un musée de Berlin, à un prix tel que les musées français, traditionnellement impécunieux (rien de nouveau sous le soleil...), ne purent surenchérir.

Les recherches brouillonnes et peu précautionneuses de Hauser furent heureusement reprises par de véritables spécialistes et, quelques mois après, les trois frères Bouyssonie (les deux abbés Amédée et Jean et leur frère Paul) trouvaient dans une petite grotte située près du village de La Chapelle-aux-Saints, dans le sud de la Corrèze, un squelette entier aux jambes repliées. Le corps était entouré de divers objets, dont une curieuse patte de bison, comme une offrande ou un hommage de ses proches. Il était manifeste que cet Homme avait été volontairement enseveli dans ce qui était une véritable tombe. Son squelette portait les marques de diverses pathologies et il n'avait vraiment pas besoin de devoir sa découverte à un coup de pioche, certes bienvenu, mais qui, malheureusement, transperça son crâne.

Figure 16.1. *L'Homme de Néandertal de La Chapelle-aux-Saints (source : © Musée de La Chapelle-aux-Saints)*

L'année suivante, Denis Peyrony découvrait dans un autre abri proche des Eyzies, à La Ferrassie, les sépultures d'un homme, d'une femme et de plusieurs enfants dont deux nouveau-nés. Puis c'était le docteur Henri-Martin qui trouvait un squelette féminin à La Quina, en Charente. C'est ensuite de nouveau Denis Peyrony qui déterra en 1914 le squelette d'un nouveau-né sur le site du Moustier, là où Hauser avait déjà trouvé les restes d'un adolescent. On était à la veille de la Grande Guerre et cela explique sans doute qu'il tomba dans l'oubli et que l'on en perdit la trace, jusqu'à ce que, en 1996, le jeune anthropologue Bruno Maureille le retrouve par hasard en inventoriant les collections du musée des Eyzies. Il manquait le fémur et l'humérus de la jambe droite ; qu'à cela ne tienne, ils n'étaient pas très loin, étiquetés faussement comme ossements en provenance de La Ferrassie.

Quel contraste entre ces sépultures à la portée symbolique et l'image que l'on se faisait jusque là de l'Homme de Néandertal. Mais toutes ces tombes n'empêchèrent pas la persistance de préjugés qui apparaissent de façon particulièrement typique dans la reconstitution de la stature de ce présumé ancêtre, les jambes fléchies et le dos voûté, réalisée par le paléontologue Marcellin Boule à partir des squelettes à sa disposition. On se rappelle également, dans la même veine, la statue de « l'Homme primitif » du sculpteur Dardé, aux Eyzies. Certes, il avait un fémur incurvé (ce qui l'avait fait passer pour un cavalier cosaque lors de la découverte de Neander Thal), mais cela ne l'empêchait pas de se tenir bien droit, comme le faisaient déjà ses ancêtres. Le plus étonnant dans le résultat du travail de Boule était que le centre de gravité du pauvre Néandertalien passait à peu près à l'extrémité de ses orteils, l'empêchant de se tenir debout sans un effort musculaire intense, sauf à marcher ou courir en permanence. En revanche, on négligea à l'époque les marques des pathologies qui avaient affecté l'Homme de la Chapelle-aux-Saints. Elles illustrent ce que devait être la vie en ces temps difficiles : arthroses en divers endroits, mandibule déformée, fractures mal ressoudées, mais elles soulignent aussi, indirectement, la solidarité de clan qui devait déjà exister, cet homme n'ayant manifestement pas pu survivre avec de tels handicaps sans l'assistance de ses proches.

D'autres squelettes bien conservés ont donné des indications identiques. C'est en particulier le cas de l'un de ceux qui ont été trouvés au Kurdistan irakien (l'ère d'habitat de l'Homme de Néandertal déborde sur le Proche-Orient, et même au-delà jusqu'en Sibérie). Cet homme avait subi de nombreuses fractures : son crâne était déformé au niveau de l'œil gauche à la suite d'un coup certainement très violent, le rendant probablement borgne, et un autre coup avait eu pour conséquence l'atrophie de son bras droit. Ajoutons pour finir diverses détériorations au pied droit, au genou droit et à la jambe gauche, et nous avons le tableau d'un homme d'un âge certain qui ne pouvait pas avoir survécu aussi longtemps après ses diverses blessures sans être à peu près totalement pris en charge par son clan. On peut d'un autre point de vue s'interroger sur les fractures à répétition de cet homme comme de celui de la Chapelle-aux-Saints, qu'il est bien naturel d'interpréter comme les conséquences de batailles entre individus ou entre groupes, à l'opposé du « bon sauvage » dont le mythe perdure contre vents et marées.

Le crâne de l'Homme de Néandertal possède des caractéristiques uniques. On peut déjà observer au cours des millénaires antérieurs, dans la succession de ses ancêtres Antenéandertaliens, des changements dans la forme du crâne qui tend à devenir plus bombé sur le dessus et plus arrondi à l'arrière, donnant plus de volume au cerveau. Cette tendance se retrouve sur tous les continents avec approximativement la même chronologie, mais l'évolution finit par emprunter un cheminement spécifique en Europe et l'on peut suivre l'apparition progressive de ce qui fait l'originalité de l'Homme de Néandertal grâce en particulier aux hôtes successifs de la Caune de l'Arago.

Les plus évidentes transformations sont l'allongement de la partie arrière du crâne qui finit par former ce que l'on a appelé le chignon occipital, et l'important accroissement du volume du cerveau qui dépasse légèrement celui de notre espèce, alors que se maintiennent des traits archaïques comme un fort torus sus-orbital sous un front qui reste très fuyant et l'absence de menton. Cette forme du front indique que, malgré le grand volume du cerveau, le lobe frontal reste moins développé que chez *Homo sapiens* chez qui il constitue ce que l'on appelle parfois le « cerveau rationnel », siège de la planification et de la projection dans l'avenir, du contrôle des émotions, des associations d'idées, etc. De même, sur les côtés du crâne, les lobes pariétaux sont eux aussi nettement moins développés que chez l'Homme moderne. Ces deux lobes sont en particulier le siège de la perception par les sens et de la mémorisation de l'environnement. Il est légitime de penser que ces différences dans la structure du cerveau sont le signe d'un degré supérieur dans le psychisme de l'Homme moderne.

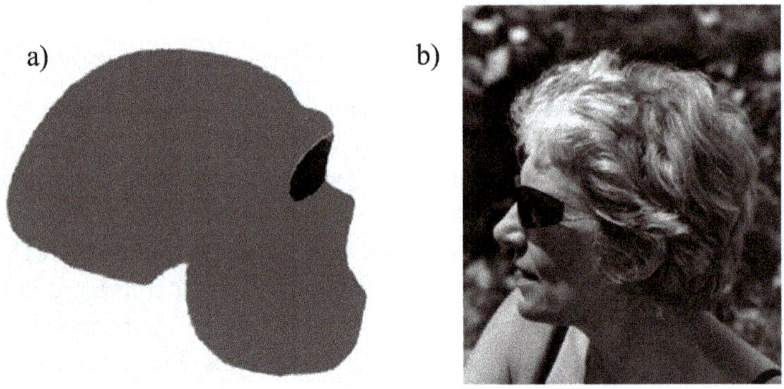

Figure 16.2. *Profil typique du crâne de a) Homo neanderthalensis b) Homo sapiens (sources : dessin et photographie de l'auteur)*

On a souvent dit que la morphologie générale de l'Homme de Néandertal était le résultat de la rigueur du climat sous lequel il vivait. En effet, nous sommes depuis environ 3 Ma dans une époque globalement de plus en plus froide, avec une extension de la calotte glaciaire antarctique et l'apparition de celle du pôle Nord. Les périodes les plus froides et les réchauffements relatifs se sont succédé sur un rythme qui est allé en ralentissant, les derniers cycles ayant une durée approximative de 100 000 ans, avec environ 80 000 années froides pour seulement 20 000 tempérées. Nous bénéficions de la dernière période de réchauffement qui a débuté il y a environ 12 000 ans, ouvrant la voie aux premières civilisations grâce à la nouvelle possibilité de cultiver des plantes nourricières et d'élever des animaux domestiqués, qui allait faire exploser la démographie. La morphologie trapue de l'Homme de Néandertal est bien adaptée à ces conditions climatiques, en limitant les déperditions de chaleur.

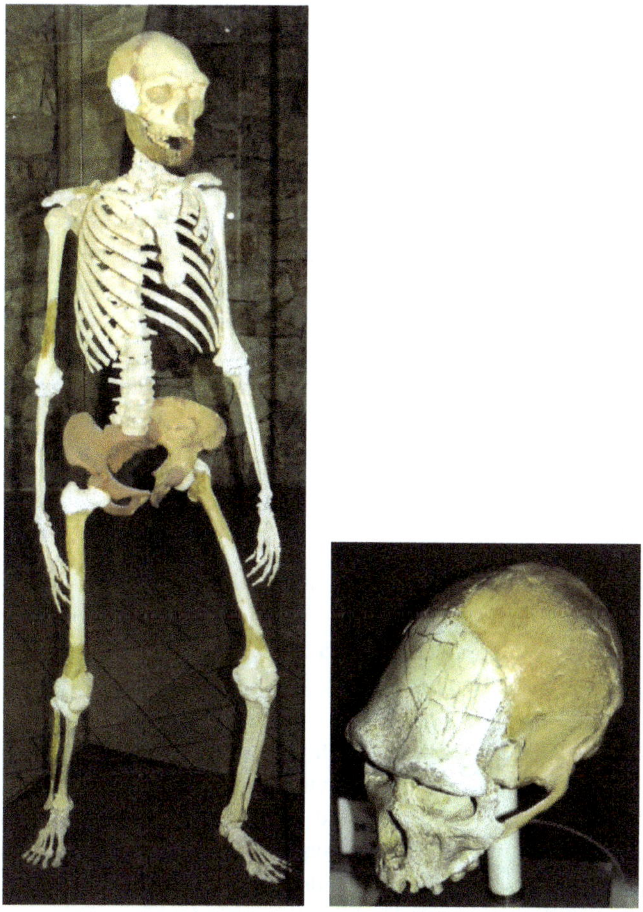

Figure 16.3. *Squelette et crâne de l'Homme de Néandertal (source : photographies de l'auteur, © Musée de Tautavel)*

Les écarts de température ont été tels que l'Europe a pu connaître des périodes au cours desquelles des mammouths ont vécu jusqu'au sud de la France et même au nord de l'Espagne (pensons à la grotte de Rouffignac, près des Eyzies, dite « grotte aux cent mammouths », dont les représentations couvrent son plafond), alors qu'à d'autres époques des hippopotames prenaient des bains dans la Tamise. Ces alternances de chaud et de froid, qui parfois se succédaient sur de très courtes durées, de l'ordre d'une génération humaine, avec la descente d'énormes icebergs jusqu'aux côtes françaises, ont contribué à empêcher les populations néandertaliennes de connaître une grande multiplication, alors même qu'elles se répandaient sur d'immenses territoires, jusqu'en Sibérie. De plus, les énormes glaciers des périodes froides et les immenses lacs des épisodes chauds ont morcelé leurs territoires. Tout cela a conduit à les séparer en petits groupes éloignés les uns des autres, nombre d'entre eux finissant même par s'éteindre.

Cela a certainement joué un grand rôle dans la dérive génétique constatée. En effet, dans une population qui s'était diversifiée au cours du temps en même temps qu'elle se dispersait dans l'espace, les extinctions de groupes entiers restreignaient la variété génétique, faisant disparaître certaines caractéristiques morphologiques et en privilégiant d'autres qui prenaient une position dominante. Et cela sans qu'intervienne une quelconque pression environnementale. Supposons qu'aujourd'hui un cataclysme ne fasse survivre que la population européenne scandinave. Alors la Terre se repeuplerait de gens de grande taille, avant que de nouvelles mutations ne créent peu à peu une nouvelle diversité. De plus, le hasard, nous l'avons vu à de nombreuses reprises, est le grand maître de l'évolution, et une population isolée et peu nombreuse peut fixer rapidement des changements qui seraient noyés dans la masse d'un peuplement plus important.

Un autre mystère reste entier chez notre cousin : possédait-il la parole ? Il y a encore quelques dizaines d'années, on se refusait à lui accorder cette faculté, du fait de l'anatomie supposée de sa gorge. En effet, chez *Homo sapiens*, le larynx, descendant à l'intérieur du cou à partir de l'âge de deux ans, crée un volume grâce auquel peuvent être produits des sons articulés suffisamment variés pour permettre un véritable langage, ce qui n'aurait pas été le cas pour *Homo neanderthalensis*. Des études plus récentes conduiraient à la conclusion inverse, l'incertitude portant sur le niveau d'élaboration de cette faculté d'échange par la parole (qui dépend non seulement de l'anatomie, mais aussi des capacités intellectuelles inhérentes à l'espèce). Certains spécialistes en sont même actuellement à doter d'un langage, certes rudimentaire, des ancêtres beaucoup plus lointains, mais avec peu d'arguments pouvant remporter l'adhésion. On peut, au demeurant, avancer une explication d'ordre non anatomique en faveur de la possession d'une forme de langage chez Néandertal. Il s'agit des nombreuses sépultures qui attestent d'une dimension spirituelle dans la pensée, dont on voit mal comment elle aurait pu émerger et se réaliser sous la forme de ces tombes sans un minimum de communication entre ces Hommes.

16.2. Origine de l'Homme de Néandertal

Dès les premières découvertes d'Hommes de Néandertal, les spécialistes se sont affrontés pour savoir s'il fallait en faire les ancêtres de l'Homme moderne ou une branche indépendante. On peut maintenant considérer le débat comme clos, grâce en particulier au rapprochement de quelques crânes plus ou moins complets découverts tant en Europe qu'en Afrique. Citons parmi eux le crâne de Bodo, trouvé en Éthiopie et daté de 0,6 Ma, et celui de Kabwe, en Zambie, probablement un peu plus récent (0,4 Ma ?). On a pensé à les rapprocher de fossiles européens, tel le crâne grec de Petralona déjà cité, pour constater une convergence d'évolution dont la caractéristique la plus visible est un important grossissement de la capacité crânienne. Ces crânes sont tous postérieurs à 700 000 ans, époque qui a connu un important et brutal refroidissement du climat mondial. Il est plus que tentant de rapprocher les deux phénomènes et de considérer que ce changement de climat a exercé une forte pression évolutive en contraignant les hommes de cette époque à s'adapter à des conditions de vie devenues plus difficiles, d'où cet accroissement de la taille et donc des performances du cerveau. De la même façon, nous avons vu précédemment qu'un refroidissement du climat, plus ancien d'environ un million d'années, avait abouti à l'émergence d'*Homo erectus*.

Ces réflexions ont conduit à rassembler tous les fossiles apparentés sous le nom d'*Homo rhodesiensis,* faisant de l'Homme de Kabwe (déjà cité au chapitre précédent) le prototype de cette nouvelle espèce descendant d'*Homo erectus*. À la suite des découvertes européennes, on avait précédemment fait jouer le même rôle à la première d'entre elles, la mâchoire de Mauer, en regroupant ces fossiles européens sous le nom d'*Homo hiedelbergensis*. La tendance actuelle est de substituer la première appellation à la seconde, puisque ces Hommes ont tous une origine africaine.

Le schéma le plus probable qui a suivi l'émergence d'*Homo rhodesiensis* est une migration d'une partie de ces Hommes vers l'Europe, en empruntant le couloir jordanien, avec leur expansion sur ce sous-continent et leur évolution vers l'Homme de Néandertal (avec certainement des branches latérales correspondant soit à des rameaux dont il ne reste actuellement aucune trace connue, soit à certains des fossiles découverts, comme l'*Homo antecessor* espagnol âgé de 800 000 ans, à moins que ce dernier, vu son ancienneté, ne soit qu'un descendant direct d'*Homo erectus* passés en Europe antérieurement).

Plus récemment, à une époque difficile à préciser, une autre évolution s'est faite à partir d'*Homo rhodesiensis*, mais en Afrique, donnant les premiers ancêtres de l'Homme moderne, dont une partie des descendants ne commenceront à quitter ce continent qu'il y a 100 000 ans environ. Nous les retrouverons au chapitre suivant.

16.3. Sa disparition

La lignée néandertalienne s'est éteinte doucement il y a 30 000 ans environ, ses derniers représentants ayant cohabité avec les premières migrations européennes d'Hommes modernes. Beaucoup d'hypothèses ont été émises pour expliquer cette disparition, mais aucune n'est convaincante. Citons tout d'abord une épidémie, peut-être due à un microbe transmis par des Hommes modernes (tel le simple rhume apporté par les Européens en Amérique et décimant les populations autochtones), peu vraisemblable parce qu'impliquant une disparition rapide, et difficilement compatible avec la très faible densité et la dispersion des populations sur d'immenses territoires. Ensuite, l'affrontement direct entre les deux populations, se terminant par la défaite des moins bien armés dans tous les sens du terme ; là aussi, outre le fait qu'aucune trace de ces éventuels affrontements n'a été trouvée, cette hypothèse est peu compatible avec la faible densité des populations, tant néandertalienne que moderne.

Une proposition plus sérieuse est celle d'une dégénérescence de l'espèce. Plusieurs indices iraient dans ce sens, en particulier, semble-t-il, une diminution de la vascularisation du cerveau des Néandertaliens les plus récents que révèlerait l'examen de leurs endocrânes (phénomène que l'on trouverait également chez les *Homo erectus* asiatiques). La raison pourrait en être le faible brassage des populations dû à leur dispersion, ou peut-être les effets d'une alimentation presque uniquement carnée attestée par l'analyse du collagène des os de récents Néandertaliens charentais. N'oublions pas les origines primates des Hommes, avec une nourriture initialement composée exclusivement de feuilles et de fruits, l'apport protéiné n'apparaissant que très tardivement, comme simple complément loin d'être majoritaire. L'Homme de Néandertal, vivant la plupart du temps sous des climats froids à la végétation pauvre en substances nutritives, devait effectivement se nourrir pour l'essentiel de gibier, ce qui a pu entraîner des carences alimentaires qui auraient eu à la longue des effets nocifs.

Mais peut-on considérer comme pure coïncidence l'arrivée des premiers *Homo sapiens* et la disparition quasi simultanée d'*Homo neanderthalensis* (même si elle s'est étalée sur quelques milliers d'années) ? Il est fort possible que, tout simplement, la fécondité de l'Homme moderne ait été plus grande, comme a dû l'être sa durée moyenne de vie grâce à des capacités intellectuelles lui permettant une meilleure adaptation au milieu, avec en particulier la conception d'outils et d'armes plus efficaces. Il en résulta une augmentation rapide de sa population avec l'envahissement progressif des zones les plus favorables à la vie de groupes humains. Malgré la faiblesse moyenne des peuplements, aussi bien néandertaliens que modernes, les bandes devaient souvent se déplacer de la même façon en empruntant les mêmes routes les plus faciles, en suivant les mêmes gibiers et en s'installant plus ou moins longuement dans les mêmes sites privilégiés par leur ensoleillement, leur orientation, la proximité d'une rivière, etc. Aussi, même sans que les affrontements directs se soient forcément multipliés, les rencontres ont donc pu être beaucoup plus fréquentes que ne le laisserait supposer une vision purement statistique ne prenant en compte que le peuplement moyen, et les Néandertaliens ont dû être repoussés dans des zones dans lesquelles il était plus difficile de survivre.

Certes, cette proposition est loin de recueillir l'unanimité, mais il est bien tentant de la mettre en avant alors que rien ne permet de privilégier n'importe laquelle des autres pistes proposées. Elle est de plus confortée par ce que l'on constate également sur les autres continents, Asie et Afrique : une disparition totale des *Homo erectus* qui les peuplaient. Pourquoi alors chercher des raisons spécifiques en Europe ? On peut également faire un parallèle avec ce qui s'est passé en Afrique après l'apparition d'*Homo erectus* : l'expansion de cette espèce a coïncidé avec la disparition de toutes les autres espèces d'Hominines. Coïncidence bien troublante…

Cela n'interdit cependant pas qu'une cohabitation pacifique au moins partielle ait existé. Un des indices pourrait en être la découverte en Charente-Maritime, sur le site de Saint-Césaire, d'une tombe néandertalienne qui contenait des outils appartenant à l'industrie châtelperronienne. Le Châtelperronien est une technique de taille ayant existé sur une aire géographique très limitée en Europe du sud-ouest, représentant une sorte de transition entre la technique moustérienne et les industries des Hommes modernes, avec, en plus d'outils en pierre plus sophistiqués, ce qui semble être des éléments de parure constitués entre autres de dents perforées.

La technique moustérienne, du nom du site du Moustier exploré dès 1863 qui révéla cette nouvelle taille, montrait déjà un progrès dans la conception et les techniques de fabrication, avec des armes diverses, des instruments tranchants, des racloirs et des outils permettant le travail du bois et de l'os, mais encore loin du Châtelperronien. Faut-il voir dans la présence d'objets de cette dernière industrie dans une tombe néandertalienne une progression conceptuelle chez les Néandertaliens de cette époque (mais la similitude des techniques pose alors question), ou simplement une imitation des techniques d'Hommes modernes contemporains, ou encore du troc entre les deux populations, à moins qu'il ne s'agisse d'une simple « prise de guerre » ? Il est bien difficile de se faire une opinion précise, mais les dernières propositions d'explication permettraient d'y voir un indice de la cohabitation des deux espèces sur le même territoire. De toute manière, il serait surprenant que les régions les plus accueillantes, comme c'est le cas pour le sud-ouest de la France et singulièrement la vallée de la Vézère dans la région des Eyzies, n'aient pas attiré les deux types de populations.

16.4. Son legs à *Homo Sapiens*

Cette présence sur les mêmes lieux de Néandertaliens et d'Hommes modernes a-t-elle pu aller jusqu'à un croisement des populations ? Jusqu'à ces dernières années, on en a nié la possibilité. L'argument le plus convaincant s'opposant à une possibilité d'hybridation était l'analyse d'ADN mitochondrial effectuée sur un échantillon prélevé sur l'humérus de l'Homme trouvé sur le site de Neander. L'équipe munichoise qui avait mené cette étude avait pu en reconstituer un fragment et le comparer à celui de 2 000 Hommes actuels. Le nombre de différences entre les deux types d'ADN était en moyenne de 28, pour 8 seulement dans l'échantillon d'Hommes modernes. Une même comparaison entre Hommes modernes et chimpanzés n'avait donné que le double : 55 différences. Il apparaissait donc peu probable qu'une union entre deux individus appartenant aux deux espèces ait pu être féconde. Jusqu'à ce que des chercheurs de l'Institut Max Planck de Leipzig, sous la conduite de Svante Pääbo, prouvent en 2009 la présence de gènes néandertaliens chez des Hommes modernes. Soulignons la persévérance de cette équipe qui dut se battre durant de nombreuses années pour surmonter d'innombrables obstacles, avant d'arriver à ce résultat extraordinaire (citons dans les difficultés celle, apparemment toute banale, d'éviter la contamination des échantillons des ADN étudiés par ceux des opérateurs).

Cette découverte était accompagnée d'un double étonnement : d'une part, les africains modernes testés ne possédaient pas d'ADN néandertalien, d'autre part tous les échantillons européens et asiatiques en étaient pourvus, jusqu'en Chine, alors que les Néandertaliens ne se sont jamais aventurés autant à l'est de l'Asie. Le premier point est facile à expliquer : les Néandertaliens sont des Européens qui ne sont jamais retournés en Afrique. Pour le second, la seule explication possible est que ce croisement génétique entre les deux espèces s'est produit très tôt, dès les premières migrations d'*Homo sapiens* hors d'Afrique par le couloir de la vallée du Jourdain, passage obligé de l'Afrique vers l'Eurasie. Or justement, comme nous allons le voir plus loin, on a découvert dans cette région de nombreux restes humains appartenant tant à des Néandertaliens qu'à des Hommes modernes, âgés de 50 000 à 100 000 ans, ce qui conforte cette proposition. Ces Néandertaliens étaient probablement originaires de l'Europe, qu'ils auraient quittée au cours d'une période particulièrement froide pour gagner une zone climatique plus favorable.

Ainsi, les Africains actuels descendent d'Hommes qui ne se sont pas métissés avec des Néandertaliens, mais une grande partie au moins des Hommes modernes ayant quitté l'Afrique il y a quelques dizaines de milliers d'années ont emporté avec eux une faible proportion d'ADN néandertalien acquis par croisement avec eux dans ce couloir (et sans doute ailleurs pour certains). Les descendants de certains de ces Hommes modernes ont poussé l'aventure jusqu'en Chine, ce qui permet de ne pas s'étonner d'y trouver également des traces de cet ADN.

Une dernière remarque. La proportion d'ADN néandertalien chez les Hommes actuels est de l'ordre de 2 %. Mais il semble que ce soit le hasard qui ait présidé à chaque mélange au cours des croisements de membres des deux espèces : les gènes trouvés sont différents d'un individu à l'autre, et les Hommes actuels n'ont donc pas une partie identique de leur génome provenant de Néandertal, ce qui ramènerait à pas grand-chose l'influence de ce dernier sur leur évolution. Sauf si certains de ces gènes jouaient un rôle important, privilégiant leur maintien au cours des générations successives. Cela semble être le cas pour certaines défenses immunitaires, présentes dans le génome des Néandertaliens parce qu'utiles pour combattre des maladies présentes dans leur habitat européen, remises en quelque sorte en cadeau aux Hommes modernes qui débarquaient d'Afrique.

Précisons que ce pourcentage d'ADN néandertalien chez les Hommes modernes a diminué au cours du temps, passant de 5 à 2 %, ce qui est logique du fait de la dilution progressive de cet ADN suite à la disparition des croisements avec des Néandertaliens maintenant disparus. Ajoutons pour être complet que l'on a également trouvé chez des Néandertaliens des traces infimes de gènes d'Hommes modernes.

16.5. L'Homme de Denisova

Voilà donc, comme dans un fondu-enchaîné de cinéma, *Homo neanderthalensis* qui s'efface alors qu'apparaît *Homo sapiens*. D'où vient ce nouvel acteur et comment a-t-il conquis la Terre entière, supplantant partout ses prédécesseurs ? Pour autant, nous n'en avons pas tout à fait fini avec les Néandertaliens, car un nouveau venu s'est récemment invité. Non pas qu'il ne soit pas ancien si l'on considère l'époque de son existence, mais il est nouveau par le moment de sa découverte. En effet, c'est la même année 2009, au cours de laquelle était révélé le croisement entre les deux cousins, que la même équipe se voyait offrir par un paléoanthropologue russe un minuscule fragment de phalange supposé avoir appartenu à un (ou une) Néandertalien(ne).

Ce petit morceau d'os avait été découvert, avec quelques autres (dont une dent) dans une grotte du massif de l'Altaï, au sud de la Sibérie. Si certains de ces vestiges allaient ensuite être identifiés comme correspondant bien à des Néandertaliens, le séquençage de l'ADN de celui-ci allait révéler des différences tant avec Néandertal qu'avec l'Homme moderne. Cette petite fille (comme allait le révéler l'ADN) appartenait donc à une espèce, ou au moins à une sous-espèce jusqu'alors inconnue, mais plus proche des Néandertaliens que des Hommes modernes. La dent, elle aussi, présentait les mêmes caractères singuliers, tout en appartenant à un autre individu.

Svante Pääbo pensa tout d'abord donner un nom d'espèce à ce nouveau venu, *Homo altaiensis*. Mais la faiblesse de ces différences l'a conduit à ne pas créer une nouvelle espèce et à donner simplement à ces Hommes le nom de Dénisoviens. Mais comment s'est produite cette variation entre les deux populations ? L'explication actuellement privilégiée est l'apport d'un autre ADN provenant d'Hommes plus archaïques issus d'une vague antérieure d'*Homo erectus*.

Autre surprise extraordinaire : après avoir prouvé le métissage entre Hommes modernes et Néandertaliens, l'équipe de Svante Pääbo découvrit que la même chose s'était produite avec les Dénisoviens, avec près de 5 % de leur ADN présent dans les populations mélanésiennes (y compris les Australiens). Dernière surprise enfin, nous venons de voir que Néandertal avait transmis aux Hommes modernes des gènes leur permettant de combattre des maladies qu'ils rencontraient pour la première fois après leur sortie d'Afrique. Un phénomène de même nature s'est produit avec les Dénisoviens. En effet, les Inuits qui peuplent les terres les plus nordiques tant en Amérique qu'en Asie possèdent un gène très particulier qui joue un rôle majeur dans leur défense contre le froid. On a trouvé dans l'ADN dénisovien un gène très proche dont on peut penser qu'il a été transmis, lors de croisements, aux Hommes modernes qui s'étaient aventurés dans ces contrées d'abord sibériennes, puis également américaines, chez lesquels il s'est conservé quasiment à l'identique.

Mais on n'en avait pas fini avec cet énigmatique nouveau venu. Les étagères et tiroirs des laboratoires recèlent des trésors oubliés parce que n'ayant pas attiré particulièrement l'attention lors de leur découverte. Parfois, un fait nouveau les tire de l'oubli en leur donnant un nouveau statut. Il en a été ainsi pour deux crânes d'au moins 100 000 ans, grâce à l'Homme de Denisova. Des paléontologues chinois se sont en effet rappelé l'existence de crânes trouvés à peu près à la même époque sur un site proche de la ville de Xuchang, dans l'est du pays, attribués à l'espèce *Homo erectus* qui était devenue un fourre-tout pour à peu près tous les fossiles humains anciens. Reconstitués, tel un puzzle, à partir d'une cinquantaine de morceaux, il s'agissait précisément de deux calottes crâniennes. Mais elles n'étaient pas banales, l'une d'elles ayant appartenu à un crâne d'un volume de 1 800 cm^3, dépassant le plus gros de ceux attribués à des Néandertaliens. Leur anatomie les rapprochait de ces derniers, mais avec des caractères plus graciles. Diverses hypothèses avaient été émises lors de leur découverte pour tenter d'expliquer ces singularités. On avait ainsi évoqué la possibilité d'une évolution locale à partir d'*Homo erectus*, y ajoutant même des croisements avec des Néandertaliens ou des Hommes modernes.

L'arrivée sur la scène de l'Homme de Denisova a permis de proposer que les calottes crâniennes de Xuchang appartenaient tout simplement à deux de ces Dénisoviens. Hypothèse séduisante, même si l'origine de l'Homme de Denisova reste mal connue. Elle pourrait être confirmée (ou infirmée) si l'on pouvait recueillir de l'ADN sur ces ossements ; malheureusement, cela n'a pas été possible, les conditions de leur conservation sur des dizaines de milliers d'années n'ayant pas permis le même miracle que pour la phalange de la petite fille de l'Altaï. On a également rapproché ces calottes crâniennes d'autres crânes découverts antérieurement, âgés comme eux de plus de 1000 000 ans, ce qui confirmerait l'hypothèse d'un peuplement de tout l'est de l'Asie par les Dénisoviens.

On découvre ainsi petit à petit de multiples croisements entre espèces ou sous-espèces issues d'Afrique à des époques successives, migrant et évoluant chacune de leur côté, mais aussi se rencontrant et se métissant. Bien des surprises nous attendent sans doute encore dans l'avenir.

16.6. Bref retour sur l'industrie acheuléenne

Avant d'aborder l'Homme moderne, revenons quelques instants sur l'apparent mystère de l'arrivée tardive de l'industrie dite acheuléenne en Asie et surtout en Europe. Si les premiers *Homo erectus* asiatiques n'utilisaient que des outils primitifs de technique dite oldowaïenne, l'explication la plus simple et la plus logique est que leurs ancêtres ont quitté l'Afrique avant l'invention de l'industrie acheuléenne, et ne l'ont pas réinventée plus tard, peut-être, comme on l'a suggéré, parce qu'ils avaient à leur disposition d'autres types d'outils fabriqués à partir du bambou. C'est donc probablement une seconde vague plus tardive de migration, alors que l'Acheuléen était déjà inventé, qui a introduit cette technique en Asie. Pour ce qui est de l'Europe, il paraît raisonnable d'attribuer cette importation aux descendants d'*Homo rhodesiensis* ayant à leur tour quitté leur continent d'origine, beaucoup plus tard, ce qui coïncide bien avec les plus anciennes traces de cette industrie dans le centre de la France il y a 700 000 ans.

Chapitre 17

Homo sapiens et la seconde conquête du monde

17.1. Le remplacement en Afrique et en Eurasie

Les premiers Hommes considérés comme modernes, semblables à nous, ont été découverts au lieu-dit Cro-Magnon, un abri sous roche mis au jour lors du percement d'une tranchée de chemin de fer en 1868, sur la commune des Eyzies. Il s'agissait de cinq squelettes (trois hommes, une femme et un enfant), probablement rassemblés dans une sépulture. Malheureusement, ils avaient été déplacés par les travaux et il n'a pas été possible de savoir avec suffisamment de certitude à quel niveau ils avaient séjourné. D'autres ossements isolés avaient été trouvés ici ou là quelques décennies auparavant, mais ils n'avaient pas, alors, attiré particulièrement l'attention, surtout s'agissant de restes humains qui auraient pu appartenir à des Hommes plus récents. Avec Cro-Magnon, on avait la certitude de l'ancienneté de la découverte, même si sa datation précise n'était pas possible, et des paléontologues de l'époque créèrent ce qu'ils appelèrent la race de Cro-Magnon. Ces premiers Hommes modernes découverts aux Eyzies sont un peu plus anciens que l'on ne l'a d'abord estimé : environ 33 000 ans.

En 1909, Otto Hauser trouvait à Combe-Capelle, pas très loin des Eyzies mais au sud de la rivière Dordogne, le squelette d'un autre Homme moderne. Ces *Homo sapiens* arrivés dans l'ouest de l'Europe étaient grands (de 1,70 à 1,85 m) ; leur squelette était plus robuste qu'actuellement, mais leur crâne contrastait fortement avec ceux des Néandertaliens ou des *Homo erectus* de toutes régions, avec un front vertical, un menton et la disparition du torus sus-orbitaire. Il s'agissait véritablement d'Hommes appartenant à notre espèce, dotés des mêmes capacités intellectuelles, avec en particulier le développement des lobes du cerveau frontal et pariétaux, dont nous avons souligné l'importance. Alors pouvait se déployer toute la créativité qui allait véritablement faire exploser les inventions techniques et l'exploitation des ressources naturelles, mais aussi faire naître l'art en même temps que les interrogations existentielles. Il sortirait du cadre de ce livre de développer ces sujets. On trouvera simplement ici la reproduction d'une de leurs œuvres les plus belles et les plus émouvantes, celle du bison se léchant, gravée sur os, trouvée sur le site de la Madeleine, tout près de l'abri du Moustier dans la vallée de la Vézère et âgée de 15 000 ans, qui peut être admirée au Musée de l'Homme à Paris (figure 17.1). Le problème de la forme et de la petite taille du matériau a été contourné par l'artiste en ramenant la tête vers l'arrière, la langue sortant du museau pour lécher le flanc de l'animal.

Figure 17.1. *Bison se léchant (source : photographie de l'auteur d'après une reproduction, © Musée de l'Homme)*

Mais avant de produire ses célèbres chefs-d'œuvre de peinture, gravure et sculpture, l'Homme de Cro-Magnon s'était déjà doté d'outils et d'armes traduisant un saut conceptuel et technologique spectaculaire. La forme des outils se multiplia peu à peu, certains paraissant même, comme les grandes « feuilles de laurier », avoir été fabriqués uniquement « pour le plaisir des yeux », comme disent les marchands africains. On faisait maintenant appel à d'autres matériaux, l'os et l'ivoire, pour fabriquer par exemple des aiguilles à chas. En attendant l'arrivée, plus tardive, de l'arc, les chasseurs inventaient un instrument déjà très performant pour lancer des traits à grande distance : le propulseur. C'est un bâton dont l'arrière se termine par un crochet sur lequel s'appuie l'extrémité postérieure de la flèche placée contre lui. L'ensemble est tenu en arrière du corps, comme pour lancer un javelot, puis le bras est projeté vers l'avant, la tête du propulseur faisant une rotation de 180 degrés, accélérant la vitesse du trait.

Le XXe siècle a vu se multiplier les découvertes de restes d'Homme moderne. Pour l'Europe, il faut ajouter les squelettes des grottes de Grimaldi, situées en Italie près de la frontière française, d'époque proche des fossiles de Dordogne, ainsi que divers autres trouvés en Europe de l'est, mais dont l'ancienneté de la découverte ne permet pas de les dater avec précision, alors que de surcroît beaucoup d'entre eux ont été détruits au cours de la Seconde Guerre mondiale.

Qu'en est-il du Proche-Orient, que nous avons déjà rencontré comme lieu de passage en Eurasie d'une première vague humaine africaine, celle d'*Homo erectus*, puis, bien plus tard, comme l'un des habitats de l'Homme de Néandertal ? C'est dans le couloir du Jourdain, dans les grottes de Tabun et de Skhul sur le site du mont Carmel près de Haïfa, que la Britannique Dorothy Garrod trouva entre 1932 et 1934 d'abord un squelette d'aspect plutôt néandertalien mais au front assez haut, puis dix autres, cinq hommes, deux femmes et trois enfants, proches d'*Homo sapiens* mais avec des caractères archaïques. Leur datation n'était pas très précise, entre 50 000 et 100 000 ans. On pensa à l'époque à un métissage entre Hommes modernes et Néandertaliens. Puis, en 1935, le consul de France à Jérusalem, René Neuville, extrayait plusieurs squelettes d'une autre grotte appelée Djebel Qafzeh située près de Nazareth.

Les recherches, reprises par une équipe dirigée par le Français Bernard Vandermeersch, ont permis d'exhumer huit autres squelettes, plus de nombreux autres ossements dispersés, indubitablement modernes, mais accompagnés d'une industrie moustérienne. Il s'agissait, au moins pour partie, de véritables tombes. Dans l'une d'entre elles reposait une femme avec, à ses pieds, un enfant, sans doute le sien mort en même temps qu'elle. Une autre contenait les restes d'un adolescent accompagnés, en ultime hommage, d'un massacre de cervidé. Ce sont les plus anciennes sépultures connues. Enfin, au squelette néandertalien de Tabun s'en est ajouté un autre d'aspect semblable, trouvé en 1983 sur un autre site de la même région, Kebara. Des datations effectuées avec des procédés modernes ont permis de préciser les âges de tout ce monde : les fossiles de Djebel Qafzeh et ceux de Skhul ont près de 100 000 ans et sont contemporains du Néandertalien de Tabun, alors que l'autre Néandertalien, celui de Kebara, était nettement plus jeune, seulement 60 000 ans.

Certes, les périodes de cohabitation entre les deux espèces ont été rares. Ainsi, à certaines époques, les *sapiens* étaient bloqués en Afrique par l'assèchement du climat qui faisait du Sahara une zone infranchissable. Pour ce qui est des Néandertaliens, on pense que leurs séjours dans cette région étaient la conséquence d'un reflux depuis l'Europe lors des périodes particulièrement froides. Il n'en reste pas moins que ces cousins proches ont par moments vécu ensemble et partagé ce que l'on peut appeler la même culture, enterrant leurs morts et fabriquant les mêmes outils et armes.

Il n'est dès lors pas étonnant que, du moment que les différences génétiques n'étaient pas trop importantes pour l'empêcher, il y ait eu des croisements entre ces populations.

Nous avons commencé ce tour des premiers Hommes modernes par l'Europe occidentale, en particulier par la France, parce que c'est de là que proviennent les premiers ossements, puis continué au Proche-Orient pour rechercher les premières traces de migrations possibles depuis l'Afrique. Qu'a-t-on découvert ailleurs ?

Commençons donc par l'Afrique. Nous avons déjà parlé des crânes de Bodo et de Kabwe dont on pense qu'ils font partie d'un ensemble, auquel on a donné le nom d'*Homo rhodesiensis*, et dont certains descendants ont évolué, migré vers l'Europe et sont à l'origine de l'Homme de Néandertal, avant que d'autres, après avoir commencé eux aussi à évoluer mais sans sortir d'Afrique, ne partent à leur tour en donnant l'Homme moderne. La rareté des fossiles ne permet pas de suivre dans le détail l'évolution africaine de cette seconde branche, mais il reste cependant possible d'en avoir une assez bonne idée.

Des ossements, dont la datation approchait 300 000 ans pour certains, avaient été trouvés aussi bien en Afrique du Nord (surtout au Maroc où les conditions de conservation des fossiles sont meilleures) qu'en Afrique de l'est et du sud. On pouvait y voir une tendance à l'aplatissement progressif de la face, alors que les crânes restaient plus primitifs, en forme d'obus. Ces restes étaient souvent accompagnés d'une industrie lithique intermédiaire annonçant les outils et armes que l'on trouvera en Europe à des époques plus récentes.

Dans cette évolution progressive vers l'Homme moderne, il était à peu près admis que c'était autour de – 200 000 ans que l'on pouvait véritablement parler de premiers *Homo sapiens*. Jusqu'à ce que soit publiée en juin 2007 la découverte au Maroc, sur le site de Djebel Irhoud où avaient déjà été trouvés des crânes, de nombreux ossements appartenant à plusieurs individus (trois adultes, un adolescent et un enfant). Leur datation donne une ancienneté de 300 000 ans environ. Les faces sont particulièrement aplaties, autant que celles d'autres crânes trouvés auparavant, mais datés d'environ 200 000 ans seulement. C'est donc à un recul de 100 000 ans que nous aurions affaire ! Si cette ancienneté est confirmée, et vu les caractéristiques déjà très modernes des faces, il n'est pas interdit de penser que l'évolution vers la branche *Homo sapiens* ait pu prendre souche à une époque encore plus ancienne, pourquoi pas aussi loin dans le passé que celle qui a abouti à l'Homme de Néandertal.

Avant de nous transporter en Asie, revenons un instant sur les qualificatifs d'« archaïque » opposé à « moderne » dont on affuble certains caractères de fossiles. En comparant les crânes d'Hommes modernes et ceux de Néandertaliens, on se rend compte que nous avons conservé certains aspects de la face de notre ancêtre lointain *Homo erectus*, alors que des changements dans cette même partie du crâne se sont produits chez Néandertal. C'est le cas par exemple de la région infra-orbitaire, qui apparaît en quelque sorte gonflée chez Néandertal par rapport à la forme ancestrale conservée chez *Homo sapiens*. Là, c'est *Homo sapiens* qui est archaïque. Le phénomène inverse existe également : l'évolution chez ce dernier de caractères qui ont été conservés dans l'autre espèce.

En Asie, quelques fossiles humains ont été proposés comme appartenant à des Hommes modernes plus ou moins archaïques. Mais les dates anciennes qu'on leur attribue rendent cette hypothèse bien peu vraisemblable. Ainsi, à part le remplacement attesté des premiers européens par une vague, ou plus probablement plusieurs, venues d'Afrique par le Proche-Orient, on n'en sait pas beaucoup sur la façon dont les Hommes modernes ont conquis la totalité de la planète (à l'exception des quelques zones particulièrement inhospitalières).

Avant d'en dire quelques mots, soulignons l'étrangeté de vouloir à toute force que les Hommes modernes sortis d'Afrique aient eu la peau blanche. C'est ce qui ressort dans la plupart des représentations dessinées ou filmées. On retrouve là les idées préconçues qui avaient fait situer en Eurasie l'origine de l'Homme, parce que c'est là que l'on avait trouvé les premiers fossiles, avant que Dart et Broom ne découvrent les premiers Australopithèques en Afrique du Sud. La peau des premiers européens et asiatiques était forcément foncée, comme l'avait été celle de leurs ancêtres anciens et récents sous l'effet du soleil ; puis elle s'est progressivement éclaircie sous les latitudes plus éloignées de l'équateur, ne serait-ce que parce que les peaux claires aidaient à compenser la diminution du rayonnement ultraviolet du soleil, source de production de la vitamine D.

Nous avons vu que l'Homme moderne a remplacé, on peut sans doute même dire éliminé, l'Homme de Néandertal. Que peut-on dire de la disparition de l'*Homo erectus* asiatique ? La réponse la plus probable est la même que pour Néandertal : son étouffement, progressif ou brutal, par l'expansion d'*Homo sapiens*, mieux armé que lui intellectuellement pour s'adapter à un environnement difficile.

Un indice indirect confortant cette proposition de l'élimination des premiers occupants par les nouveaux colonisateurs est livré par la découverte en 2003 de restes humains sur l'île indonésienne de Flores. Baptisés *Homo floresiensis*, il paraît bien s'agir d'*Homo erectus* récents (14 000 ans pour les derniers fossiles découverts). Ces Hommes ont probablement été longtemps protégés de l'extinction par leur insularité, alors que leurs ancêtres restés sur le continent disparaissaient beaucoup plus précocement. D'ailleurs, leur fin ne semble pas être due au débarquement d'Hommes modernes, mais plutôt à une importante éruption volcanique attestée par une épaisse couche de lave datée de 12 000 ans. Ces individus étaient de très petite taille (de l'ordre de 1 m), ayant, peut-on penser, subi le phénomène de nanisme insulaire que nous avons déjà évoqué pour d'autres créatures. Cette hypothèse est confortée par la découverte concomitante de stégodons nains, espèce archaïque d'éléphants ayant donc connu ici une forte diminution de leur taille (de la même façon que leurs cousins de Sicile disparus sous l'époque romaine), qui ont d'ailleurs servi de gibier à ces Hommes de Flores. N'est-ce pas un exemple extraordinaire de la pression de l'environnement sur l'évolution, y compris celle des Hommes ?

17.2. Le peuplement du Pacifique et de l'Amérique

La première présence avérée d'Hommes modernes dans la région du Pacifique se situe en Nouvelle-Guinée. Il s'agissait certainement de peuples vivant en partie de la pêche qui ont poussé leur navigation d'île en île, ces terres étant alors suffisamment proches pour être visibles les unes des autres. Les restes humains paraissent appartenir à deux groupes, l'un plus robuste et l'autre plus gracile, qui seraient arrivés là par deux voies différentes, les premiers en provenance d'Indonésie par l'ouest, les autres de Chine par le nord, avec des différences anatomiques allant au-delà de la simple variabilité intraspécifique.

Le peuplement de l'Australie s'est également fait par la mer. En effet, jamais, même au moment des plus fortes glaciations, son niveau n'a suffisamment diminué pour relier ces terres au continent. Les plus anciennes traces de peuplement (de l'industrie lithique) ont environ 50 000 ans, mais la population semble être restée très faible jusqu'il y a environ 14 000 ans.

Pendant que des Hommes se dirigeaient vers le sud-est de l'Asie, d'autres en gagnaient le nord-est en suivant les troupeaux de gros herbivores, mammouths, bisons et autres ; ils continuaient avec eux jusqu'à ce qu'ils ne savaient pas être l'Amérique du Nord, en passant à pied sec le détroit de Béring, profitant des importantes baisses des niveaux des océans survenues à plusieurs reprises. Mais les ossements humains sur le continent américain restent très rares et les restes d'industries guère plus nombreux, les deux étant difficiles à dater, même approximativement.

On a découvert en Sibérie, près du détroit de Béring, un gisement montrant une présence humaine il y a 31 000 ans. Mais à cette époque, on était dans une période de glaciation majeure et l'isthme reliant alors l'Asie à l'Amérique du Nord (que l'on appelle la Béringie) devait être couvert d'une épaisse couche de glace, rendant le passage impraticable. Il a fallu que le climat commence à se réchauffer il y a quelque 20 000 ans pour qu'il soit possible à des populations de l'emprunter, dans le court intervalle de temps précédant le retour de l'océan dû à l'accentuation de la fonte des glaces qui empêcha de nouveau le passage. À partir de cette première implantation en Alaska, une migration a commencé le long de ce continent nouvellement ouvert, se continuant jusqu'en Amérique du Sud. Le site le plus emblématique est celui de Clovis, au Nouveau-Mexique, où l'on a trouvé une industrie lithique très élaborée, avec en particulier des pointes de flèches à l'arrière aplati de chaque côté afin d'en permettre l'emmanchement dans une sagaie.

Comment a pu se faire cette pénétration, alors que d'épaisses couches de glace devaient largement obstruer le passage ? Deux voies étaient *a priori* possibles : l'une était un couloir entre les montagnes Rocheuses à l'ouest, près des côtes de l'océan Pacifique, et les Laurentides couvrant une large moitié est du Canada en débordant sur les États-Unis ; l'autre longeait la côte du Pacifique. Mais des recherches effectuées par des géologues ont montré qu'aucun être vivant n'avait existé dans le couloir central à ces époques. Restait donc la seule voie côtière.

Cela étant, le séduisant scénario d'une population homogène pénétrant en Amérique en une ou plusieurs vagues s'est récemment complexifié. En effet, des analyses génétiques ont révélé chez les descendants actuels des premiers Amérindiens des flux géniques d'origines diverses, ce que ne pouvait évidemment pas montrer précédemment le simple examen classique des fossiles. On a d'abord envisagé un apport annexe de migrants en provenance du sud de l'Asie, voire même de l'Europe par l'autre côté de l'Amérique. Mais cette hypothèse était peu vraisemblable : quels chemins, sur de telles distances, auraient pu emprunter ces populations à des époques aussi anciennes ? Une explication beaucoup plus plausible a émergé grâce à des fossiles découverts dans l'est de la Sibérie, non loin du lac Baïkal. En effet, il s'agissait d'ossements d'origine européenne, ce qui était déjà surprenant, mais de surcroît une partie de leur génome se retrouvait en forte proportion dans celui des Amérindiens actuels. Voilà donc des populations d'hommes modernes européens qui avaient migré vers l'est, à une époque inconnue, et dont une partie avait suivi le même chemin de migration vers l'Alaska par la Béringie, sans doute à une époque plus récente que les premiers arrivés avec lesquels ils se sont mélangés, à moins que ce métissage n'ait commencé avant le passage en Amérique.

Ajoutons sur un plan plus général que la révélation de ce flux migratoire de l'Europe vers l'Asie ne fait que confirmer la certitude que le peuplement de la totalité des continents par l'Homme moderne s'est accompagné de nombreux mouvements de populations, avec de multiples croisements génétiques, de la même façon que la découverte de l'Homme de Denisova a suggéré un semblable phénomène dans un passé plus lointain. Et cela a continué jusqu'aux temps historiques, en ne citant comme exemple spectaculaire qu'Attila venant d'au-delà du Danube jusqu'à l'ouest de l'Europe, pour être au final refoulé en 451 par une coalition de peuples d'Occident à la bataille des champs Catalauniques, en Champagne.

17.3. La consolidation

Nous voilà à la fin de ce récit qui a privilégié le cheminement immensément long et plein de péripéties ayant abouti, après quelque 4 milliards d'années, à la lignée qui nous intéresse le plus : la nôtre. L'ultime colonisation importante, celle des Amériques, a débuté il y a probablement 20 000 ans, alors que s'amorçait un nouveau réchauffement du climat après une intense période glaciaire. Ce nouvel épisode fut la plus récente manifestation d'une succession de périodes alternativement froides et tempérées, selon un rythme d'environ 80 000 années froides puis 20 000 autres plus chaudes, qui ont joué un rôle majeur dans l'accélération de l'évolution africaine des Hominines suivie de deux vagues successives de migration en Eurasie après celle, plus ancienne, d'*Homo erectus*. Il y a 20 000 ans, notre cousin néandertalien avait déjà disparu de la scène, remplacé par notre ancêtre direct sorti d'Afrique beaucoup plus récemment. La température nettement moins clémente que celle qu'il connaissait dans son continent d'origine ne l'avait pas découragé à emprunter à son tour le couloir jordanien puis, après avoir buté sur le Caucase, aller à son tour peupler l'Europe et l'Asie, avant de gagner l'Amérique.

Ce dernier réchauffement permit à nos ancêtres de disposer d'une nourriture tant végétale qu'animale de plus en plus abondante. Une partie d'entre eux commencèrent alors à se sédentariser ; cela leur donna la possibilité de cultiver des végétaux et de capturer et élever des animaux, les transformant peu à peu, par une judicieuse et patiente sélection, en variétés de plus en plus performantes pour assurer leur subsistance. Ce fut la fin du Paléolithique (« âge de la pierre ancienne »). Une période de transition appelée le Mésolithique (« âge de la pierre moyenne »), vit une adaptation des armes et des outils, entre autres pour chasser un gibier différent, de plus petite taille (cervidés, lièvres, lapins, etc.), qui remplaçait le précédent ayant migré vers le nord. L'abondance de la nourriture libérait du temps précédemment consacré à la chasse et à la cueillette, permettant d'inventer et de fabriquer de nouveaux objets encore plus performants et, en particulier, de polir certaines pierres en ne se contentant plus d'une simple taille. Ainsi débuta le Néolithique (« âge de la pierre nouvelle »). L'augmentation de la population, conséquence de l'accroissement des ressources, nécessitait la conquête de nouvelles terres à cultiver par le défrichement de pans de plus en plus importants de forêts. Il fallait pour cela des outils adaptés qui virent le jour grâce à la technique du polissage. Ce furent la hache et l'herminette, sorte de petite hache dont le tranchant est perpendiculaire au manche.

Le Néolithique, qui se termina à son tour, bien plus tard, avec l'invention des techniques permettant d'extraire du sol et de travailler les métaux, est d'abord connu au Moyen-Orient, dans ce que l'on appelle « le Croissant fertile », vaste région qui part du Golfe Persique pour former d'abord une bande de part et d'autre du Tigre et de l'Euphrate, puis s'incurver vers l'ouest, rejoindre la Méditerranée et se terminer à la vallée du Nil. C'est là, dans le sud des vallées du Tigre et de l'Euphrate, que finit par émerger, il y a plus de 5 000 ans, une civilisation appelée sumérienne qui paraît bien être la première à avoir inventé l'écriture. Nous en resterons donc là, en laissant la place aux historiens dont le matériau de base va être les textes écrits et les monuments alors construits et partiellement conservés, et non les seuls squelettes et objets trouvés dans des fouilles.

En guise de bouquet final, effectuons un saut dans le temps futur. Nul ne peut savoir quel va être dans les prochains siècles (voire simplement dans les prochaines décennies) le destin de l'humanité et de l'ensemble des êtres vivants. Mais ce dont on peut être à peu près sûr, c'est que notre espèce, si elle vit jusque là, connaîtra dans environ 10 000 nouvelles années, après la période de même durée qui nous a conduits du début du dernier réchauffement climatique à aujourd'hui, un autre sévère refroidissement qui pourrait bien faire s'étendre de nouveau les glaces aussi loin des pôles qu'elles l'ont fait au cours des périodes glaciaires précédentes, avec toutes les conséquences que l'on peut imaginer.

Certes, affirmer cela ne fait courir aucun risque de démenti à l'auteur de tels propos qui aura depuis longtemps disparu en poussière... Mais la probabilité de cette prédiction est fondée sur de solides arguments. En effet, l'alternance d'épisodes froids et chauds, depuis un million d'années, selon une périodicité à peu près régulière de 100 000 ans, est gouvernée par les variations, selon la même périodicité, des caractéristiques de l'orbite terrestre, dues aux effets de l'attraction mutuelle des planètes du système solaire. Rappelons que ce phénomène a été révélé en 1941 par le Serbe Milutin Milankovitch (chapitre 7). Le côté erratique de cette influence réciproque des planètes fait qu'à la régularité actuelle va fatalement succéder un autre rythme et une autre intensité des variations, comme lors de la très longue période d'un climat modéré à peu près constant qui a permis aux dinosaures de prospérer. Mais cette déformation ne peut être que progressive, ce qui permet de faire cette prédiction d'au moins une glaciation dans une dizaine de milliers d'années puisque nous sommes à peu près au milieu de la dernière période tempérée, si du moins elle doit durer à son tour environ 20 000 ans.

Ce qui ne veut pas dire qu'il suffise de l'attendre sans se préoccuper du réchauffement actuel...

Conclusion

Nous voilà au terme de ce récit que l'on peut presque qualifier d'épique tant il est fertile en événements et en rebondissements. D'innombrables espèces sont nées, ont prospéré puis ont disparu, parcourant pour beaucoup un cycle naturel semblable à celui de la vie des individus. Mais nous avons également assisté à des élagages sévères, rapides lorsqu'ils étaient dus à l'un des cataclysmes qui ont jalonné l'histoire de la planète, plus lents lorsque la dérive des continents ou les changements de l'orbite terrestre modifiaient le climat et les conditions de vie.

Le hasard paraît être le principal acteur de la destinée du vivant et il est frappant de constater qu'au final, le premier moteur de l'évolution est la géologie : les mouvements des plaques continentales n'ont cessé de modeler la forme et le relief des terres, de modifier la circulation des courants marins, de faire migrer les continents et de déclencher des cataclysmes volcaniques. Le deuxième est la mécanique céleste : les changements erratiques de l'orbite de la Terre autour du Soleil, gouvernés par le ballet des planètes sœurs, ont fait alterner les périodes chaudes ou froides, aux saisons contrastées ou peu marquées. S'y ajoutent les cataclysmes dus aux impacts d'énormes météorites qui, seuls ou associés aux éruptions volcaniques, ont causé des extinctions massives, régionales ou globales, et ainsi ouvert des niches écologiques devenues inoccupées, permettant l'expansion et l'évolution d'espèces précédemment confinées dans des espaces plus restreints.

Une autre forme de hasard apparaît maintenant avec la découverte du rôle des gènes architectes : l'influence de l'environnement dans des mutations intervenant en aval de l'ADN, avec une rapidité sans commune mesure avec l'évolution classique, contribue à rebattre à un rythme précédemment insoupçonné les cartes dans les destinées des espèces.

Une autre donnée essentielle qui émerge de ce récit est que le dogme d'une complexification plus ou moins immanente de la vie répond mal à la réalité telle qu'on l'observe. L'évolution ne se fait pas à sens unique, certains êtres sont plus simples que leurs ancêtres tandis que beaucoup d'autres restent stables durant des centaines de milliers d'années dans un environnement qui leur convient. La complexification n'est qu'une des réponses possibles à la nécessité de s'adapter aux modifications de l'environnement. Il est par ailleurs bien difficile de définir ce terme. S'il n'y a pas de difficulté lorsque l'on compare une bactérie et une antilope, il devient rapidement difficile de définir une hiérarchie dès que les premiers êtres multicellulaires apparaissent. L'organisme de la même antilope est plus sophistiqué que celui d'un hanneton, mais qu'en est-il de la métamorphose du ver blanc en insecte adulte ? Quant à la notion de progrès, seul notre anthropocentrisme lui donne un sens : progresserait ce qui tendrait à se rapprocher de ce que nous sommes. Si l'on adopte un point de vue différent, par exemple celui de la quantité de matière vivante, on peut dire que les bactéries, qui représentent à peu près la moitié de la biomasse, sont les championnes de la réussite. Les Artiodactyles, dont les nombreuses espèces peuplent tous les continents, n'ont-ils pas mieux réussi que les Périssodactyles, représentés uniquement, outre le tapir et le rhinocéros, par le seul cheval et quelques proches (ce que contesteront les amoureux de ce dernier qu'ils jugeront de meilleure facture que la vache ou le mouton), ou que les Hominidés qui sont dans la même situation de sous-représentation ? En revanche, on peut donner la palme à l'espèce humaine pour avoir réussi à s'implanter à peu près partout sur la Terre (encore qu'il faille la partager avec les moustiques).

Nous avons vu, en le regrettant, que l'histoire évolutive de l'humanité est bien mal inscrite dans les fossiles ; ils sont rares, souvent difficiles à interpréter et très inégalement répartis dans le temps et l'espace. Alors que cela devrait inciter à ne les interpréter qu'avec la plus grande prudence, ils ont au contraire été abusivement sollicités, à toutes les époques, pour cautionner des idées préconçues.

Il n'est pourtant pas besoin de cela pour introduire des biais. On peut en effet constater combien les recherches sur le genre *Homo* peinent à se faire avec la même objectivité que celles menées sur les ancêtres des chevaux ou ceux des crocodiles. Nous avons le plus grand mal à ne pas nous considérer comme une espèce unique, ce que nous sommes indubitablement par certains côtés, mais pas au regard des lois qui régissent l'évolution. La recherche de nos origines a été gênée, et le reste encore, par la quête vaine et dénuée de sens d'une lignée singulière qui conduirait tout droit de Proconsul, ou au moins des premiers Australopithèques, à *Homo sapiens*, alors que nous ne sommes qu'une des rares branchettes rescapées d'un buisson qui a été aussi touffu que les autres.

L'important n'est pas l'impossible recherche de nos ancêtres directs ; les fossiles resteront trop rares et, de toute manière, on ne pourra jamais savoir si un crâne appartient à notre lignage ou à une branche cousine. Il est plus réaliste et plus judicieux de chercher à comprendre comment s'est déroulé le processus d'hominisation, depuis Proconsul ou un de ses proches jusqu'à *Homo erectus* puis *Homo sapiens*. Par exemple, comment et quand la bipédie a-t-elle été acquise ? L'acquisition d'un cerveau de plus en plus volumineux et performant s'est-elle faite d'une façon graduelle relevant du darwinisme classique, ou bien par sauts brusques, conformément à la théorie des équilibres ponctués ou par l'entrée en action des gènes architectes et de leurs mutations ?

L'Homme, comme toutes les espèces vivantes actuelles, animales et végétales (sans oublier les mycètes sans lesquels nous ne connaîtrions pas l'omelette aux cèpes et le poulet aux morilles), est un des millions d'ultimes rameaux du buisson évolutif de l'ensemble du vivant, tour à tour démultiplié et émondé, vieux de près de 4 milliards d'années. Sans remonter aussi loin, nous sommes les parents proches des autres mammifères et les héritiers des premiers primates. Il est regrettable que cette origine commune soit si souvent occultée, voire niée, alors qu'elle est un élément important dans la compréhension de beaucoup de nos comportements. Des preuves toutes simples de cet héritage ancestral se retrouvent pourtant aisément par la simple observation du quotidien. Ainsi, lorsque nous retroussons la lèvre supérieure en signe de mépris ou de colère, que faisons-nous d'autre que le chien qui « montre ses crocs », ou qu'un de nos cousins grands singes défiant un congénère en exhibant ses canines, comme le faisait certainement déjà l'ancêtre commun il y a plusieurs millions d'années ? De même, comment ne pas appeler pleurs, les ruisseaux de liquide lacrymal que laisse couler sur son museau la girafe stressée par sa capture et son transport dans une cage sur des dizaines de kilomètres de piste cahoteuse ?

La condition humaine est faite d'un mélange de ce passé de primate « ordinaire » et de ce qui fait notre singularité. Seule la conscience de cette dualité peut nous permettre d'ouvrir pleinement et lucidement le champ des pourquoi et des comment.

Bibliographie

Dans cette bibliographie ne sont cités que des ouvrages ou sites informatiques aisément et agréablement lisibles ou consultables pouvant intéresser les lecteurs qui souhaiteraient approfondir certains thèmes du livre.

Ameisen, J.-C. (1999). *La sculpture du vivant*. Le Seuil, Paris.

Ameisen, J.-C. (2012). *Sur les épaules de Darwin*. LLL, Paris.

Benton, M.J. (1998). *Atlas historique des dinosaures*. Autrement, Paris.

Benton, M.J. (2000). *Vertebrate paleontology*. Blackwell Science, Oxford.

Brahic, A. (1999). *Enfants du soleil*. Odile Jacob, Paris.

Buffetaut, E. (2012). *Sommes-nous tous appelés à disparaître ?*. Le Cavalier Bleu, Paris.

Buffetaut, E., Le Loeuff, J. (1998). *Les mondes disparus*. Berg, Paris.

Coppens, Y. (1999). *Le genou de Lucy*. Odile Jacob, Paris.

Coppens, Y., Picq, P. (dir.) (2001). *Aux origines de l'humanité*. Fayard, Paris.

Daniel, J.-Y. (dir.) (1999). *Sciences de la terre et de l'univers*. Vuibert, Paris.

Darwin, C. (2013). *La filiation de l'homme*. Champion Classiques, Paris.

de Duve, C. (1996). *Poussière de vie*. Fayard, Paris.

Edelman, G.M. (2008). *Biologie de la conscience*. Odile Jacob, Paris.

Forterre, P., d'Hendecourt, L., Malaterre, C., Maurel, M.-C. (2013). *De l'inerte au vivant*. La ville brûle, Montreuil.

Gould, S.J. (1982). *Le pouce du panda*. Grasset, Paris.

Gould, S.J. (1988). *Le sourire du flamand rose.* Le Seuil, Paris.

Gould, S.J. (1991a). *La vie est belle.* Le Seuil, Paris.

Gould, S.J. (1991b). *Quand les poules auront des dents.* Le Seuil, Paris.

Gould, S.J. (1993a). *La foire aux dinosaures.* Le Seuil, Paris.

Gould, S.J. (dir.) (1993b). *Le livre de la vie.* Le Seuil, Paris.

Gould, S.J. (1994). *Un hérisson dans la tempête.* Grasset, Paris.

Gould, S.J. (1996). *Comme les huit doigts de la main.* Le Seuil, Paris.

Gould, S.J. (1997a). *L'éventail du vivant.* Le Seuil, Paris.

Gould, S.J. (1997b). *Darwin et les grandes énigmes de la vie.* Le Seuil, Paris.

Gould, S.J. (2000). *Les quatre antilopes de l'Apocalypse.* Le Seuil, Paris.

Gould, S.J. (2001). *Les coquillages de Léonard.* Le Seuil, Paris.

Gould, S.J. (2002). *Les pierres truquées de Marrakech.* Le Seuil, Paris.

Gould, S.J. (2006). *La structure de la théorie de l'évolution.* Gallimard, Paris.

Hartenberger, J.-L. (2001). *Une brève histoire des mammifères.* Belin, Paris.

Hublin, J.-J. (2008). *Quand d'autres hommes peuplaient la terre.* Flammarion, Paris.

Hublin, J.-J. (2018). *Cours au Collège de France (2014 à 2018)* [En ligne]. Disponible à l'adresse : http://www.college-de-france.fr/site/jean-jacques-hublin/_course.htm.

Lamy, M. (2001). *Le grand livre du vivant.* Fayard, Paris.

Le Guyader, H. (dir.) (1998). *L'évolution.* Pour la Science, Paris.

Le Roy Ladurie, E., Rousseau, D., Vasak, A. (2011). *Les fluctuations du climat de l'an mil à aujourd'hui.* Fayard, Paris.

Lecointre, G., Le Guyader, H. (2001). *Classification phylogénétique du vivant.* Belin, Paris.

Lethiers, F. (1998). *Évolution de la biosphère et évènements géologiques.* Gordon and Breach, Amsterdam.

Maurel, M.-C. (2017). *Les origines de la vie.* Le Pommier, Paris.

Maurel, M.-C., Cassé, M. (2018). *Xénobiologie – Vers d'autres vies.* Odile Jacob, Paris.

Otte, M. (1999). *La préhistoire.* De Boeck Université, Bruxelles.

Pääbo, S. (2015). *Néandertal – À la recherche des génomes perdus*. LLL, Paris.

Senut, B. (2008). *Grands singes/homme : quelles origines ?*. Vuibert, Paris.

Steyer, S. (2009). *La Terre avant les dinosaures*. Belin, Paris.

Taquet, P. (1994). *L'empreinte des dinosaures*. Odile Jacob, Paris.

Tattersall, I. (1999). *L'émergence de l'homme*. Gallimard, Paris.

Index

A

B

C

D

E

F

G

H

I

J

K

L

M

N

O

P

R

S

T

U

V

W

X, Y, Z